D'UNE SCIENCE
A L'AUTRE

D'UNE SCIENCE A L'AUTRE

DES CONCEPTS NOMADES

D. ANDLER, F. BAILLY, F. DAVOINE
F. GAILL, J.-M. GAUDILLIÈRE
J. GERVET, M. GUTSATZ, M. HERLAND
P. LÉVY, P. LIVET, M. VEUILLE

SOUS LA DIRECTION DE
ISABELLE STENGERS

PUBLIÉ AVEC LE CONCOURS
DU CENTRE NATIONAL DES LETTRES

ÉDITIONS DU SEUIL
27, rue Jacob, Paris VIᵉ

CET OUVRAGE A ÉTÉ ÉDITÉ
SOUS LA DIRECTION DE NATHALIE SAVARY

ISBN 2-02-009801-6

Avant-propos

Une constatation à l'origine de ce livre : les sciences intéressent un public de plus en plus large, et comment ne pas s'en réjouir ? Il est juste et normal que science cesse de rimer exclusivement avec programme scolaire, que le public non spécialisé puisse avoir contact, non pas seulement avec des « vérités » sanctionnées par l'histoire et apparemment inaccessibles à la controverse, mais aussi avec les propositions imaginatives, contestables et contestées, les extrapolations, les spéculations qui traduisent les passions de la science. Les grands débats d'idées qui agitent les sciences font partie de la culture vivante d'aujourd'hui, avec ses risques, ses excès, ses audaces, ses conflits. Pourtant, et justement parce qu'il ne s'agit pas d'un savoir apaisé, stabilisé, mais mouvant et ouvert, il nous a semblé qu'un « guide » des idées et concepts scientifiques aujourd'hui discutés serait le bienvenu, qui permettrait au lecteur de s'orienter au sein du paysage accidenté, parfois incohérent, le plus souvent conflictuel, que les débats actuels l'invitent à explorer.

Pourtant, nous avons été amenés à enrichir cette idée, à abandonner le projet d'un simple « glossaire interdisciplinaire » pour celui d'un faisceau d'explorations, chacune centrée autour d'un concept enjeu de débat au sein des sciences contemporaines. En effet, au-delà de la nécessité de comprendre les significations et les implications parfois divergentes que peut prendre un concept dans différents champs scientifiques, se profilait la question des pratiques scientifiques qui créent ces significations, qui jouent de ces implications, qui amplifient ou au contraire occultent ces divergences. Nous ne pouvions nous borner à des définitions ou à des élucidations inévitablement statiques. Le véritable problème était de comprendre, et d'essayer de faire comprendre, en quoi le caractère risqué, provocant, parfois inquiétant des propositions scientifiques ne tient pas du hasard, ni non plus d'une «retombée» naturelle d'une avancée «purement scientifique» sur la culture, mais bien des intérêts, des ambitions, des prétentions des scientifiques, qui constituent en cela de véritables acteurs de la culture d'aujourd'hui.

On ne trouvera pas ici une «mise en accusation» de la science, ou une tentative pour la réduire à une pratique sociale parmi d'autres. Il s'agit au contraire de faire vivre la question de la science telle qu'elle se pose à ceux qui la pratiquent, de montrer que ce que nous appelons science est sans cesse réinventé, débattu, redéfini par ces acteurs passionnés, ambitieux, exigeants et inquiets que sont les scientifiques.

Le lecteur découvrira donc dans les pages qui suivent moins un guide impersonnel qu'un ensemble de «récits de voyage», associant histoire, discussion critique, élucidation théorique. Ces récits n'ont certes pas l'exhaustivité ou l'homogénéité auxquelles aurait dû prétendre un «glossaire». Cependant, grâce aux interréférences qui les articulent les uns aux autres, ils ouvrent une perspective très large sur les débats scientifiques actuels, tels que ceux qui ont pour objet la pertinence du concept de sélection pour les sociétés humaines, les possibilités de formaliser en termes logico-mathématiques l'activité humaine, ou, de manière plus générale, de franchir la distance qui sépare sciences de la nature et sciences des hommes et de leurs sociétés. Mais, au-delà de la richesse et de la clarté des informations et de l'intérêt des idées discutées, ce «guide» se veut un mode d'emploi pour celui qui s'intéresse aux controverses actuelles et qu'inquiète le dilemme éternel : ou bien il s'agit de «vraie science», et il faut alors s'incliner, ou bien il s'agit «simplement» d'idéologie, dénuée donc de tout intérêt.

L'ensemble d'explorations qui constitue ce livre a pour ambition de montrer que, abordées dans une perspective qui les dépouille de l'idéal de pureté et de désintéressement dont elles parent usuellement leurs démarches, les sciences n'en deviennent pas pour autant arbitraires ou dénuées d'intérêt. Au contraire, elles n'en deviennent que plus passionnantes, vecteurs d'innovation, catalyseurs d'inventions culturelles et intellectuelles. Cependant, elles appellent, pour être comprises et appréciées à leur juste valeur, en tant qu'aventures et non dévoilement de vérités universelles, le même type d'esprit critique que d'autres débats d'idées, culturels, sociaux ou politiques.

La propagation des concepts

Isabelle Stengers.

Le champ des sciences est parfois le lieu d'étranges et spectaculaires opérations. Alors que, en période de stabilité, il peut apparaître comme un champ ordonné, où se distribuent rationnellement objets et méthodes, il semble à ces occasions appeler des métaphores guerrières. Les spécialistes d'une discipline font paraître des bulletins de victoire : telle place est prise ou sur le point de l'être. Qu'il suffise d'évoquer ici la sociobiologie annonçant que les sciences de la culture, de la société, de la politique doivent désormais compter avec la définition de l'homme comme produit de l'évolution biologique, ou bien la neurophysiologie annonçant qu'un « homme neuronal » viendra bientôt unifier et fonder la psychologie, la psychanalyse et même l'esthétique. Aux bulletins de victoire répondent dénonciations et appels à la résistance. Ces opérations, protestent ceux qui sont désignés comme assiégés, ne sont pas véritablement scientifiques. Les analogies, similitudes, points de passage qui semblent les justifier ne sont que superficiels. Nos objets et nos méthodes ne sont pas réductibles à l'approche adverse.

Lorsque le champ scientifique est de la sorte bouleversé, tous, et en premier lieu le public et ceux qui soutiennent financièrement la recherche scientifique, sont sommés de prendre parti. Les thèmes du progrès scientifique et du respect des différences, les dénonciations de la résistance obscurantiste et de la barbarie réductionniste s'entrecroisent pour acculer le spectateur à choisir son camp. Y a-t-il, éventuellement, avant de choisir et de prendre parti, moyen de réfléchir à cette instabilité du champ scientifique elle-même ? Que pouvons-nous comprendre de ces opérations où est débattu et discuté ce qui, en période d'apaisement, se présente comme allant de soi : l'adéquation des concepts et des méthodes scientifiques à leurs objets ?

Introduction

Des concepts scientifiques

Dès cette première question, une bifurcation se présente à propos de ce qui, dans nos sociétés, a titre de science. Ou bien ce titre signale un état de droit. Dans ce cas, il nous faudrait dès l'abord définir ce qu'est la « scientificité », ce qu'est le modèle a priori à partir duquel le titre de science peut être décerné. Et c'est à partir de ce modèle que nous pourrions également tenter de définir le rôle légitime des concepts, leur relation avec l'expérience, etc. La nature du parcours que, après beaucoup d'autres, nous serions amenés à accomplir est sans surprise : il s'agirait de chercher à formuler un « critère de démarcation », à établir la différence entre ce qui a droit au titre de « concept scientifique » et ce qui sera dit simple métaphore, extrapolation indue, ou encore notion « idéologique ». Armés de ce critère, nous nous retournerions vers les sciences pour juger, évaluer, critiquer. Bref, nous ferions ce qu'il est convenu d'appeler de l'épistémologie normative. Ou bien nous acceptons le titre de science comme un fait : tel ensemble de propositions, de pratiques, de problèmes a été, aujourd'hui, reconnu comme « scientifique ». Dans ce cas, aucune définition préalable ne peut plus armer notre jugement : nous avons affaire au champ social et institutionnel où la « scientificité » est un enjeu, où les scientifiques eux-mêmes réfléchissent, argumentent, bref définissent activement ce qu'est la science afin de faire accepter une propositon comme « scientifique », ou au contraire afin de lui refuser cette reconnaissance. Nous avons donc affaire à un champ mouvant, instable, travaillé par les acteurs qu'il est censé définir, sans cesse redéfini par les opérations qui s'y tentent, réussissent ou échouent.

C'est cette seconde voie que nous tenterons d'emprunter ici. Elle ne signifiera pas que nous resterons « neutres », bien au contraire. L'impératif de neutralité est toujours assez artificiel : c'est avant tout — sauf désintérêt profond de celui qui décrit pour l'objet de sa description — un impératif méthodologique de dissimulation, l'un des moyens de prétendre au titre de science. Posant la question du rôle des concepts au sein du champ des sciences, cet impératif serait pour nous singulièrement intenable. Car le concept scientifique a pour première définition de ne point laisser indifférent, d'impliquer et d'imposer une prise de position. La formulation d'un concept scientifique signale en effet une opération à faces multiples : opération de redéfinition des catégories et des significations, opération sur le champ phénoménal, opération sur le champ social. Un tel concept a en effet pour vocation d'*organiser un ensemble de phénomènes, de définir les questions pertinentes à son sujet et le sens des observations qui peuvent y être effectuées. Mais cette vocation se double d'une problématique* de droit. *Un concept doit* être reconnu *comme adéquat, comme produisant une organisation effective des phénomènes, et non interprété comme simple projection des idées et des présupposés de celui qui le promeut.*

En d'autres termes, alors que nous nous refuserons quant à nous à chercher des critères permettant de définir en droit ce qui est scientifique et ce qui ne l'est pas, nous savons que le problème du droit est inhérent à ce que nous cherchons à comprendre. La distinction entre scientifique et idéologique n'a pas été inventée par l'épistémologie normative, elle est d'abord le problème des scientifiques eux-mêmes, l'enjeu des opérations qui manifestent l'instabilité du champ scientifique. Chaque opération de ce type est porteuse d'une modification, d'un renouvellement, d'une redistribution des normes de scientificité. C'est pourquoi, le plus souvent, l'épistémologie normative, celle qui se propose d'édicter des « critères de démarcation », de définir ce qui a droit au titre de science, est réduite à expliquer pourquoi les vainqueurs du jour avaient en droit raison. Elle trouve, toutes formulées par les scientifiques eux-mêmes, les caractéristiques — fécondité, puissance explicative, objectivité, etc. — au nom desquelles la victoire aura été emportée. Inversement, la possibilité de parler, ici ou là, d'« idéologie », de « fausse science », de proposition creuse, traduit que, dans ce cas et du point de vue de celui qui émet ce jugement, *l'opération a échoué. Elle n'a pas réussi à faire admettre les critères de plausibilité et de scientificité dont elle était porteuse. L'intérêt de ce qui était proposé n'a pas été capable d'effacer le sentiment d'arbitraire, la voie proposée n'a pas été reconnue comme ouvrant un accès authentique aux phénomènes, les arguments en faveur du nouveau mode d'organisation n'ont pu s'imposer comme contraignants.*

C'est de manière délibérée qu'on ne parle pas ici de vérité, ou de confirmation « par la nature ». Ces qualificatifs peuvent s'imposer d'eux-mêmes en cas de succès, ils n'ont pas cours tant que la controverse

*est ouverte, ou appartiennent à une argumentation en elle-même contes-
tée. C'est également la règle à laquelle nous tenterons de nous tenir dans ce
volume : aucun des textes présentés ici n'a pour prétention d'être neutre,
leurs auteurs sont tous, directement ou indirectement, partie prenante
dans les questions qu'ils y discutent ; par contre, aucun d'entre eux ne
dispose, à propos de la science, ou du domaine dont il traite, d'un critère
lui permettant de juger, aucun ne prétend se situer dans une position qui
serait en elle-même hors controverse, qui lui permettrait de décrire sans
participer à ce qu'il décrit. Aucun d'entre nous ne sait comment définir la
science en dehors des discussions, des polémiques, des consensus à partir
desquels cette définition s'opère et se transforme. Aucun d'entre nous ne
sait comment reconnaître que la « nature » a confirmé le caractère
adéquat d'un concept scientifique indépendamment de l'accord qui
s'établit ou non à propos de cette adéquation.*

Le champ des opérations

*Cette première mise au point définit en fait le champ de notre étude.
Nous ne savons comment définir a* priori *le critère permettant de
distinguer entre l'extension triomphante par une métaphore de son réseau
de ressemblances et d'analogies et la productivité d'un concept, généra-
teur de problèmes nouveaux, de connexions inattendues entre domaines
apparemment disjoints. Par contre, nous savons que notre incertitude,
notre hésitation porte sur les argumentations à* prétentions *scientifiques.
En d'autres termes, nous nous intéresserons aux opérations menées par
des scientifiques à l'adresse d'autres scientifiques.*

*Cette restriction porte sur la forme bien plus que sur le contenu des
arguments. Que des scientifiques s'adressent à d'autres scientifiques
implique une contrainte primordiale : il faut que les* apparences d'une
argumentation « purement scientifique » soient maintenues. Cette
contrainte implique que le scientifique ne peut ni se référer explicitement à
aucun intérêt autre que celui du progrès désintéressé de la science, ni faire
jouer explicitement — comme ce fut le cas lors de l'affaire Lyssenko par
exemple — la possibilité d'un recours à l'encontre du jugement de ses
collègues. En d'autres termes, que l'argument ait des implications sociales*

ou philosophiques, qu'il ouvre des perspectives prometteuses en matière de développement industriel ou technique, qu'il assoie le prestige d'une discipline ou lui attire crédit et autorité, cela ne doit venir apparemment *que de surcroît, à titre de « retombée » d'une avancée de la connaissance — ce qui ne signifie évidemment pas que ces « retombées » seront indifférentes à la destinée de l'argument en question...*

Nous ne nous intéresserons pas aux énoncés qui enfreignent cette règle et s'excluent dès lors d'eux-mêmes du champ où aujourd'hui la scientificité se détermine. Pour prendre un simple exemple, nous ne parcourrons pas les chemins balisés par le colloque qui se tint à Cordoue en 1979. Non pas parce que nous serions fondés à les juger, en droit, « pires » que les autres, mais parce que ce qui s'est passé à Cordoue est relatif au projet des organisateurs de ce colloque : faire abstraction des distinctions conceptuelles aujourd'hui admises au sein des sciences, mettre en contact direct physiciens et spécialistes des sciences de l'esprit, scientifiques occidentaux et représentants d'autres traditions. Les physiciens qui, à Cordoue, affirmèrent notamment que les particularités de la mécanique quantique autorisent à parler des « pouvoirs » de l'esprit sur la matière n'auraient pu produire les mêmes énoncés face à un auditoire de physiciens. Ils en appelaient à une plausibilité autre, ils se prévalaient d'expériences et de traditions qui n'ont pas aujourd'hui droit de cité en physique. Certes, ils se présentaient en tant que physiciens, mais la forme même de leurs arguments dissociait « la » science, au nom de laquelle ils parlaient, des scientifiques contre lesquels ils en appelaient face à un autre « tribunal », défini pour la circonstance comme plus éclairé.

Nous ne nous intéresserons pas non plus au langage naturel en tant qu'héritier, sans que nous en ayons souvent conscience, d'opérations pour le moins mémorables — qui sait, utilisant le terme « mongolien », que ce terme provient d'une doctrine raciste ? Certes, dans un cas comme celui-là, il est bon de se souvenir et de renoncer au mot. De même, quoique aucun scientifique n'ait, de manière générale, au nom de sa science, le droit de tenter de purifier le langage d'usages « non scientifiques », souvent bien plus anciens que ses définitions « scientifiques », on peut comprendre ceux qui luttent contre l'expression « races humaines ». Il est vrai que « race » correspond, dans le Petit Robert, *à trois ensembles de sens — famille considérée dans la continuité de ses générations et la continuité de ses caractères (race des Capétiens...), subdivision de*

13

l'espèce zoologique et groupe ethnique — dont la biologie ne reconnaît qu'un, le second. Mais l'autorité de la biologie a été invoquée pour fonder une doctrine raciste, c'est-à-dire pour faire du troisième sens un cas particulier du second. Les biologistes ont alors le droit et le devoir de tenter sur ce point non de corriger mais de modifier le langage. Cependant, l'idée d'une généralisation de cette « police du langage », et même celle d'une enquête qui en préparerait le terrain, sont étrangères à l'objet de ce livre.

Question de choix

Comment étudier le rôle des concepts dans les opérations qui constituent le champ scientifique ?

Nous avons voulu nous centrer sur le champ contemporain. Les questions qui balisent ce champ sont celles qui nous intéressent, nous comme aussi sans doute le lecteur de ce livre. Ce sont celles dont le public rencontre aujourd'hui les échos. Toute opération de quelque envergure menée dans le champ scientifique s'annonce en effet sous forme de livres ou d'articles « grand public » qui, à leur tour, suscitent des cascades de références, de dérives, elles, franchement métaphoriques, voire d'opérations de détournement qui se revendiquent de l'autorité de la science mais restent étrangères aux circuits d'évaluation et de discussion où se risque et se conquiert le statut de production scientifique.

Ce livre est composé d'un ensemble d'articles qui peuvent être lus indépendamment les uns des autres. Chacun est centré autour de la question posée par un concept appartenant à la science contemporaine et qui nous semble jouer un rôle important dans la pensée scientifique d'aujourd'hui. Le choix des problèmes traités répond donc à une question d'intérêt, non de méthodologie. En d'autres termes, chacun d'entre nous s'est senti, pour une raison ou pour une autre, « partie prenante » dans la question qu'il étudiait, alors qu'une démarche guidée par des préoccupations méthodologiques aurait voulu au contraire que nous nous adressions à des questions dont les enjeux nous laisseraient parfaitement indifférents. Mais peut-être est-ce justement parce que nous ne pouvons prétendre à la neutralité que notre approche ne risque pas de tomber dans le piège d'une « science de la science ».

En effet, qu'aurions-nous fait si nous nous étions soumis à des contraintes qui permettent de garantir la validité générale de notre démarche ? Rien d'autre, bien sûr, que ce que font les scientifiques eux-mêmes. Nous aurions fondé sur une étude de « cas », appartenant de préférence à un passé dépassé et dès lors indifférent, une prétention en droit. Nous aurions cherché à faire accepter comme naturellement adéquate à son objet une démarche censée valoir de manière générale et pour tous. Nous nous serions donc retrouvés pratiquer l'activité même que nous cherchons à comprendre.

Est-ce dire que, dès lors, nous sommes voués à l'arbitraire ? N'existe-t-il pas de salut en dehors de la prétention au titre de science ? Ce « salut », nous l'avons cherché dans le travail en commun, dans la discussion, dans les regards et les exigences multiples que chaque texte a rencontrés. Les textes rassemblés ici sont le produit d'une expérience de collaboration effective, où n'avaient de place ni l'argument d'autorité scientifique, ni la distribution statique des compétences, ni l'opposition entre scientifique, spéculatif ou philosophique, où le seul enjeu était le partage et la recherche d'articulations entre savoirs, questions et intérêts. Le seul fait que ce livre existe manifeste que d'autres coexistences entre savoirs sont possibles que celles qui prévalent aujourd'hui dans le champ scientifique, que d'autres rigueurs sont possibles que celles qui visent à asseoir l'autorité impersonnelle d'une vérité objective.

Les études qui composent ce livre peuvent apparaître comme disparates : certaines, comme celles qui traitent du calcul *ou de la* complexité, *peuvent se prévaloir de l'évidence de la mode, tant à l'intérieur des sciences que dans les références culturelles à la science ; d'autres, qui traitent par exemple de la* sélection *ou du* comportement, *ne semblent pouvoir prétendre à la même actualité ; quant à l'*organisme, *il apparaîtra à beaucoup comme l'exemple même de notion périmée qui ne peut plus prétendre au statut de concept scientifique. Et pourtant, chacun d'entre eux s'est imposé au cours de nos discussions comme une facette de la question qui y a surgi et pris progressivement consistance. C'est à cette question que réfère l'expression « propagation des concepts ».*

Comme nous allons le voir, la notion de « propagation » permet de désigner la singularité des « concepts scientifiques », qu'ils appartiennent à la science d'hier ou d'aujourd'hui, à savoir leur apparent pouvoir d'extension et d'organisation. Mais la même expression signale égale-

ment, et c'est ce que nous verrons ensuite, la question à partir de laquelle les différentes contributions de ce livre ont pu être ordonnées, et qui, elle, appartient, pensons-nous, au champ contemporain : le surgissement à l'intérieur de problématiques scientifiques de cette question de la propagation comme problème. Cette seconde dimension nous situe et identifie la singularité de notre groupe composé à la fois de chercheurs scientifiques au sens strict et de « philosophes des sciences » aux sens divers que ce terme peut revêtir aujourd'hui. La question de la propagation n'est pas seulement une question qui se pose à propos des sciences, dans une position d'extériorité critique, elle peut également devenir un problème scientifique, devenir un argument utilisé par les scientifiques eux-mêmes pour discuter du sens et de la portée de leurs instruments.

Propagation et propagande

Pourquoi propagation ? Ce terme a le grand avantage de désigner un phénomène naturel, mais aussi un phénomène social. On parle de propagation d'une épidémie, de propagation de la chaleur, de propagation d'une idée, ou d'une mode. Mais, dans ces derniers cas, une distinction s'impose. L'usage même du terme « propagation » a une connotation péjorative : il implique que ni les idées ni les modes ne disposent d'une puissance intrinsèque, qu'ils ne pourraient se propager si des acteurs n'existaient qui trouvent intérêt à leur succès. La propagation, ici, renvoie le plus souvent à la propagande, ou à tout le moins à un type de causalité socioculturelle qui explique le succès d'une mode ou d'une idée par autre chose que par elles-mêmes.

Cette ambiguïté du terme de « propagation » convient à notre approche. Nous l'avons dit, nous nous interdisons de juger a priori et en droit du « titre de science ». Nous savons que ce titre est un enjeu, non un attribut. Dès lors, le terme « propagation » permet de comprendre à la fois la dimension problématique du processus et le jugement auquel aboutit ce processus. Tant que la controverse reste ouverte, le sens du terme « propagation » reste indécidé : les intentions, les idées, les opérations de propagande sont apparentes, mais aussi les contraintes « objectives ». La « nature » s'exprime-t-elle effectivement sur ce mode ? Faut-il reconnaître une puissance intrinsèque de propagation, ou a-t-on seulement affaire à une opération de propagande ? Cette question se débat sur tous les registres à la fois et c'est seulement au moment de la conclusion de la controverse que le sens du terme se détermine.

En cas de succès, lorsqu'un concept est reconnu capable d'organiser l'étude d'un champ phénoménal, l'histoire de sa propagation prend l'allure d'un processus naturel. C'est la productivité du concept, son adéquation, sa puissance intrinsèque d'organisation qui devient l'explication de son succès. Ceux qui ont participé à sa propagation sont reconnus moins comme des acteurs que comme des serviteurs : ce sont eux qui, les premiers, ont découvert ce par quoi un concept s'imposera de lui-même, sa puissance heuristique, sa fécondité, etc. Par contre, en cas d'échec, c'est de la propagande que l'on se souviendra. L'histoire de l'échec deviendra l'histoire d'acteurs, convaincus ou intéressés selon que le narrateur a choisi de raconter le destin d'une erreur honorable ou d'une dérive idéologique. La causalité invoquée sera de type social : prestige, fascination, présupposés philosophiques, intérêts de classe, etc.

Ainsi, certains chimistes du XVIII siècle ont tenté de comprendre la réaction chimique à partir du concept newtonien de force d'interaction. L'opération a échoué, au demeurant pour des raisons bien plus compliquées que celle qui nous est évidente aujourd'hui : rétrospectivement, il y a pour nous inadéquation, et c'est seulement la mécanique quantique qui est reconnue comme ayant donné son sens physique au lien chimique. L'histoire de cette tentative sera donc présentée par l'épistémologue Gaston Bachelard comme un exemple type de paresse de l'esprit, de séduction par une analogie purement verbale : les acteurs sont en cause et en tort. Par contre, le fait que le concept de « système économique » au sens classique ait été créé à partir de celui de « système mécanique », de manière à pouvoir transposer en économie les procédures et opérations mathématiques qui donnent sa puissance à la mécanique, ne met pas en question la « scientificité » de l'économie mathématique.Le souvenir de l'opération fait partie de l'anecdote, sauf pour ceux qui s'y réfèrent comme argument symbolique visant à illustrer les limites et les insuffisances de l'économie classique.*

Reprenons ce terme « propagation » au sens de phénomène naturel. Ici aussi on doit opérer certaines distinctions. Dans le cas de la « propagation de la chaleur », « propagation » désigne notamment la diffusion de la chaleur. Dans ce cas, la causalité requise est celle d'une différence de température : la chaleur se propage entre une région chaude et une région froide. Le phénomène se perpétue tant que la différence existe : il désigne donc en lui-même son origine et — si la région chaude n'est pas chauffée en permanence, si elle n'est pas en contact avec une « source » — il annule progressivement la cause qui l'a engendré. La propagation de la chaleur entraîne l'uniformisation des températures. Par contre, dans le cas de la propagation d'une épidémie, nous retrouvons des acteurs, « naturels » il est vrai : les bactéries ou les virus. Dans ce cas, l'origine est elle-même, tout au moins en première approximation, propagée par le phéno-mène de propagation : tout vivant infecté devient lui-même centre de pro-pagation, chacun devient donc centre potentiel d'un nouveau proces-sus, qui n'épuise donc pas sa cause mais la regénère à mesure qu'il se produit.

Curieusement, on peut retrouver certains traits de ce contraste entre « propagation » au sens de diffusion et « propagation » au sens d'épidé-mie dans l'usage distinct des termes « métaphore » et « concept ». L'usage de la métaphore maintient la mémoire de son origine. Pour prendre un exemple que nous ne traiterons pas dans ce livre, le lecteur français de Borges découvre, dans le Jardin aux sentiers qui bifurquent, une parabole de la coexistence proliférante des futurs possibles, et de l'insignifiance de ce que nous croyons être et vouloir dans l'un d'entre eux — « le temps bifurque perpétuellement vers des futurs innombrables. Dans l'un d'entre eux, je suis votre ennemi » —, et il apprend la valeur métaphorique de ce mot, « bifurcation », désignant originellement la division en deux branches d'une route. La bifurcation va donc être une métaphore qualifiant les points d'hésitation où, comprend-on, un mot, un geste décide entre deux histoires. Mais, tant que son utilisation sera accompagnée du souvenir de l'image spatiale qui la nourrit, ce sera elle qui sera invoquée pour expliquer, le cas échéant, le sens du terme. Un jour, peut-être, comme c'est arrivé à tant de mots, le souvenir du caractère métaphorique de cet usage de « bifurcation » s'atténuera et le sens nouveau de ce terme figurera avec l'autre dans le dictionnaire (déjà figure : « possibilité d'option entre plusieurs voies »). En ce sens, l'opération de métaphorisation ne cesse de nourrir le langage naturel, de multiplier les possibilités d'interconnexion, implicite ou explicite, entre registres distincts, et de s'oublier lorsque s'annule la différence entre la

La propagation des concepts

métaphore et sa « source ». La diffusion peut donc être une métaphore du processus de métaphorisation.

Mais un autre événement marque l'histoire du mot que nous avons pris comme exemple, « bifurcation ». « Bifurcation » appartient désormais au langage des mathématiques et de la physique. Elle désigne là aussi un branchement dans un espace, mais il s'agit de l'espace des solutions possibles d'une équation. Et, dans la bouche des physiciens et des mathématiciens, il ne s'agit plus d'une métaphore mais d'un concept, à propos duquel des théories se construisent. « Je travaille à la théorie des bifurcations », dira un chercheur qui n'a jamais lu Borges, et qui, peut-être, n'est pas du tout conscient que ce mot a été prélevé dans le langage naturel et n'a pas été — comme « proton », par exemple — créé pour les besoins de la cause. Le cas échéant, ce chercheur pourra d'ailleurs « découvrir » la valeur pédagogique de ce qui n'est plus pour lui qu'une « illustration », la bifurcation des chemins, lors de la préparation d'un cours ou d'un article de vulgarisation.

C'est la vocation d'un concept scientifique que de pouvoir être pensé comme « pur », détaché du langage naturel, se définissant à partir du formalisme de la science qu'il organise. En ce sens, l'éventuelle « propagation » d'un concept scientifique devrait, idéalement, avoir le caractère d'une propagation épidémique. L'enjeu des controverses à propos du titre de science — faire reconnaître le pouvoir d'organisation intrinsèque d'un concept — revient ainsi à lui voir reconnu en droit une puissance de type viral. Il ne s'agit pas ici de faire jouer le caractère redoutable de la notion d'épidémie, associée aux notions de contamination, de maladie et de mort, mais de se placer du point de vue du succès des virus, de ce qui fait leur puissance : chacun peut être le centre d'une nouvelle propagation. De même, la marque distinctive d'un concept scientifique par rapport à une métaphore est que chaque domaine « infecté » pourra prétendre à son autonomie, pourra devenir, pour son propre compte, une source par rapport à d'autres opérations de propagation.

C'est ce qui est arrivé par exemple à la notion de « programme ». Le « programme », au sens informatique du terme, est autonome par rapport au sens usuel de ce terme (« ce qui est écrit à l'avance », et donc organisé, prévu, etc.). Les informaticiens discutent d'ailleurs aujourd'hui de la question de savoir si toutes les opérations d'un ordinateur programmé peuvent être dites « prévues à l'avance ». Mais « programme » est

19

également devenu un concept central en biologie moléculaire, où il désigne à la fois le matériel génétique et sa fonction. Et ici aussi l'autonomie a été conquise, ce dont témoigne la controverse à propos de la légitimité de l'analogie entre programme informatique et génétique. Cette controverse, outre son intérêt intrinsèque, témoigne de ce que le « programme génétique » dispose désormais de sa définition propre à l'intérieur de la biologie. Les deux exemples témoignent également de ce qu'il y a bien eu « propagation » : le fait que la notion d'« écrit, et donc prévu, à l'avance » soit, dans les deux cas, matière à controverse, et que, éventuellement, les deux controverses puissent d'ailleurs entrer en résonance, manifeste que ce n'est pas un simple mot qui a été emprunté. Un... programme s'est propagé dont la légitimité de droit a été reconnue, quitte aujourd'hui à être discutée. Le concept en effet définit à l'avance, *préalablement à toute recherche dans une discipline, l'objet — ordinateur ou corps vivant —, son mode de caractérisation, son régime de causalité, ce que, à la suite de Kant, on pourrait appeler ses catégories.*

La forme même des controverses à propos du concept de « programme » en informatique ou en biologie témoigne donc de ce que, dans ces deux domaines, « programme » a bien conquis le statut de concept scientifique. Ces controverses ne sont pas en effet, comme c'est le cas par exemple en sociobiologie, ad hominem, *dirigées contre un ou des acteurs tenus pour responsables de la promotion du terme. « Programme » s'impose de manière anonyme : seuls quelques historiens se souviennent de ceux qui, les premiers, ont défini un ordinateur ou une bactérie selon les catégories qu'il articule. La controverse porte sur l'*adéquation du *concept, sur ce qu'il nie et que certains voudraient voir reconnu, sur ce qu'il organise et que certains voudraient voir organisé sur un autre mode. Ainsi, la notion de programme génétique implique une organisation des champs de la biologie. L'embryologie se trouve ravalée à une science « subalterne », dont la génétique détient en droit le secret : le développement du vivant n'est rien d'autre, comme le soutenait Jacques Monod, que la révélation progressive du programme génétique, la traduction de l'« information » génétique en processus de construction du phénotype. Le destin du concept de programme en biologie désigne cette science comme autonome et dépend notamment du fait que les embryologistes seront ou non capables de créer et de faire reconnaître des concepts qui* *fassent correspondre au développement embryonnaire d'autres catégories que celles de révélation ou de traduction.*

Cependant, l'histoire ne s'arrête pas là. Il peut arriver qu'un physicien parle d'un « acte libre » comme d'un point de bifurcation, où l'on peut faire ceci ou cela. Il arrive que l'on parle de l'intelligence humaine comme d'une qualité transmissible génétiquement. A quelle forme de propagation avons-nous affaire ? C'est selon, bien sûr. Il se peut que, dans la bouche de ce physicien, le terme soit une simple métaphore : en ce cas, la métaphore préexistante a simplement été ravivée, le langage naturel enrichi. Par contre, si ce même physicien argumente, explique par exemple que le « comportement » du système nerveux est représentable par des équations mathématiques, et que le fait de « décider » doit correspondre au « choix » entre deux états possibles, c'est-à-dire deux solutions possibles des équations, il ne s'agit plus de la diffusion d'une métaphore, mais de l'acte de candidature à une opération de propagation épidémique. La distinction est nette : dans le premier cas, l'hétérogénéité des domaines n'est pas mise en cause, la circulation du mot met en résonance sans affirmer l'homogénéité ; dans le second, au contraire, il s'agit d'avancer que le système nerveux est susceptible du même type de description mathématique qu'un système physico-chimique. L'énoncé selon lequel l'intelligence est génétiquement transmissible relève évidemment de ce dernier cas. Indépendamment de ses différentes implications politiques et sociales, un tel énoncé implique que le type d'explication qui a fait ses preuves dans l'étude des micro-organismes et de certains traits phénotypiques simples d'organismes plus complexes conserve sa puissance organisatrice et explicative pour les comportements humains les plus élaborés. Comme on le voit, l'homogénéité impliquée par la tentative de propagation peut aussi bien porter sur les objets mêmes — l'intelligence serait un trait phénotypique au même titre, ou à peu près, que la couleur des petits pois de Mendel — que sur le langage mathématique, annoncé comme pertinent pour caractériser deux domaines.

Durcissement et capture

La propagation, ou la tentative de propagation, des concepts ne se fait pas dans un espace indifférent, homogène, mais dans des paysages structurés par des enjeux bien connus des acteurs de ces opérations. Seule une étude cas par cas de la psychologie de chacun de ces acteurs pourrait déterminer sur quel mode cet enjeu est vécu, de la conviction désintéressée à la stratégie préméditée, voire tout à la fois. Certains des enjeux qui activent les opérations de propagation sont circonstanciels, liés par exemple à des problèmes techniques, industriels ou sociaux. D'autres sont plus étroitement liés aux intérêts de prestige et d'autorité attachés aux démarches scientifiques elles-mêmes. Parmi ces derniers, on peut en relever deux qui apparaîtront à plusieurs reprises dans les études qui suivent, et que nous baptiserons « durcissement » et « capture ».

A la place de ce dernier terme, aurait pu figurer « captation », mais ce mot désigne usuellement une manœuvre malveillante. Or, il faut ici le répéter, lorsque nous parlons de concepts en termes d'opération et d'enjeu et non d'élucidation, de découverte et de progrès, nous ne portons aucun jugement péjoratif général. Nous nous bornons à utiliser un langage qui rappelle que, pour nous, la scientificité ne répond pas à un état de droit, mais à la reconnaissance d'un droit conquis. Le pire des malentendus ici serait l'idée que les démarches scientifiques en matière de concepts ne sont que des opérations.

La distinction entre les sciences dites « dures » et les autres est le plus souvent liée à un jugement de valeur : telle science n'est « pas encore » dure, elle n'a pas atteint le degré de maturité qui permet à la physique, à la chimie, à la biochimie, par exemple, de se développer de manière autonome, à l'abri des influences idéologiques et culturelles, à l'abri surtout d'une demande de compte extérieure quant à la pertinence de ses définitions, à l'intérêt de sa démarche. Et certes la situation du praticien d'une science « dure » peut apparaître enviable à celui qui ne dispose pas de ce privilège, à tel sociologue, psychologue ou linguiste sans cesse confronté, de lui-même ou grâce à la bienveillance ambiguë de ses collègues, à des phénomènes auxquels il ne peut, de par sa démarche, donner sens. Quelle tentation alors de passer à la postérité comme celui qui aura contribué à « durcir » sa science, à lui conférer l'immunité bienheureuse de ces disciplines capables, apparemment, de soumettre leur champ à une organisation conceptuelle incontestée...

Incontestée, bien sûr : nous ne pouvons ici passer du fait au droit, d'incontestée à incontestable. Certes, les sciences dites dures peuvent se définir par la liberté de leurs jugements, par la possibilité de traiter les phénomènes qui relèvent de leur champ à leurs propres conditions, *selon les critères qu'elles définissent à propos de ce qui est significatif et de ce qui ne l'est pas : le* fait — *que l'éventuelle puissance effective de leur démarche peut contribuer à expliquer, mais non justifier en droit* — est *que cette liberté* n'est pas *assimilée à de l'arbitraire. La réussite d'une opération de propagation — telle celle de programme génétique, qui coïncide avec la constitution de la biologie comme science dure — est en elle-même la réussite d'une opération de durcissement. Là où s'effacent les acteurs devant l'évidence découverte de l'adéquation d'un concept au champ qu'il prétend organiser, se sont tus, ou ont cessé d'être entendus, ceux qui, en cas d'échec, auraient été reconnus comme les représentants de ce dont le concept en question ne peut rendre compte, ceux qui dénonçaient l'idéologie, l'arbitraire, l'analogie verbale.*

La capture, elle, a pour principaux acteurs les spécialistes des sciences reconnues, en première approximation au moins, comme dures. Le généticien parlant de la transmission génétique de l'intelligence, l'éventuel physicien parlant des éventuelles bifurcations du système nerveux tentent des opérations de capture. Le théoricien de l'économie statuant dans le respect général sur l'efficacité et le progrès économiques a réussi l'opération.

La capture porte de manière générale sur une notion ou un problème culturellement chargé de sens ; elle marque que les spécialistes d'une science se pensent capables de redéfinir, avec les instruments de leur science, cette notion ou ce problème. Sa réussite éventuelle apporte à la science en question le bénéfice de la charge de sens dont elle peut désormais se faire l'interprète et le juge. Ce qui se traduit en termes de prestige, mais aussi le plus souvent de crédits de recherche, de contrats d'expertise, etc. Là où se posait le problème capturé, les spécialistes de la science « captante » ont désormais leur place.

Trois approches

Abordons maintenant la seconde dimension de la question de la « propagation », celle qui, avons-nous dit, est intervenue dans l'organisation de ce livre.

Introduction

Les articles qui suivent sont distribués en trois parties. Chaque article renvoie, sur des points locaux, à un certain nombre d'autres, et ces renvois seront précisés et commentés dans la présentation de chacun. Mais l'organisation d'ensemble traduit, elle, trois approches différentes d'une problématique globale.

Ces trois approches seront présentées plus en détail dans l'introduction de chacune des trois parties. Nous nous bornerons ici à en donner un schéma d'ensemble.

La première, intitulée « Grandes manœuvres », approche des opérations de propagation d'un type singulier, qui portent dès l'abord sur la question de la scientificité, sur l'homogénéité du champ scientifique comme tel. En d'autres termes, alors que, usuellement, l'enjeu d'une opération de propagation est local, il s'agit dans les cas analysés ici de définir « la science » elle-même de sorte qu'un concept déterminé soit partout chez lui. Il s'agit donc moins de démontrer le droit par la fécondité que d'établir le droit par un discours sur la connaissance elle-même, sur la nature et les conditions d'une approche « scientifique ».

Cette première approche fera jouer en même temps le thème de la capture et celui du durcissement. Dans tous les cas, il s'agira de « durcir » un champ, d'affirmer son autonomie, sa capacité à juger et à distribuer les phénomènes. Mais ce mode de durcissement se présentera de manière immédiate comme promesse d'une capture généralisée, qui permet au spécialiste de devenir un expert polyvalent, capable de reproduire dans n'importe quel domaine l'opération de durcissement en question.

La deuxième partie, « Les éclats de la diversité », approche, elle, des concepts qui jouent moins sur des définitions abstraites de la scientificité que sur les rapports qui peuvent ou non s'établir entre objets distincts. Ici l'enjeu se circonscrit autour d'opérations de passage risquées — rapport entre la sélection naturelle et la concurrence sociale par exemple —, de rapports d'analogie instables — rapport entre la société et l'organisme —, de recherches de définitions assez générales pour légitimer l'unité d'une science — rapport entre le comportement d'une bactérie et celui d'un homme.

Dans tous les cas, cette deuxième approche fera apparaître la diversité phénoménale moins comme un obstacle à la propagation que comme un

24

facteur d'éclatement des démarches. La notion même d'une unification potentielle des champs scientifiques se dissout de par la singularité des problèmes que suscite et impose ce qui devait être unifié. Dans tous les cas, la non-clôture des controverses ouvre à la question du sens. Celui que tente d'imposer une organisation conceptuelle, celui que font surgir comme question insistante les difficultés rencontrées par cette opération.

Comment comprendre la « passion » de la connaissance objective, comme aussi la « passion » du sens, ce sont les questions qu'approche selon différents points de vue la troisième partie, « Le sujet de l'objet ». Passion, bien sûr, trouve ici son sens double. Il s'agit de réfléchir tout à la fois cette vocation passionnée de la connaissance scientifique à conquérir une validité de droit, à se détacher des intérêts humains, et la passion que lui font subir les sens multiples et enchevêtrés qu'elle rencontre comme autant d'obstacles à cette vocation.

Une question prend forme, selon cette troisième approche : la question des rapports enchevêtrés de ce qui est censé s'opposer — l'objet et le sujet de la connaissance. Pouvons-nous concevoir une science où l'objectivité se saurait mise en relation ? Une science où à l'idéal de durcissement se substituerait l'attention à ce qui met en question la pertinence d'une approche ? Une science où les opérations de capture ne se feraient pas au nom d'un droit à faire reconnaître, mais du risque qui seul permet d'apprendre du nouveau, de comprendre les rapports au-delà des différences, mais aussi les distinctions au-delà des ressemblances ?

Nous venons de parcourir un fil de lecture possible, qui ordonne ce livre mais n'en épuise pas le sens. Il manque en particulier à rendre justice à la tension qui s'établit, sur l'ensemble, mais aussi sous chacun des titres abordés, entre ce qui s'avère peu ou prou réductible à l'analyse de démarches cognitives et ce qui côtoie — ou même traite — des domaines dans lesquels des enjeux de vie individuelle ou sociale se trouvent directement engagés. Partout présente, cette tension oriente, organise, voire constitue le champ que nous venons de repérer en termes conceptuels. D'une certaine façon, il s'agit là de la véritable trame de ce livre où différents auteurs tentent l'analyse d'un savoir qui, tous, les implique.

Introduction

Cette implication, ce débat permanent qui a eu lieu en nous et entre nous, marque ce livre et en constitue une autre clef de lecture. Car c'est en nous refusant à nous cantonner à ce qui ne se serait voulu que stricte neutralité objectivante que nous nous sommes montrés cohérents avec les démarches que nous voulions comprendre.

1. Grandes manœuvres

Les quatre articles qui composent cette partie abordent des notions,
« corrélation », « loi et causalité », « calcul » et « problème », qui ont un
trait commun : même si elles s'enracinent dans une discipline particulière
(la notion de corrélation appartient à la statistique, celle de calcul a été
définie au sein des mathématiques), ces notions ont permis de fonder des
prétentions d'une portée telle que l'on peut parler à leur sujet de « grandes
manœuvres ». Des manœuvres qui visent à redéfinir tout à la fois le
champ des sciences et la définition même de la scientificité.

L'histoire usuelle des disciplines scientifiques les fait remonter à une
fondation conceptuelle, à la découverte de la puissance organisatrice d'un
concept qui permet à la fois une description et un traitement expérimental.
Ainsi, Galilée crée la science des mouvements en associant à la notion
d'un mouvement uniformément accéléré celle d'une cause invariante dont
l'action, répétée d'instant en instant, détermine l'accélération ou le
ralentissement uniforme ; le plan incliné devient, de ce fait, l'instrument
d'expérience par excellence puisqu'il permet, selon l'inclinaison, de faire
varier quantitativement la « cause » en question. De même, Lavoisier,
inventant une chimie des corps simples et des associations entre corps,
définit du même coup l'impératif expérimental qui guidera l'étude des
réactions chimiques : ne laisser aucun corps entrer ou sortir du lieu de la
réaction sans être identifié, vérifier l'absence de pertes ou de gains
incontrôlés grâce à la balance. Les exemples pourraient être multipliés :
dans chaque cas, on verrait un dispositif conceptuel-expérimental organi-
ser les questions légitimes adressées à ce qui constitue dès lors un objet,
muni de catégories bien définies.

Or, il existe d'autres épisodes de fondation où c'est une lecture de la méthode scientifique elle-même qui a été requise pour organiser le champ d'investigation. C'est sur le modèle de « la science », modèle conçu comme neutre, c'est-à-dire adéquat à toute science possible, que seront organisés les objets disciplinaires. Une telle opération ne peut donc qu'avoir une double face, une face de capture et une face de durcissement.

La capture porte sur la définition de la science. Elle se traduit par une alliance très singulière entre science et épistémologie. Alors que, usuellement, les arguments épistémologiques ne jouent au mieux qu'un rôle assez secondaire dans l'histoire d'une science, on peut ici parler de véritable fondation épistémologique, au point qu'il est parfois difficile de décider si ceux qui parlent sont épistémologues ou spécialistes d'une discipline scientifique. Bien entendu, la référence à la science qu'opèrent les thèses épistémologiques convoquées est loin d'être neutre. Il s'agit avant tout de thèses qui identifient la science à une démarche méthodologique générale, valide quel que soit l'objet, et qui donc capturent elles-mêmes le succès des diverses démarches singulières pour le renvoyer au modèle commun qu'elles construisent.

Le durcissement, quant à lui, concerne le champ phénoménal que, armé de ce modèle, le scientifique entreprendra de « scientificiser ». Dans ce cas, la différenciation entre questions légitimes et questions fausses, illusoires ou mauvaises, bénéficiera de la plausibilité du modèle de rationalité scientifique et pourra s'identifier par principe aux exigences mêmes du progrès scientifique. Et elle pourra derechef permettre, au-delà du domaine spécialisé, une nouvelle opération de capture plus vaste. Une science fondée explicitement sur un modèle de scientificité peut devenir à son tour une science modèle, et appliquer, aussi loin que la portent ses intérêts, les exigences et les contraintes de sa démarche.

La notion de « corrélation », qui s'enracine dans la science des vivants, est à cet égard exemplaire. Renvoyant au modèle d'une science que ses créateurs ont contribué à fonder, la démarche empiriocriticiste, elle, offre un instrument polyvalent, permettant au scientifique de se sentir « chez lui » quel que soit le domaine. La recherche des « corrélations » organise aujourd'hui les champs les plus divers, de la biologie aux sciences politiques, économiques et sociales. Des instruments plus puissants, tel le traitement automatique des données, se sont créés à partir d'elle et peuvent susciter l'impression d'une construction « automatique » des problèmes théoriques à partir des données empiriques. L'article de Michel Veuille est centré sur l'utilisation de « corrélation » dans sa discipline mère, la biologie, et explore l'étrange destinée d'un instrument porteur des exigences de rigueur les plus maniaques et pourtant associé, sous couvert de définitions apparemment techniques, purement formelles, aux opérations les plus périlleuses de transmutation de l'ignorance en science.

Les questions traitées dans « Loi et causalité » se réfèrent à la même origine historique : modèle d'une science empiriocriticiste permettant de construire des « lois » à partir de données, indépendamment de toute théorie explicative. Mais ces questions revêtent, dans le domaine de l'économie où elles sont ici traitées, des significations nouvelles. L'économie n'a pas pour seule vocation de décrire et de comprendre, mais aussi de guider l'action, d'identifier les paramètres et les relations qui rendent possible une action, et de prévoir l'effet de cette action. Dans ce cas, la description devait presque fatalement glisser vers l'explication, vers l'identification de relations entre cause et effet. Situation paradoxale donc : le modèle empiriocriticiste était fait pour éliminer la causalité, notion jugée suspecte et dangereuse puisqu'elle est vouée à traduire la diversité des sciences, non leur unité neutre ; mais la « loi économique » doit plus ou moins officiellement pouvoir prétendre à un pouvoir interprétatif et prédictif que ne pourrait suffire à fonder un strict empirisme. Au-delà du problème épistémologique se profile la diversité refoulée des sciences, notamment la question de la singularité des sciences dites expérimentales, c'est-à-dire des sciences qui peuvent isoler et manipuler leurs objets. Dans quelle mesure les sciences qui n'ont pas cette liberté peuvent-elles fonder leurs prétentions sur le même modèle ? L'absence de cette liberté doit-elle être subie, minimisée, invoquée pour expliquer échecs et difficultés ? Ou bien n'est-elle pas plutôt le signe de ce que l'objet ici ne peut être conçu sur le modèle de l'objet physique ? En ce cas, cette liberté absente ne signifierait pas une difficulté de fait, mais la traduction de la singularité des problèmes théoriques posés, singularité à laquelle devrait répondre l'invention de démarches scientifiques originales.

Les articles qui ont pour objet « calcul » et « problème » portent, eux, sur des opérations beaucoup plus récentes.

La notion de calcul est inséparable de l'instrument nouveau qu'est l'ordinateur, et des contraintes dont celui-ci est porteur. A la fin du

XIXe siècle, la mise au point de l'instrument statistique avait permis de transformer tout ensemble de données empiriques en potentiel susceptible de livrer des corrélations, voire des lois. L'ordinateur aujourd'hui a conféré toute sa puissance à cet instrument, avec notamment le traitement automatique des données. C'est pourquoi la recherche des corrélations et des régularités statistiques est à l'heure actuelle plus intense que jamais. Mais l'existence de l'ordinateur a également fondé un nouveau programme d'unification : que des données doivent être traitées, ou une conclusion déduite d'un ensemble de prémisses, dans tous les cas on pourra dire qu'il s'agit de « calcul ». « La nature calcule », « le cerveau calcule », ces énoncés commencent à se substituer à d'autres énoncés qui se centraient sur la notion de loi (« la nature obéit à des lois ») et permettent un court-circuit assimilant déduction théorique et opérations de calcul et de traitement à partir de données.

Parfois, les innovations ravivent de très anciennes thèses. L'idée que la science a pour rôle de « sauver les phénomènes » nous vient de l'Antiquité grecque, et elle a servi notamment à tenter de réduire le pouvoir subversif de l'hypothèse copernicienne : mettre le soleil au centre ne serait qu'une question de simplicité de calcul, non de vérité. Cette ancienne thèse reprise par la lecture empiriste des sciences a aujourd'hui acquis l'instrument propre à lui conférer sa puissance opérationnelle : l'ordinateur qui simule un phénomène le « sauve » et ouvre la tentation de renvoyer sa « compréhension » aux vieilles lunes des ambitions périmées. D'autant plus périmées en fait que le calcul peut devenir un modèle de l'activité cognitive elle-même : dans ce cas, ce serait la « vérité » de la connaissance elle-même qui nous imposerait de dépasser l'illusion selon laquelle nous comprenons alors que l'ordinateur ne fait que calculer. On le voit, l'opération est d'envergure : la notion de « calcul » est porteuse d'une prétention qui tend à annuler la différence entre « être » et « connaître », à affirmer l'homogénéité, du point de vue opératoire qu'elle promeut, du sujet et de l'objet.

Cette annulation et cette homogénéisation sont également au cœur de la notion de « problème ». Cette notion, elle aussi, a fait une entrée remarquée dans le champ des sciences, portée notamment par un développement associé à l'ordinateur, celui de l'« intelligence artificielle ». Comment poser un problème, comment le résoudre, ce sont là des questions anciennes, mais ce sont aussi des questions qu'impose l'ambition de définir une performance qui ne se limite pas au calcul ou à la déduction logique. Mais à cette ambition s'offre d'autre part un champ de capture quasi illimité. On retrouve en effet la notion de problème de la théorie de l'évolution à la description des activités pratiques de la vie de tous les jours. Cette notion signalait le plus souvent une activité ou une production qui ne se réduisent pas à une déduction logique, qui contribuent à créer l'espace de signification à partir duquel elles apparaissent comme solution.

En d'autres termes, la notion de problème a longtemps servi de barrage à des opérations de capture, à préserver l'espace d'initiative de ce qui devra dès lors être conçu comme créateur de signification, mais cette stratégie défensive a préparé le terrain d'un « panproblématisme » et d'un nouveau discours unificateur de l'être vivant et pensant comme problem-solver. Problem-solver, *c'est-à-dire tout à la fois explicable par le biais de la notion de problème, interpellable en termes tout pragmatiques (« quel est ton problème ? », « ce n'est pas mon problème »...) et objet potentiel d'une « science des problèmes ».*

Corrélation

Le concept pirate

Michel Veuille.

Et, puisque nous savons que les concepts voyagent si mal entre les sciences, pourquoi ne pas nous interroger d'abord sur la façon dont nous les créons ? La tour de Babel des savants produit dans le secret de ses multiples disciplines des savoirs incommensurables : aucune ne saurait dire la scientificité d'une autre. Plutôt que d'unir des savoirs besaciers, l'empirisme critique voudra unifier la science en sa méthode en établissant des règles de création des concepts...

Ni loi, ni cause, ni fait ne suffisent à dire que l'on sait, prétendra-t-il. Rappelons-nous : ce n'est pas de la physique que nous vient l'idée de la chute des corps, mais de nos expériences maladroites de petits enfants. Le moi se dissout dans la perception, avait dit Ernst Mach au tournant du XXe siècle. Repérer des connexions, dévoiler la relation secrète de deux séries de phénomènes est le point nodal de la découverte. Comme chaque homme, la science doit refaire le chemin de la mise en ordre des sens cachés sous le voile des perceptions, par une voie qui ne soit plus l'imaginaire, mais un outil mathématique, répondra Karl Pearson.

L'idée de « corrélation » avait déjà une histoire lourde d'ambiguïtés ; elle deviendra porteuse du concept de... « concept », avant de devenir au laboratoire, sous le nom de « coefficient de corrélation », un instrument privilégié de l'inférence statistique. Mais l'histoire voudra que la corrélation soit si facilement happée par la démarche qu'elle entendait critiquer qu'elle en deviendra la servante, à la fois indispensable et contradictoire.

1. Le positiviste et la bonne d'enfants

Commençons par une devinette : quelle est la différence essentielle entre le premier positiviste venu et une bonne d'enfants ? La réponse n'est pas aussi saugrenue qu'on pourrait croire ; elle est même très simple : la différence essentielle entre le premier positiviste venu et une

35

bonne d'enfants, c'est que le savoir de la bonne d'enfants est infiniment plus riche, plus subtil que celui du premier positiviste venu, et il est facile de le démontrer.

Imaginez, à l'entrée d'une maternité, douze grands rabbins osseux, dentus, chevelus et barbus portant dans leurs bras douze petits bébés roses. Demandez au premier positiviste venu et à une bonne d'enfants de vous dire qui ressemble à qui. Le premier positiviste venu vous expliquera que, sans conteste, les douze rabbins se ressemblent entre eux autant que les douze bébés se ressemblent ; tandis que la bonne d'enfants sera capable d'aller individuellement à chaque petite tête ronde, chauve et édentée en s'exclamant à chaque fois : « Oh ! quel amour d'enfant, comme il ressemble à son papa ! » Et chaque grand rabbin osseux, dentu, chevelu et barbu y reconnaîtra la voix du bon sens.

Et n'allez pas voir dans cette devinette un jeu d'esprit facile. Du point de vue de la science, c'est la bonne d'enfants qui a raison et c'est le positiviste qui se trompe. Les douze rabbins et les douze bébés sont des catégories qui n'ont pas à être comparées entre elles, des « variables », dirait-on. Et la bonne d'enfants n'a pas besoin d'attendre que les douze petits bébés roses soient devenus à leur tour de grands rabbins osseux, dentus, chevelus et barbus pour reconnaître, ici dans ce pli des yeux, là dans ce coin de bouche, ce qui distingue à la fois tel rabbin de la moyenne des rabbins et tel bébé de la moyenne des bébés : c'est la correspondance des déviations au sein de chaque couple de variables qui fonde la ressemblance, et non quelqu'une des classifications maladives dont les positivistes sont familiers.

Or, voyez comme le savoir de la bonne d'enfants est vraiment *très* subtil. Car tous les enfants ne ressemblent pas à leur père — sans même vouloir évoquer ici les inconnues attachées à l'idée de « père » : certains leur ressemblent beaucoup, d'autres un peu, d'autres encore pas du tout. Mais, si nous interrogeons notre nourrice sur la ressemblance entre fils et pères, elle nous répondra qu'« en général ils se ressemblent », avec une moue significative, directement proportionnelle au degré de ressemblance *moyen* attendu ! Un positiviste n'aurait pas cette finesse, car, non seulement il n'aurait pas su découvrir quelque relation entre les rabbins et les bébés, mais encore son regard impersonnel de savant n'aurait jamais laissé percer quelque émoi pouvant donner à croire que son avis n'a pas valeur générale. Notre bonne femme, elle, sait qu'il existe des règles qui ne peuvent être connues d'avance au niveau d'aucun cas particulier : hasards de la génétique ou de la vie privée, les *causes* en sont inconnaissables, mais elle sait synthétiser les multiples faits de son expérience pratique en une formule unique, pragmatique et sensible aux manifestations du réel.

Et maintenant, une autre devinette : quelle est la différence essentielle entre le premier positiviste venu et un statisticien ? La réponse est cette fois évidente : un statisticien n'est *pas* le premier positiviste venu !

Comme les positivistes, les statisticiens ont le goût de classer les objets sur la base de régularités formelles. Mais ils partagent avec les gens préoccupés de savoir pratique le pouvoir de reconnaître des associations subtiles entre variables de nature différente. Ils possèdent un outil mathématique qui évalue, couple par couple, l'écart de chaque valeur à la moyenne de son groupe, pour donner une estimation globale du degré de ressemblance entre variables. C'est le *coefficient de corrélation*. Chaque fois qu'un statisticien suspecte l'existence d'une relation entre deux lots d'objets, le calcul d'un coefficient de corrélation lui permet d'en vérifier l'hypothèse, quelle que soit la nature du lien, connu ou inconnu, qui les unit entre eux.

Toutes les sciences ne font pas appel à la corrélation. Ainsi, la physique s'intéresse à des cas (chute des corps, etc.) abordables en termes de relation de cause à effet selon les bonnes vieilles méthodes cartésiennes.

Mais supposons par exemple que quelqu'un désire savoir quand il doit partir de chez lui pour arriver à l'heure au travail. Une méthode rationnelle rigoureusement exacte consisterait à prendre un plan de métro, à cocher toutes les stations par lesquelles il doit passer, et à figurer des flèches entre ces points en portant à chaque fois la vitesse des rames, la capacité des wagons, la longueur et l'encombrement des correspondances, et le nombre de personnes se coinçant dans les portières susceptibles d'occasionner des retards. Mais cette méthode est lourde, les calculs devant être refaits en toute rigueur avant chaque départ, car les variables changent de valeur avec l'heure de la journée, les jours de grève, les retours de vacances, la fiabilité technique du matériel, etc. Du reste, les usagers ne la pratiquent guère, car la préparation de chaque voyage en métro leur demanderait une telle masse de calculs que seul Dieu, s'il en avait l'utilité, serait à même de les faire.

Une méthode approximative, mais plus aisée, est de remarquer qu'il existe une relation statistique entre l'heure à laquelle on dévale quatre à quatre les escaliers du métro et celle à laquelle on claque la porte du bureau. Elle n'est pas d'une précision absolue — on arrive parfois un peu en retard, parfois un petit peu en avance —, mais elle peut être pratiquée en l'ignorance de toute donnée sur le trafic. La précision de la relation n'est autre que le coefficient de corrélation, et le délai optimal d'un voyage s'appelle la « pente de régression » de la « variable aléatoire » (l'heure d'arrivée au bureau) en fonction de la « variable contrôlée » (l'heure de départ), que l'on peut éventuellement calculer, si c'est indispensable, par la méthode dite « des moindres carrés ».

On l'aura compris, ce ne sont pas les sciences « dures », « exactes » (physique, chimie), qui pratiquent les corrélations, mais les autres (biologie, sciences humaines, économie), celles qui ont à organiser des ensembles de données multiples, enchevêtrées, proliférantes, inextricables, celles où l'on s'estime déjà assez savant lorsqu'on est parvenu à classer les phénomènes sans même en avoir toujours compris le pourquoi, bref, celles qui ont à voir avec la vie réelle. Le coefficient de corrélation est un instrument si puissant de mise en ordre de données confuses que ces disciplines se trouvent bardées, qui d'indicateurs économiques, qui de coefficients d'héritabilité, qui de mesures de quotient intellectuel, d'un fatras de dispositifs statistiques hautement sophistiqués qui sont autant d'emprises indirectes sur la matière à connaître, et qui sont d'autant plus incompatibles entre eux que chaque corrélation calculée correspond à une interrogation distincte. Le coefficient de corrélation souffre en effet d'un défaut constitutif de sa nature : l'ambiguïté de la connaissance qu'il procure par rapport aux explications causales. Tout employé de bureau sait qu'il existe une infinité de causes qui s'obstinent certains jours à le faire arriver en retard. Mais tout chef de service sait aussi qu'il y a des statistiques qui ne trompent pas... Malheureusement, corrélation n'est pas cause. Ceci est regrettable, car, toutes les sciences biologiques et humaines ayant des projets interventionnistes sur leur objet d'étude, il leur serait utile de savoir si les relations découvertes peuvent se transformer en relations de cause à effet. Or, ce n'est pas le cas. Il existe par exemple une corrélation significative entre le fait de recevoir la visite d'un docteur et celui de mourir dans les jours qui suivent... mais seuls les mauvais esprits y verront une conséquence des effets pernicieux de la médecine ! Les deux faits ne sont corrélés que parce qu'une troisième variable, non prise en compte ici, est la cause commune de la mort et de l'appel du médecin : la maladie. Deux faits peuvent donc être corrélés, non parce que l'un procède de l'autre, mais parce qu'ils découlent tous deux d'un troisième. L'ignorer, c'est s'illusionner sur son savoir.

Une autre difficulté tient au fait que les corrélations sont utilisées dans des domaines complexes où aucun fait n'est universel, car chacun évolue, les règles générales engendrant contre-mesures et phénomènes parasites. Ainsi, la raison pour laquelle certains insectes ont des couleurs vives est qu'ils sont immangeables : les oiseaux les reconnaissent et apprennent à les éviter. Ce système de reconnaissance par « couleur avertissante » est bénéfique aux deux espèces : aux insectes qui ne sont pas dévorés ; aux oiseaux qui évitent ainsi des proies répugnantes. On ne saurait rêver corrélation plus « objective » entre deux variables. Or, ce merveilleux système de communication va connaître ses escrocs, car d'autres insectes, ceux-là parfaitement consommables, ont évolué de façon à acquérir les couleurs avertissantes et profitent de leur protection par « mimétisme ». Les deux phénomènes de la « couleur avertissante » et du « mimétisme » sont solidaires tant que subsistent assez d'insectes immangeables, et, de fait, l'effectif des mimes reste toujours assez bas pour que l'effet répulsif des « modèles » se maintienne : il existera toujours une corrélation, si faible soit-elle, entre couleur et effet répulsif, cette corrélation cachant aux oiseaux que certains insectes — tenus pour repoussants — sont en réalité délicieux ! Un biologiste qui s'en tiendrait à cette corrélation sans voir qu'elle engendre en secret son propre contraire manquerait la plus belle partie de l'histoire. On voit ici le caractère pernicieux des corrélations, car dans ce cas la corrélation fait cause et engendre d'elle-même sa propre négation. D'où l'impossibilité, pour les biologistes, les économistes, les sociologues, de conclure à l'existence d'une loi générale sur la base d'une corrélation empirique. Les lois de la nature inanimée ne varient guère. On peut supposer que la gravitation universelle, la constante de Planck, la vitesse de la lumière, etc., conserveront toujours la valeur que leur a donnée autrefois le Créateur en plantant le jardin d'Éden. Il n'en va pas de même des « lois » biologiques ou économiques. Les marmites des physiciens bouilliront toujours à 100°C, tandis que dans les marmites des biologistes et des sociologues pullulent des petits monstres qui prolifèrent à chaque instant dans la chaleur génératrice de l'économie naturelle ou de la vie sociale.

Tout indispensable qu'il soit au chercheur, le coefficient de corrélation est donc un allié imprévisible, pour des raisons qui tiennent à la complexité même des phénomènes appréhendés. C'est l'histoire mouvementée de cette notion et des efforts obstinés des scientifiques pour la soumettre à raison que nous allons voir maintenant. Dans des domaines de la connaissance (évolution, hérédité, économie, etc.) où la problématisation sociale de la recherche a l'importance que l'on sait, on pouvait prévoir qu'une notion aussi ambivalente que celle de corrélation allait aussi susciter bien des justifications et bien des illusions sur la portée du savoir scientifique.

2. Naissance du concept :
les corrélations organiques

Le mot de corrélation est un terme du vocabulaire philosophique désignant à l'origine la réciprocité de deux notions. Ainsi, celle de « père » est corrélée à celle de « fils », car il n'y a pas de fils sans père. Il en va de même de la droite et de la gauche, etc.

La corrélation entre en science avec les naturalistes français du XVIIIe siècle, et c'est après une longue période de maturation ayant fait apparaître ses propriétés qu'elle s'évadera de la biologie pour diffuser dans d'autres disciplines.

Georges Cuvier l'utilise pour formuler sa « loi de corrélation des organes » : « Tout être organisé forme un ensemble, un système unique et clos, dont les parties se correspondent mutuellement, et concourent à la même action définitive par une action réciproque. Aucune de ces parties ne peut changer sans que les autres changent aussi, et par conséquent chacune d'elles prise séparément indique et donne toutes les autres [1]. »

La manière dont cette conception de l'organisme s'était imposée révèle les possibilités et les limites de la corrélation, même si le terme n'avait pas alors le sens d'une mesure.

Les premiers naturalistes avaient été des systématiciens produisant de longs répertoires des espèces animales et végétales recensées en Europe, donnant à chacune un nom et signalant quelque curiosité extérieure permettant de la reconnaître : c'était là une sorte de service de l'identité, permettant aux espèces d'entrer en nomenclature, mais vide de connaissance quant à leur biologie. Et puis l'on avait découvert que les formes d'Afrique n'entraient pas dans ces catalogues. Le botaniste Adanson, puis Bernard et Antoine-Laurent de Jussieu, eurent alors l'idée de faire une revue exhaustive des caractères morphologiques possibles, sans aucun *a priori*. Il s'avéra à la pratique que certains caractères portaient assez d'information pour que, une fois donnés, l'examen des autres soit inutile. « Il y a donc dans les végétaux, écrivait Bernard de Jussieu, des caractères qui sont incompatibles les uns avec les autres et qui s'excluent. » Chez les animaux comme chez les plantes, la « subordination » des caractères formait des associations, tantôt conservatrices, tantôt variant simultanément, permettant d'assembler les genres en « familles », et les familles en « classes ». Et, lorsqu'une expédition partie faire le tour du monde rapportait sa moisson d'espèces nouvelles, celles-ci trouvaient naturellement place dans ces regroupements. Une observation agnostique avait permis de remplacer des caractères arbitraires par les critères objectifs de la « méthode naturelle ». On pouvait imaginer une taxonomie qui ne soit pas une énumération en vrac, mais une véritable classification qui serait « l'esquisse tracée par l'homme de la marche que suit la nature pour faire exister ses productions [2] ».

Il était tentant d'en savoir plus, cette architectonique des plans d'organisation laissant entrevoir quelque loi secrète unifiant l'ensemble de la création bien plus qu'on ne l'avait encore imaginé.

« Selon l'idée de la création indépendante de chaque être, dira Darwin, nous ne pouvons que dire qu'il en est ainsi ; qu'il a plu au Créateur de construire les animaux et plantes de chaque classe sur un plan uniforme ; mais ce n'est pas là une explication scientifique [3]. »

Malheureusement, les faits d'observation sont muets quant à leur explication scientifique. La corrélation dresse un bilan des indices, mais ne dénonce aucun coupable. C'est une estimation — parfois chiffrable

— de l'étendue d'un mystère. On pouvait imaginer à loisir, avec Étienne Geoffroy Saint-Hilaire, que tous les organismes étaient construits sur un plan unique ; ou bien, avec Bonnet, qu'ils se répartissaient le long d'une même chaîne des êtres, voire, avec Lamarck, que la transformation des espèces leur faisait parcourir perpétuellement la même échelle des « grandes masses » ; ou encore, comme le montrera Darwin, qu'ils constituaient les branches multiples d'un même « arbre » de l'évolution. Mais on pouvait aussi alléguer d'une fantaisie du Créateur, ou de toute autre raison.

C'est pourquoi Cuvier, ce luthérien fervent adversaire de l'idée transformiste, se fera le champion du « principe de corrélation », une prise en compte de la réalité empirique excluant toute explication extravagante. Convaincu que « tout fait a une place déterminée qui ne peut être remplie que par lui seul [4] », il avait là un moyen de travailler concrètement à ses belles études anatomiques et classificatrices sans voir sa conscience troublée par des hypothèses qu'elle réprouvait :

> Puisque ces rapports sont constants, concédait-il, il faut bien qu'ils aient une cause suffisante ; mais, comme nous ne la connaissons pas, nous devons suppléer au défaut de la théorie par le moyen de l'observation ; elle nous sert à établir des lois empiriques, qui deviennent presque aussi certaines que les lois rationnelles, quand elles reposent sur des observations assez répétées [5].

Se consacrant à l'étude des fossiles de quadrupèdes, il était souvent confronté au besoin de situer dans le règne animal une espèce connue par quelques fragments osseux. La corrélation des organes, déduite de l'observation d'organismes entiers, permettait à rebours de reconstruire des organismes à partir de squelettes incomplets.

> Et, de même qu'en prenant chaque propriété séparément pour base d'une équation particulière, on retrouverait et l'équation ordinaire et toutes les autres propriétés quelconques, de même l'ongle, l'omoplate, le condyle, le fémur et tous les autres os pris séparément donnent la dent ou se donnent réciproquement ; et, en commençant par chacun d'eux, celui qui posséderait rationnellement les lois de l'économie organique pourrait refaire tout l'animal [6].

On a découvert depuis des fossiles qui eussent laissé Cuvier perplexe sur le bien-fondé de sa loi : des édentés pourvus de griffes ou des oiseaux à dents... L'emploi de la corrélation a un défaut : ignorant quelles lois œuvrent sous les phénomènes, on n'est jamais assuré qu'un objet nouveau obéisse aux mêmes règles que l'échantillon de référence. La méthode de Cuvier supposait une hypothèse non formulée, d'ailleurs erronée (le fixisme), qui transformait ses prétendus principes d'observation des faits en une authentique loi spéculative : ignorer délibérément les idées qui s'imposaient aux autres était encore une hypothèse. Derrière sa pureté d'un empirisme candide, le principe de corrélation était grevé de sous-entendus. Il permettait à Cuvier d'apparaître sous les traits rassurants du savant fidèle aux faits et étranger aux chimères de la Philosophie de la Nature allemande, ou aux spéculations transformistes des naturalistes français héritiers des Lumières. Honoré par les chefs d'États sous l'Empire et la Restauration, il représentera, bien avant Pasteur, la figure du savant français du XIXe siècle, épris d'ordre et de prudence.

Le principe de corrélation était néanmoins assez robuste comme méthode scientifique. Il avait fait comprendre à Cuvier l'une des grandes propriétés du concept : dans un premier temps, classer de manière objective et selon des lignes de force privilégiées toute collection d'objets que rien, *a priori*, ne réunissait entre eux ; dans un second temps, situer dans cet ordre des objets connus de manière partielle pour inférer leurs propriétés possibles. Les méthodes actuelles de classification automatique des données ne fonctionnent pas sur d'autres principes. La différence est que le savoir-faire du naturaliste y est remplacé par la puissance de calcul d'ordinateurs utilisant les formules mathématiques de la corrélation et de la contingence données depuis par Karl Pearson.

3. Galton, Pearson, et les deux raisons d'utiliser les corrélations

L'idée de corrélation peut être étendue de la biologie à tout domaine où siègent des phénomènes complexes — et notamment ceux qui donnent lieu aux métaphores organicistes : psychologie, économie, société — lorsqu'on renonce à un examen trop difficile des causes et des lois pour aller droit aux faits. L'extension du concept résultera de l'association de Francis Galton et de Karl Pearson. Leurs motivations étaient différentes ; néanmoins, le pragmatisme du premier et la philosophie empiriste du second résument éloquemment les deux bases du concept dans son acception actuelle.

« *Gentleman scientist* », selon l'expression de ses biographes, autodidacte de la science issu d'une famille aisée de l'Angleterre victorienne, Galton était fou de curiosité sur le monde. Il aurait pu passer à la postérité comme père de la météorologie, puisqu'il créa le concept d'anticyclone, mais il est surtout connu aujourd'hui comme fondateur de l'« eugénisme », science mythique de l'amélioration de la race humaine par sélection artificielle.

Contrairement à nombre de ses contemporains qualifiés aujourd'hui de « darwinistes sociaux », Galton était inquiet de l'avenir biologique de l'espèce. Il pensait que la sélection naturelle, qui avait permis à l'humanité de s'extraire du monde animal, jouait maintenant dans le sens d'une dégradation de l'espèce : les peuples civilisés, et parmi eux les classes instruites, laissaient moins de descendants pour leur succéder que les populations sauvages, les pauvres, les alcooliques et les ignorants. Il fallait suppléer aux défaillances de la sélection naturelle en appliquant à l'humanité une sélection artificielle scientifiquement fondée. Son interventionnisme requérait une méthode chiffrée d'estimation des dons de chacun et une connaissance précise de leur transmission biologique, projet éminemment politique qui lui vaudra de rendre aux statistiques leur sens littéral d'une « science de l'État ». Car, autant le darwinisme social consacrait à cette époque le règne du « laisser-faire », autant l'eugénisme annonçait les prétentions de la technocratie. Galton sera l'auteur de livres influents promouvant la recherche dans une variété de domaines, tous grands utilisateurs de statistiques, qui s'épanouiront au XXe siècle : psychologie différentielle, psychométrie, biométrie, hérédité biologique, criminologie. Son but ultime était de traquer le « génie héréditaire » pour pouvoir sélectionner un jour une humanité mieux douée.

Des savants comme Gauss, Laplace, de Moivre et Quételet avaient écrit l'équation d'une « loi des erreurs », la célèbre courbe en cloche que

Pearson nommera plus tard « loi normale ». Sans être mathématicien, Galton la réinterpréta de façon très pertinente comme courbe de distribution naturelle d'une population et en fera un objet d'étude pour lui-même. Elle devenait la forme organisée du hasard : « Elle règne avec sérénité et en complet effacement d'elle-même au milieu de la confusion la plus sauvage. Plus furieux est le grouillement, plus grande l'anarchie apparente, et plus parfait est son empire. C'est la loi suprême de la déraison [7]. »

Son attention fut attirée sur la « co-relation » par les travaux de Darwin. Préoccupé lui-même par le problème de l'hérédité biologique, il avait trouvé dans les travaux d'Isidore Geoffroy Saint-Hilaire une règle de corrélation des parties monstrueuses chez les individus anormaux de plusieurs espèces. Les chats albinos, par exemple, étaient simultanément sourds et avaient les yeux bleus. Ces phénomènes assez fréquents faisaient des « lois mystérieuses de la corrélation [8] » le symbole des forces encore inconnues de l'hérédité œuvrant en soubassement du déterminisme biologique. Galton essaya de les mettre en évidence. Il chercha sans succès une corrélation entre le tour de tête des savants et leur intelligence ; mesura la taille des enfants comparée à celle du « parent moyen » ; superposa des photographies de criminels pour en révéler l'image générique, etc. Il fut insatisfait ; mais il reste que c'est avec Galton que le mot de « corrélation », désignant à l'origine une coaptation entre organes, prit son sens scientifique contemporain d'un ordre mesurable par des méthodes mathématiques, en référence au hasard statistique. C'est alors qu'intervint Pearson.

A l'ignorance prolifique de Galton s'opposera l'instruction raffinée de son successeur. Ancien des universités de Cambridge, de Heidelberg et de Berlin, mathématicien, mais aussi avocat et spécialiste à ses heures de la vie de Martin Luther ou de l'art médiéval allemand, Karl Pearson vint à la corrélation par préoccupation philosophique.

Son maître à penser était Ernst Mach, physicien viennois et précurseur de l'école de philosophie des sciences connue sous le nom de « Cercle de Vienne ». Pour Mach, la base de la connaissance était la sensation. Peu importaient les causes et les lois que nous prêtons à la nature, et donc aussi les disciplines scientifiques particulières. Le but de la science était d'établir des connexions entre nos perceptions. Plutôt que de chercher à créer des systèmes d'images, des représentations du monde bricolées à force d'analogies et de métaphores, le rôle du scientifique était de mettre au point des modèles quantitatifs et prédictifs reliant entre elles ces sensations premières.

Pearson pensait lui-même que le monde extérieur était une production des sens dont la réalité restait indémontrable. Il comparait l'être humain à un téléphoniste qui n'aurait jamais vu d'abonné, n'ayant été mis en rapport avec le monde que par le fil du téléphone. « Nous reconnaissons la conscience de notre propre individu ; nous la supposons chez les autres[9]. »

La seule raison assurant d'une « similitude de l'univers pour tous les êtres humains normaux » était l'influence sans doute considérable de l'hérédité sur le développement cérébral. Deux facultés perceptives normales construisaient pratiquement le même univers : « ... supposer l'uniformité des caractéristiques de la " matière " du cerveau sous certaines conditions semble aussi scientifique que de supposer l'uniformité des caractéristiques de la " matière " stellaire[10]. »

Puisqu'il n'y avait d'autre réalité que perceptive, il était futile de croire à l'existence de « choses en soi » distinctes du monde phénoménal. Dénonçant les « dogmes » de la philosophie, de la théologie et de la mécanique, Pearson récusait des notions telles que matière, Dieu, volonté, contexture de l'esprit, force, masse, forme, espace, temps, causes mécaniques et autres « actions à distance » dont l'existence était invérifiable.

Puisque aucune loi de la physique n'est capable d'aligner un nuage de points expérimentaux de manière absolument rigoureuse, il lui semblait inopérant de s'en remettre à des « causes premières » comme formes d'explication. Causation et déterminisme n'étaient que la limite conceptuelle de la probabilité ; l'association des données d'une expérience était *prouvable*, leur association à venir n'était que *probable*. Pearson devait définir un « canon fondamental de la méthode scientifique : « On ne doit assigner d'existence réelle à aucun concept, quelque estimable qu'il puisse être comme moyen de décrire la routine de nos perceptions, sans avoir effectivement découvert son équivalent perceptible[11]. »

Si la science n'avait pas à supposer l'existence de réalités cachées, son but n'était pas non plus de dresser des catalogues de faits, car ceux-ci n'étaient connus qu'en ce qu'ils s'imposaient aux sens. Les disciplines scientifiques étaient les reflets divers d'un même processus perceptif. Leur spécificité était illusoire. L'entreprise scientifique serait de développer une mathématique de l'association par laquelle nos perceptions («associations physiques») atteindraient au statut de conceptions («associations mentales»).

Pearson sera l'auteur d'une *Grammaire de la Science*, ouvrage influent à l'époque qui le fera apparaître comme l'un des théoriciens de l'«empiriocriticisme». Cela lui vaudra notamment d'être vilipendé comme fossoyeur du matérialisme par Lénine, avec quelques autres «philosophes réactionnaires» [12].

Telles étaient les dispositions d'esprit de Pearson lorsque la notion de corrélation, si délicieusement empiriste, lui vint de Galton comme un don du ciel.

Les statistiques lui furent révélées par la lecture de *Natural Inheritance*, ouvrage dans lequel Galton annonçait le règne futur des statistiques dans les sciences de l'homme. «Les lois du hasard (...) s'appliquent à une grande diversité de thèmes sociaux, affirmait Galton. On peut dire de cette partie de la recherche qu'elle court sur une voie des hauteurs qui ouvre une vision large dans des directions inattendues, et de laquelle des descentes aisées peuvent être faites vers des objectifs totalement différents de ceux atteints jusqu'ici [13].»

A dater de ce jour, le trop érudit Pearson put s'évader de son quotidien d'enseignant de physique pour s'ouvrir une carrière à la mesure de ses facultés :

Voie des hauteurs, vision large dans des directions inattendues, descentes aisées vers des objectifs totalement différents : c'était là un terrain pour coureur d'aventure ! Je me sentais comme un boucanier du temps de Drake — l'un de ces hommes « pas vraiment pirates, mais avec de franches tendances à la piraterie », comme dit le dictionnaire.
J'interprétai cette phrase de Galton comme signifiant qu'il existait une catégorie plus large que la causation, la corrélation, dont la causation n'était que la limite, et que cette conception nouvelle de corrélation entraînait la psychologie, l'anthropologie, la médecine et la sociologie en grande partie dans le domaine du traitement mathématique. Ce fut Galton qui le premier me libéra du préjugé que les mathématiques fondamentales ne pouvaient être appli-

quées aux phénomènes naturels que sous la catégorie de causation [14].

Ce n'est donc pas par abus que le « concept pirate » de corrélation a vu son emploi s'étendre à un grand nombre de disciplines. Là était sa destination première. La fin du XIXᵉ siècle voyait fleurir une variété de spécialités scientifiques développant chacune ses concepts et ses mécanismes locaux. Face à cette balkanisation, Pearson partait du principe que « l'unité de toute science réside simplement en sa méthode, non en sa matière [15] », et tentait de regrouper les bataillons épars de la science sous l'égide d'une méthodologie commune : « Pour la première fois, il y avait possibilité (...) d'atteindre à une connaissance, aussi valide que la connaissance physique était alors censée être, dans le domaine des formes vivantes et par-dessus tout dans le domaine de la conduite humaine [16]. »

Ceci explique sa double personnalité apparente, scientifique et idéologique. Privilégiant la mise en connexion des faits, il établira avec le zoologiste Weldon l'école de « biométrie » et sera l'un des principaux fondateurs des statistiques modernes, donnant notamment la formule mathématique de la corrélation (le coefficient « r ») et du critère de « contingence » (le célèbre « Chi deux », χ^2), tous deux aujourd'hui d'un emploi universel dans les sciences biologiques et humaines.

Mais, privilégiant les préoccupations premières de l'humanité (les « perceptions ») au mépris des refuges disciplinaires, il rejoindra le pragmatisme de Galton. L'alcoolisme ou l'intelligence étaient des variables pertinentes dont on pouvait étudier empiriquement la transmission biologique. C'est pourquoi hérédité et eugénisme seront toujours deux préoccupations étroitement liées dans l'esprit de Pearson. Cela satisfaisait son tempérament élitiste, ainsi que son désir de voir la science défendre de grandes causes nationales et sociales. Proche du socialisme fabien, partisan d'une société technicienne dirigée par des planificateurs éclairés, Pearson avait combattu le naturalisme social qui, à la fin du XIXᵉ siècle, arguait d'une prétendue loi universelle de la concurrence pour affirmer que l'idéal d'une société égalitaire était utopique. Libre penseur, partisan d'une éducation scientifique populaire, il défendait les droits des femmes avec le projet ultime de fonder une humanité engendrée dans des conditions moins misérables. Sa crainte « scientifiquement » fondée (en réalité erronée) était que les pauvres, moins adaptés et plus prolifiques, puissent subvertir en quelques générations une société harmonieuse...

Pearson deviendra la principale caution scientifique du mouvement eugéniste. Il n'était pas un idéologue vulgaire, et se voulait un savant d'une grande probité intellectuelle. Ses résultats ayant démontré un jour que l'alcoolisme des parents n'entraînait pas de déficit significatif chez les enfants, contrairement à l'idée admise qu'il voulait vérifier, il les publia pourtant, provoquant un vent de fronde dans le mouvement eugéniste. Devenu à la mort de Francis Galton titulaire de la chaire posthume de « *Francis Galton professor of Eugenics* », il sera une grande figure du mouvement eugéniste anglais. Tous les actuels mensurateurs de l'« hérédité de l'intelligence » sont les héritiers intellectuels de cette époque.

Ce long récit de la vie de Galton et Pearson ne doit pas faire croire que l'histoire des sciences n'est qu'une suite de biographies individuelles. Ce qui est remarquable ici est de voir à quel point la définition d'un objet scientifique — les statistiques modernes — procède d'un projet clairement établi par ses auteurs, et qui déterminera toutes les propriétés futures du concept. Parce qu'il est créé en opposition à l'idée de cause, parce qu'il se propose d'étudier n'importe quelle matière *a priori*, le coefficient de corrélation est sans doute le concept scientifique le plus dénué de jugement humain sur la nature et la façon dont agissent ses lois. Mais il est en même temps l'instrument d'une méthode. Et cette méthode ne peut évidemment que traduire des prises de positions sur le statut philosophique et social de la science, qui suivront partout comme une ombre le concept qui en émane.

4. La mesure de la corrélation

Le calcul du coefficient de corrélation tient compte du fait implicite que, lorsqu'on dit de deux individus qu'ils se « ressemblent », cela revient à les situer dans l'échelle de variation du groupe. Dire que tous deux sont grands ou petits, gros ou maigres, jeunes ou âgés, implique de savoir si tous deux varient dans le même sens par rapport à la moyenne, et de combien.

Pour savoir s'il existe une corrélation entre la taille de frères jumeaux, par exemple, nous procéderions ainsi : dans chaque couple de jumeaux, appelons l'un X1 et l'autre X2 ; soit MX la taille moyenne de la population. Pour chaque jumeau d'un couple, l'écart à la moyenne du groupe est respectivement de (X1 – MX) et de (X2 – MX). Si tous deux sont simultanément grands ou petits, ces écarts seront de même signe, positif ou négatif. Le produit de ces écarts (X1 – MX).(X2 – MX) sera donc de signe positif s'ils se ressemblent, et négatif s'ils sont différents. La moyenne de ces écarts s'appelle la covariance :

$$\text{covariance }(X1,X2) = M\left((X1 - MX).(X2 - MX)\right)$$

avec « M » pour « moyenne ».

La covariance est de signe positif ou négatif selon que, dans l'ensemble des observations, il y a plutôt ressemblance ou dissemblance des individus de chaque groupe. Sa valeur absolue indique l'importance de la ressemblance ou la dissemblance. Bien sûr, cette mesure dépend aussi des unités choisies. Pour éliminer cet effet d'échelle, on rapporte la covariance à la ressemblance maximale possible, c'est-à-dire à la ressemblance de chaque individu avec lui-même, appelée « variance » :

$$\text{variance }(X,X) = M\left((X - MX).(X - MX)\right)$$

ou plus simplement :

$$\text{variance }(X,X) = M\,(X - MX)^2$$

La « variance » est un indice de la dispersion des mesures autour de la moyenne, au même titre qu'un moment d'inertie en mécanique [*].

En rapportant la covariance à la variance, on obtient le coefficient de corrélation « r » de Pearson :

$$r = \frac{M\left((X1 - MX).(X2 - MX)\right)}{M\,(X - MX)^2}$$

---

[*] Dans la pratique courante, on appelle fréquemment « variance » l'*estimateur* de la variance, de formule sensiblement différente.

dont la valeur varie de –1 (dissemblance absolue) à +1 (ressemblance absolue) en passant par la valeur 0 (indépendance des variables).

Le coefficient de corrélation ici calculé s'appelle « coefficient de corrélation intraclasse », car les deux séries de jumeaux appartiennent au même groupe, et se comparent à une moyenne commune. Mais comment comparer des individus appartenant à des groupes différents, par exemple le père et le fils ? Supposons que nous cherchions à évaluer la corrélation entre deux variables comme la taille du père et celle du fils.

Soient X la taille des pères (de moyenne MX) et Y la taille des fils (de moyenne MY), avec leurs variances respectives :

$$\text{variance } (X,X) = M (X - MX)^2$$

$$\text{variance } (Y,Y) = M (Y - MY)^2$$

Les individus de chaque couple seront comparés à leur moyenne respective : $(X - MX)$ pour les pères ; $(Y - MY)$ pour les fils.

La covariance deviendra :

$$\text{covariance } (X,Y) = M ((X - MX).(Y - MY))$$

Pour rendre le coefficient de corrélation indépendant des échelles de mesure, la covariance sera rapportée à la moyenne géométrique des variances $(V(X,X).V(Y,Y))^{1/2}$, donnant l'expression générale ;

$$r = \frac{V(X,Y))}{(V(X,X).V(Y,Y))^{1/2}}$$

dont la valeur est comprise entre — 1 et + 1.

Dans l'exemple de la comparaison du père et du fils, une corrélation de +1 correspondrait à une ressemblance systématique, telle qu'exprimée dans la formule « tel père, tel fils » *(figure 1)* ; une corrélation de –1 indiquant une dissemblance absolue telle qu'exprimée par l'autre dicton « à père avare, fils prodigue » *(figure 2)*. Une corrélation absolue, positive ou négative, apparaît donc sur un graphique sous la forme d'une droite donnant, point par point, la valeur d'une variable pour toute valeur de l'autre.

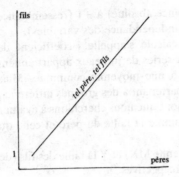

FIGURE 1. — *Corrélation de +1.*
Les deux variables varient linéaire-
ment dans le même sens : quand
l'une croît, l'autre croît. A chaque
valeur de l'une correspond une
valeur de l'autre.

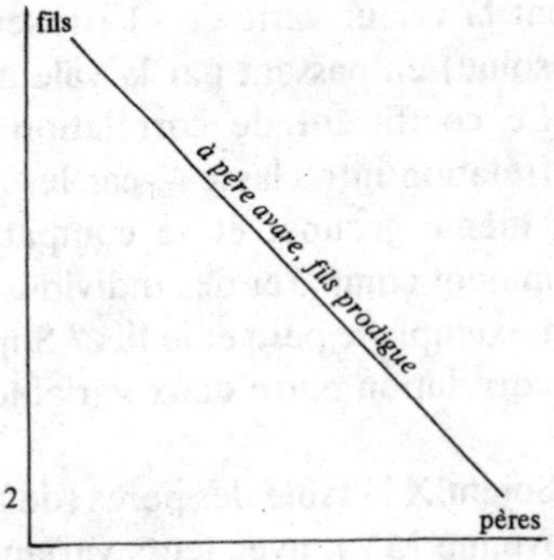

FIGURE 2. — *Corrélation de –1.*
Cette fois, les variables varient en
sens contraire : quand l'une croît,
l'autre décroît.

Les valeurs intermédiaires sont d'interprétation plus délicate. Ainsi, il existe plusieurs manières d'obtenir une corrélation de r = 0. La population pourrait être composée pour moitié d'individus suivant la règle « tel père, tel fils », et pour moitié d'individus suivant la règle « à père avare, fils prodigue » *(figure 3)*. Le modèle est alors déterministe, mais les deux causes s'équilibrent. S'il y a autant de pères avares et de pères prodigues dans les deux sous-groupes, il sera impossible de faire la moindre inférence sur les fils, connaissant les pères. On dit que la variable *explicative* (les pères) ne permet rien de dire de la variable *expliquée* (les fils).

Mais la population pourrait également être entièrement composée d'individus ne suivant aucune règle *(figure 4)*. Dans ce cas, le modèle sera aléatoire, mais donnera le même résultat que dans le cas détermi-niste.

D'où une première règle connue de tous les utilisateurs de statisti-ques ; le calcul d'une corrélation n'autorise aucune inférence en termes de relations causales.

Une autre règle, moins intuitive, est que la connaissance des causes ne suffit pas à prédire la valeur de la corrélation.

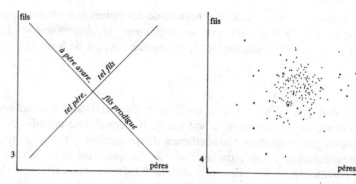

FIGURE 3. — *Absence de corréla-tion.* Cas où deux causes s'équi-librent.

FIGURE 4. — *Absence de corréla-tion.* Cas où les valeurs se distri-buent au hasard en fonction des variables considérées.

Soit par exemple une population dont la moitié des individus suit la règle « tel père, tel fils », et dont l'autre moitié, partie avare, partie prodigue, ne suit aucune règle. Nous savons *a priori* que le comporte-ment des fils est pour moitié « dû au père », et pour moitié « dû au hasard ». On calcule que, si les pères déterministes sont eux-mêmes pour moitié avares et pour moitié prodigues, la corrélation est de 0,5 ; s'ils sont tous avares, elle tombe à 0,33 ! Cela vient du fait que, les pères déterministes étant tous semblables, ils interviennent moins dans la variabilité d'ensemble. Or, le coefficient de corrélation ignore les causes et ne connaît que les variances. Une cause importante, mais peu variable, n'interviendra guère dans la corrélation. Ce paradoxe est la contrepartie de l'agnosticisme si utile d'un coefficient qui n'est pas limité à une classe de phénomènes définis. Il explique nombre d'erreurs d'interprétation. Ainsi, on a souvent voulu comparer l'importance des facteurs génétiques et sociaux dans l'expression de tel caractère (niveau scolaire par exemple) chez l'homme. On obtient une importance exagérée du facteur génétique lorsque le facteur social considéré (le système d'éducation dans cet exemple) est le même pour tous : le fait qu'il ne varie pas ne signifie pas qu'il ne joue pas un rôle crucial. On l'a plutôt réglementé par suite de son importance.

Lorsque plusieurs causes agissent simultanément sur une variable, on peut calculer l'information que chacune de ces causes apporte sur cette variable. Elle est donnée par le *coefficient de détermination*. Le coefficient de détermination de Y, connaissant X, est de formule :

$$D (Y/X) = r^2$$

On voit que ce n'est pas le coefficient de corrélation qui indique l'étroitesse de la liaison, mais son carré. Il s'ensuit une mystification fréquente par les chiffres. Un coefficient de corrélation de 0,5 paraît très impressionnant, et l'on aura tendance à dire que « les deux variables sont corrélées à 50 % » ! Pour cent de quoi ? En termes de variance, cela signifie que la corrélation n'explique qu'un quart de la variabilité obtenue.

Toutes les chausse-trappes ici recensées dans l'usage du coefficient de corrélation ont été mises à profit un jour ou l'autre dans les polémiques sur l'« hérédité de l'intelligence ». Elles sont le fait d'individus plus soucieux de berner leurs contemporains que de rester fidèles à l'esprit de la méthode, et relèvent d'une pratique plus ou moins étendue de la fraude scientifique dans un domaine où les implications politiques sont évidentes. Néanmoins, si là était le seul problème, il serait inutile de s'en prendre particulièrement au coefficient de corrélation, n'importe quelle autre notion abstraite pouvant jouer ce rôle d'auxiliaire de la mauvaise foi. Or, ce concept a un effet plus insidieux encore : abuser son utilisateur. Le meilleur exemple que l'on puisse en donner est la succession de déconvenues que connurent les différents pionniers des statistiques dans la compréhension du phénomène naturel qui les intéressait le plus et resta rétif à leur analyse : l'hérédité biologique.

5. La corrélation en action : statistiques et hérédité

a. Galton et la régression

Il n'y avait pas au XIXe siècle de force aussi fascinante que le lien héréditaire, qui unit les êtres à une génération de distance. Cette magie

Correlation

de la nature sans base matérielle connue fut longtemps le terrain d'application priviligié des corrélations. On n'imaginait pas ce que serait un jour la « génétique », mais on avait beaucoup d'idées confuses sur l'« hérédité », dont on reconnaissait deux grands types selon qu'elle concernait des caractères quantitatifs ou qualitatifs.

1. On savait que les caractères continus, comme la taille, étaient acquis en partie par hérédité et en partie par usage ; mais on pensait qu'ils étaient ensuite intégralement transmis aux descendants, ceux-ci ayant des traits intermédiaires entre ceux des parents. C'est ce que l'on a appelé l'« hérédité par mélange ».

2. Les variations discontinues, drastiques, voire monstrueuses, pouvaient réapparaître telles quelles dans une partie de la descendance, sans dilution. Un enfant présentait parfois des traits inconnus chez ses parents directs, et l'on voyait là un cas d'« atavisme », c'est-à-dire de résurgence d'un caractère venu d'un ancêtre lointain et masqué sur plusieurs générations : les ancêtres pouvaient donc contribuer à la descendance indépendamment des géniteurs directs.

3. Enfin, il faut signaler que les rares expériences de croisements artificiels faites jusqu'alors étaient le fait des « hybridistes », horticulteurs ambitionnant de créer des variétés nouvelles par croisement d'espèces différentes. On considérait généralement que la stabilisation du caractère hybride était impossible, et qu'il y avait « réversion » vers les types parentaux. Ce type d'expériences, dont les travaux de Mendel étaient un exemple, semblait incapable de créer une nouveauté évolutive.

Galton fit plusieurs études sur l'hérédité de la taille chez l'homme et le pois de senteur en comparant la descendance au « parent moyen » (*figure 5*). Il observa que les points obtenus ne s'organisaient ni selon une droite — ce qui aurait signifié une corrélation absolue — ni un cercle — ce qui aurait traduit l'absence de corrélation —, mais selon une ellipse, c'est-à-dire que la corrélation était de valeur intermédiaire entre 0 et 1 : sans être entièrement déterminé par ses parents, l'enfant leur « ressemblait » en partie. Il vit aussi que, lorsqu'on examine la distribution statistique d'enfants tous de parents de taille donnée (histogramme E), leur moyenne (M) est inférieure à la valeur (T) qu'aurait prédit une corrélation de 1 : le lieu des points « T » est le grand axe de l'ellipse (A), tandis que le lieu des points « M » est une droite distincte

55

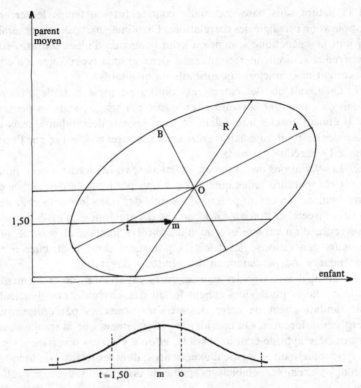

FIGURE 5. — *Corrélation de taille entre parent moyen et enfant dans l'étude de Galton (1886).* L'ellipse délimite le domaine englobant 80 % des valeurs ; A : grand axe de l'ellipse ; R : droite de régression enfant/parent moyen. Pour une valeur donnée de la taille des parents (exemple pris ici : 1,50 m), ces droites coupent respectivement cette valeur en *t* et en *m* ; *m* est la moyenne de la distribution des enfants dont le parent moyen mesure 1,50 m. *t* est la valeur théorique qu'auraient eu les enfants si la corrélation avait été de +1. L'écart entre *t* et *m* (flèche) est une perte d'information sur la valeur des parents qui est due au hasard. Ce phénomène qui fait qu'une déviation par rapport à la moyenne ne peut être entièrement héritée fut baptisé par Galton « régression à la moyenne ».

Sur la ligne inférieure, on a représenté la distribution des seuls enfants dont les parents mesurent 1,50 m, afin de mieux montrer que leur moyenne, *m*, s'est éloignée de *t* pour se rapprocher de *o*.

De nos jours, on dirait que les deux axes de l'ellipse, A et B, figurent respectivement le facteur héritable (transmis) et le facteur non héritable (variation au hasard).

(R), appelée depuis lors « droite de régression », car Galton baptisa d'abord ce phénomène « réversion », puis « régression » *.

La « régression à la moyenne » signifie que l'écart à la moyenne de tout point de la variable contrôlée — le parent — n'est pas entièrement conservé dans la variable aléatoire — l'enfant. N'imaginant pas qu'un caractère héréditaire pût ne l'être que partiellement, Galton ne sut interpréter correctement sa découverte et crut que la régression résultait d'un conflit entre l'héritage des parents directs et celui des autres ascendants, comme si l'essence spécifique contrebalançait les fluctuations temporaires. Sa « loi de l'hérédité ancestrale » était une suite d'équations où chaque ancêtre contribuait à l'hérédité d'un descendant en proportion inverse de son éloignement généalogique.

La réversion *(concluait-il)* est la tendance du type filial moyen à s'éloigner du type parental, retournant à ce que l'on pourrait décrire sommairement, voire de façon précise, comme le type ancestral moyen. Si la variabilité familiale était le seul processus qui dans la descendance élémentaire affectait les caractéristiques de l'échantillon, la dispersion de la race autour de sa moyenne idéale s'accroîtrait indéfiniment avec le nombre des générations, mais la réversion contrôle cet accroissement, et la ramène à l'équilibre [17].

Galton était déçu. Il savait qu'une théorie de l'hérédité devait être compatible avec l'évolution des espèces ; or, la régression à la moyenne n'offrait d'autre perspective qu'un immobilisme total... sans compter que ce retour à la « médiocrité ancestrale » contrariait ses projets eugénistes. Cela renforça son impression déjà ancienne qu'il valait mieux s'intéresser à l'hérédité discontinue qu'à l'hérédité continue.

b. La loi de l'hérédité ancestrale

Tel n'était pas l'avis des biométriciens Weldon et Pearson, qui ne croyaient qu'au quantitatif. Ils reprirent les travaux de Galton après

---

* D'où le symbole « r » utilisé depuis par convention pour désigner le coefficient de corrélation.

avoir décelé une faille dans le raisonnement du maître. Dans leur vision statistique de la population, un simple taux différentiel et de reproduction entre individus suffisait à créer un effet sélectif : le retour à la moyenne n'était pas absolu, puisque certains individus plus que d'autres contribuaient aux générations futures. L'équilibre se décalait progressivement. C'est le déplacement des moyennes qui engendrait le processus sélectif, non la dispersion des lignées particulières.

Pearson remit donc en chantier la loi de l'hérédité ancestrale. Sa compétence en mathématique lui avait permis de généraliser le concept de régression au cas de variables multiples. Là où les formules de Galton fleuraient l'amateurisme, il établit des équations précises détaillant la contribution de toute une galerie d'ancêtres au sort d'un individu particulier. A cette longue théorie de formules, il affecta des coefficients obtenus par expérience et baptisa l'ensemble « loi de Galton ».

En plus de ce travail théorique, il mesura les corrélations entre apparentés pour une variété de caractères. Il découvrit par exemple que les frères et sœurs se ressemblaient plus entre eux qu'ils ne ressemblaient à leurs parents (ce qui pouvait s'expliquer par une régression ancestrale commune). Il était fier de son travail et commentait avec satisfaction : « Dans toute tâche sociale et dans toute action législative, le vrai progrès est impossible si le réformateur et le législateur ne connaissent pas ou tiennent en ignorance les principes de l'hérédité [18]. »

On le sait aujourd'hui, la « loi de Galton » était fausse. Et pourtant, Pearson s'en était tenu à un examen chiffré des faits ; pourtant, ses calculs étaient exacts. L'erreur venait du fait que, sous l'aspect continu de sa manifestation perceptive, le phénomène héréditaire est de déterminisme discontinu.

Il n'est pas nécessaire de détailler ici l'ensemble des « lois de Mendel », redécouvertes à cette époque par les généticiens. Rappelons simplement que la génétique actuelle reconnaît deux séries causales dans la reproduction des caractères — l'environnement et les gènes —, toutes deux pouvant être facteurs de ressemblances ou de dissemblances entre parents et enfants. Pour ce qui concerne l'environnement, cela se conçoit aisément : il y a ressemblance quand l'environnement est stable d'une génération à l'autre au sein des familles, et dissemblance lorsqu'il change. Pour ce qui est des gènes, on comprendra aussi qu'ils soient cause de ressemblance, mais en quoi peuvent-ils aussi produire des cas de dissemblance ou d'« atavisme » ? Parce que, selon les lois de Mendel, chaque gène est présent chez un individu en deux exemplaires — l'un reçu du père, l'autre de la mère — entre lesquels peut intervenir une interaction dite de « dominance » modifiant leur action. L'effet de dominance n'est pas transmissible, car chaque parent ne transmet qu'un seul de ses deux gènes à chaque enfant, détruisant leur interaction. Des effets de dominance nouveaux apparaîtront par contre chez l'enfant pour accroître encore la dissimilitude. Par ailleurs, lorsque deux frères ou sœurs reçoivent de leurs parents communs les mêmes exemplaires d'un gène donné, des interactions de dominance nouvelles et communes à eux seuls apparaissent, expliquant l'excès de ressemblance entre frères et sœurs remarqué par les biométriciens. Enfin, la dominance explique aussi les cas d'« atavisme », qui ne sont pas une résurgence de la caractéristique d'un aïeul, mais l'occurrence indépendante, à plusieurs générations d'intervalle, d'une interaction de dominance entre un gène, transmis dans la lignée, et un autre, introduit par croisement.

Pour découvrir ces faits, les mendéliens durent faire des expériences, sélectionnant des lignées pures, puis les croisant selon des protocoles rigoureux, car la ségrégation des gènes et la dominance ne donnent de faits interprétables qu'après deux générations de croisement. Les biométriciens, respectueux des faits bruts et de la mise en connexion des « perceptions », ne réalisaient pas d'expériences et — empirisme oblige — méprisaient toute recherche de variables cachées.

Bien que transcrivant fidèlement la réalité phénoménale, leurs mesures ne pouvaient conduire à aucun savoir généralisable. Ils ne purent par exemple identifier les variables à prendre en compte en agronomie pour réaliser des expériences de sélection artificielle.

Pearson avait déclaré par *a priori* positiviste : « Il est vain de postuler un inconnaissable obscur derrière ce monde réel des impressions sensibles dans lesquelles nous vivons [19]. »

Son dogmatisme l'amènera à nier longtemps, avec Weldon, l'existence des lois de Mendel.

Si l'on devait adresser un reproche à l'usage fait par les biométriciens de la « corrélation », ce n'est donc pas de l'avoir confondue avec la « causalité ». C'est d'avoir professé que la catégorie de corrélation englobait celle de causalité et en rendait l'examen inutile.

c. *L'héritabilité*

La brouille entre biométriciens et généticiens allait être temporaire, car ils étaient condamnés à s'entendre. L'analyse génétique de populations entières exige en effet d'avoir recours aux statistiques. Le mouvement eugéniste lui-même, en la personne du major Leonard Darwin — l'un des fils de Darwin, mais surtout le successeur de Galton à la tête du mouvement eugéniste anglais —, se rallia aux nouvelles réalités en lâchant Pearson pour encourager le jeune mathématicien Ronald Fisher à réconcilier les deux approches. Son article de 1918, « La corrélation entre apparentés dans l'hypothèse de l'hérédité mendélienne », fut le point de départ d'une science nouvelle, la génétique quantitative, qui allait renouveler les statistiques, la génétique, le darwinisme et surtout les méthodes agronomiques d'amélioration des variétés cultivées.

La philosophie néo-positiviste sur laquelle Pearson avait fondé les statistiques disparaît, au point que, comme souvent en histoire des sciences, on ne citera plus désormais son nom que comme l'inventeur du coefficient de corrélation ou du test χ^2, bref, comme un contributeur parmi d'autres dans une démarche scientifique qui se voudrait linéaire et sans controverses. Avec l'avènement des méthodes d'inférence de Fisher, le statisticien cesse d'être un pur empiriste. Il réalise des expériences selon des « plans expérimentaux » méticuleux, distinguant au mieux les différents « facteurs » qui interviennent. Un agronome, par exemple, entreprendra une série de cultures de variétés de blé croissant sur des engrais distincts et connus, pour séparer dans son analyse le « facteur génétique » du « facteur engrais ». On ne parlera plus ici de *la* corrélation comme d'une formule unique et miraculeuse. Nous avons vu que les généticiens étudient la transmission des caractères au point de rencontre de plusieurs séries causales, et leur démarche en tient compte. Les résultats d'une expérience sont traités par une séquence d'opérations arithmétiques intitulée « analyse de la variance ». Dans un premier temps, elle vise à départager la contribution, à la variation totale, de la variance due à l'environnement et de celle due aux gènes. Dans un second temps, la comparaison des corrélations entre parents et enfants d'une part, entre frères et sœurs d'autre part, permet de distinguer, parmi les effets génétiques, ceux qui sont dus à la dominance de ceux — dits « additifs » — qui sont transmissibles d'une génération à l'autre.

Le succès de l'analyse de variance en agronomie est incontestable, et ce succès, précisément, fera apparaître ces méthodes comme la clé d'une nouvelle compréhension scientifique de l'hérédité dans des domaines où n'intervient pourtant aucun « plan expérimental ». Dans celui de la psychométrie — mesure du quotient intellectuel chez l'homme —, la décomposition de la variance sera extrapolée à une distinction mythique de la contribution « des gènes » et « de l'environnement » à l'intelligence. Dans le domaine de l'évolution des espèces, Fisher lui-même établira un *théorème fondamental de la sélection naturelle* tendant à prédire le « taux du progrès » (*rate of progress*) des espèces, et selon lequel « le taux d'accroissement en valeur adaptative (*fitness*) d'un organisme à tout instant est égal à sa variance génétique en valeur adaptative à cet instant ». Le théorème devient une nouvelle manière d'hypostasier les statistiques sous forme de loi :

> Le théorème fondamental (*dira-t-il*) (...) montre une ressemblance frappante avec la seconde loi de la thermodynamique. Tous deux sont des propriétés des populations, des agrégats, valables indépendamment de la nature des unités qui les composent ; les deux sont des lois statistiques ; chacune suppose l'augmentation constante d'une quantité mesurable, dans un cas l'entropie d'un système physique et dans l'autre la valeur adaptative d'une population biologique [20].

Or, une telle extension des statistiques est un leurre, car l'analyse de variance, quand bien même elle tient compte d'une connaissance des causes mendéliennes de l'hérédité, n'est pas une analyse en termes de « causes », mais en termes de « facteurs », c'est-à-dire en terme d'objets expérimentaux tels que définis et contrôlés par l'expérimentateur dans un protocole agronomique. Voyons comment procède l'agronome avant de voir pourquoi son savoir ne peut être extrapolé aux objets non expérimentaux.

Soient Vt la variance totale d'un caractère, Vg la variance génétique et Ve la variance environnementale. On peut écrire l'égalité :

$$Vt = Vg + Ve + Vi + Vge$$

On voit qu'apparaissent deux termes inattendus : Vge et Vi. Vge est la covariance gènes-environnements, découlant du fait que les individus ne se répartissent pas au hasard dans une population naturelle, mais selon des enclaves auxquelles ils sont adaptés ; Vi est la variance d'interaction entre gènes et environnements, due au fait qu'un même environnement n'a pas le même effet physiologique sur des individus génétiquement différents.

En elle-même, la formule ci-dessus est impraticable. Les efforts de l'agronome tendront, dans un premier temps, à contrôler suffisamment les conditions expérimentales pour rendre négligeables les termes Vi et Vge. Cela s'obtient en élevant les animaux ou les plantes dans des conditions standardisées et en contrôlant le choix des reproducteurs. La formule se ramène alors à l'équation :

$$Vt = Vg + Ve$$

Expression pratique, dont on déduit l'« héritabilité », c'est-à-dire la contribution de la variance génétique à la variance totale * :

$$\text{héritabilité} = \frac{Vg}{Vt}$$

Pour l'éleveur, la variance environnementale est une nuisance brouillant ses mesures en l'empêchant de choisir de bons géniteurs pour son élevage, car, plus la variance environnementale est faible, plus la variance génétique est élevée, et plus forte est la réponse génétique à la sélection. Le rapport d'héritabilité lui permet d'évaluer le succès de ses tentatives d'améliorer les conditions expérimentales.

On voit que le concept d'héritabilité correspond à des applications précises, valables dans un univers de réification des populations, détruisant toute relation intime entre espèce et milieu naturel, lui

---

* Nous n'entrons pas dans le détail des différents coefficients d'héritabilité. Rappelons cependant que tout ce qui est « génétique » n'est pas « héritable », puisque les interactions de dominance entre gènes ne sont jamais transmises. On utilise donc plusieurs définitions, larges ou restrictives, du coefficient d'héritabilité, selon le but que l'on se donne.

déniant toute autonomie adaptative ou évolutive. L'agronome ne vise pas à « améliorer les espèces », mais simplement leur domesticité. Les caractères de la génétique quantitative sont l'illusion statique d'une réalité dynamique intégrant développement, comportement, harmonie avec le milieu. Toute la procédure, en réduisant l'effet des facteurs non génétiques, tend à leur donner cette définition.

De prime abord, l'analyse quantitative offre de sérieuses garanties de scientificité, puisque intégrant la connaissance des mécanismes génétiques aux calculs empiriques. Et il n'y a pas de raison qu'une formule mathématique change de sens selon qu'on l'applique à des bovins ou à des jumeaux monozygotes. Il reste pourtant que ces coefficients mesurent des variances et non des causes. On ne peut estimer la part relative de l'environnement dans le déterminisme d'un caractère, parce que dans la formule :

$$Vt = Vg + Ve + Vi + Vge$$

l'environnement intervient partout.

1. Il intervient dans la variance génétique Vg, car tout caractère ne peut se développer que dans un environnement. Prenons un exemple. L'homme est l'un des rares mammifères à boire du lait à l'âge adulte. Cela suppose une activité enzymatique digestive dégradant le sucre du lait (lactose). Cette acquisition est récente à l'échelle historique et reste très variable dans la population humaine. Supposons que l'alimentation humaine dépende principalement de substances lactées et que nous mesurions tel critère de digestion ; l'enzyme considérée jouerait un grand rôle dans la variance génétique du caractère. Si l'espèce humaine n'absorbait jamais de lait, elle n'en jouerait aucun. La variance génétique ne mesure pas une quantité de gènes. Elle mesure les opportunités offertes aux différences génétiques de s'exprimer sur un caractère dans un environnement donné. La distinction entre Vg (variance génétique) et Vi (variance d'interaction gènes-environnements) ne procède que de considérations arithmétiques. La première n'est que le résidu de la seconde dans un environnement appauvri. Mais en aucun cas l'expression des gènes n'est indépendante de l'environnement.

2. L'environnement intervient dans la covariance gènes-environnements, Vge, qui exprime le fait que les gènes sont portés par des êtres vivants et mobiles. Faire sa vie au fond d'un marigot, sur une île du Pacifique ou dans la société des Lagopèdes est une tâche de spécialiste requérant un à-propos de chaque instant. Si bien que, quand bien même les gènes seraient localement répartis au hasard à la naissance des individus (ce dont on ne sait rien dans aucune espèce), ils ne le sont plus dès que les organismes ont commencé de vivre.

3. Quant à la variance environnementale, Ve, loin de représenter l'environnement, elle n'est que le résidu de variation non génétique que l'agronome peut considérer comme un bruit de fond aléatoire une fois qu'il a annihilé les relations entre organisme et milieu. Ce qui était un paramètre pratique pour l'agronome se réduit à la part la moins intéressante de l'environnement dans l'évolution des espèces ; et sa dénomination de « variance environnementale » a pour effet trompeur de laisser croire que l'action de l'environnement se réduit à un terme accessoire dans l'étude de la variance.

Chez l'homme, où les performances comportementales traduisent en grande partie l'acquisition d'une culture, il n'existe pas de méthode propre à départager influences génétiques et environnementales, car les formules statistiques disponibles s'appliquent par définition à une population homogène vivant dans un univers standardisé. Or, le monde auquel devraient s'appliquer les conclusions tirées d'une telle étude est le lieu de développements culturels aux possibilités indéterminables. Les calculs de corrélation mis en œuvre s'inscrivent dans un cadre normatif où l'on admet par avance — c'est un préalable au calcul — que tout progrès dépend des gènes. Ils sont incapables de prévoir ce qu'un changement d'environnement social apporterait, les formules mathématiques n'envisageant pas cette hypothèse.

L'erreur de ceux qui croient mesurer l'« héritabilité de l'intelligence » chez l'homme est donc de penser que l'on peut séparer scientifiquement « causes génétiques » et « causes environnementales ». Or, non seulement il est possible de modifier la valeur du caractère par simple action sur l'environnement, mais encore les conséquences d'un changement d'environnement sur les différences génétiques sont imprévisibles.

Quant à ceux qui commettent la même erreur s'agissant des espèces sauvages, ils ne font qu'identifier sélection artificielle et sélection naturelle, réduisant l'évolution des espèces à un parcours aussi déterminé que la trajectoire d'un corps l'est en physique lorsqu'on connaît ses coordonnées spatiales et sa vitesse. En réalité, les « normes de réaction » d'un génotype dans un environnement nouveau, l'orientation active des individus dans l'espace font de l'organisme le sujet comme l'objet de la sélection naturelle, et rendent son évolution indéterminable au sens où nous ne saurions la prévoir à un instant donné au seul vu de la répartition des effets génétiques et non génétiques.

Le discrédit qui a frappé les calculs d'héritabilité dans les années 1970 après les polémiques sur l'hérédité de l'intelligence, l'oubli dans lequel est tombé le « théorème fondamental de la sélection naturelle » qui fut le fleuron du néodarwinisme après 1930 consacrent le troisième échec du concept de corrélation en tant que « loi » en deux siècles d'histoire. La déception est d'autant plus cuisante qu'elle est à la mesure de l'incontestable succès du coefficient de corrélation en biologie expérimentale, ou en psychologie, car il n'existe aucun chercheur de ces disciplines qui renoncerait à cet instrument puissant de vérification des inférences. Devenu un simple test d'hypothèses, il renonce désormais à rien nous révéler de la nature : il ne mesure jamais que notre propre perspicacité.

6. Conclusion

Le « concept pirate » de corrélation est par excellence le concept de l'interdisciplinarité absolue, apatride, autosuffisant, libre de toute attache à un concept local. Par définition, il est à son aise partout, et sa mise en application ne requiert nulle justification *a priori* ou *a posteriori*. Nous l'avons vu à l'œuvre en biologie, et nous le retrouverons en économie au chapitre suivant. Dans tout domaine où existent des grandeurs mesurables, il traque les relations entre les choses. Il ne les découvre pas toutes, mais toute relation découverte est réelle. L'inconvénient est que le coefficient de corrélation n'a aucune idée de la convertibilité locale des valeurs qu'il manipule. Il organise les données qu'il traite en une masse informe d'associations et de ressemblances qui ne saurait tenir en un tout cohérent sans un jugement, sans la prise parti du scientifique sur la finalité de son entreprise.

Au cours de son histoire, le coefficient de corrélation s'est vu associé à quelques utilisations justificatrices détestables, et l'on serait tenté de dire : « Vraiment, ce concept n'est pas un concept neutre ! » Mais, ici non plus, il ne faut pas confondre corrélation et causalité... Dans leur désir d'apparaître comme de « vrais scientifiques », les promoteurs de ce coefficient ont au contraire fait montre d'un instinct maniaque de la propreté d'autant plus accusé qu'ils savaient que la matière qui les intéressait était des plus incertaines. Le concept de corrélation est en fait l'ultime résidu de la méthode scientifique dont on puisse dire, selon la formule connue : « Il est neutre, tout dépend de ce que l'on en fait... » Il a été spécialement mis au point pour n'être rien d'autre qu'une observation empirique. L'inconvénient est que l'on est bien obligé d'en faire quelque chose. Le coefficient de corrélation se prête à une infinité d'utilisations empiristes, technicistes ou justificatives. Il n'est hypocrite qu'en ce qu'il permet au scientifique de s'illusionner lui-même sur le degré d'extériorité du savoir par rapport au procès de formation des connaissances.

Créature du scientisme total, de la croyance en une science qui ne serait que la prise en compte des seuls faits tels qu'ils sont, la corrélation montre par contraste que ce qu'elle voudrait considérer comme un corps étranger est un facteur irréductible de la connaissance : l'ingéniosité humaine, et les projets qu'elle se donne dans la formation d'une culture scientifique.

NOTES

1. G. Cuvier, *Discours sur les révolutions de la surface du globe*, 1815, rééd. O. Bourgois, Paris, 1985.
2. J.-B. Monet, dit Lamarck, *Philosophie zoologique*, Paris, Dentu, 1809.
3. C. R. Darwin, *The Origin of Species...*, Londres, Murray, 1859 ; trad. fr. de J.-J. Mouliniés, *L'Origine des espèces*, réimpression d'après les 5e et 6e éditions avec le chapitre additionnel, Marabout, 1973.
4. P. Flourens, *Analyse raisonnée des travaux de Georges Cuvier, précédée de son éloge historique*, Paulin, 1843.
5. G. Cuvier, *Discours sur les révolutions de la surface du globe, op. cit.*

6. *Ibid.*

7. F. Galton, *Natural Inheritance*, Londres, Macmillan, 1889.

8. C. R. Darwin, *The Origin of Species...*, *op. cit.*

9. K. Pearson, *The Grammar of Science*, Londres, Adam & Charles Black, 2ᵉ éd., 1900 ; trad. fr., *La Grammaire de la Science : la physique*, traduit sur la 3ᵉ éd. anglaise par L. March, Paris, Alcan, 1912.

10. *Ibid.*

11. *Ibid.*

12. V. Lénine, *Matéralisme et Empiriocriticisme ; notes critiques sur une philoso-phie réactionnaire* (1908), Moscou, Éd. du Progrès, 1973.

13. F. Galton, *Natural Inheritance, op. cit.*

14. K. Pearson, in *Speeches Delivered at a Dinner Held in University College, London, in Honour of Professor Karl Pearson, 23 April 1934*, Cambridge University Press (impression privée), 1934.

15. K. Pearson, *The Grammar of Science, op. cit.*

16. K. Pearson, *Speeches..., op. cit.*

17. F. Galton, *Natural Inheritance, op. cit.*

18. K. Pearson, *National Life from the Standpoint of Science*, Londres, Adam & Charles Black, 1905.

19. K. Pearson, *The Grammar of Science, op. cit.* Il précise : « En vérité, il serait bon, si cela était possible, d'adopter le terme *formule* (...) et de le substituer au mot *loi scientifique* ou *naturelle*. »

20. R. A. Fisher, *The Genetical Theory of Natural Selection*, Oxford University Press, 1930.

Loi et causalité

Michel Gutsatz.

S'il est un terme qui circule, c'est bien celui de « cause » : chaque science suppose un concept de causalité. Mais il importe d'opérer une série de distinctions si l'on ne veut pas adopter la vision simpliste qui voudrait que toutes les sciences aient recours au même concept de causalité. Il faut d'une part distinguer sciences dures et sciences sociales, puis, au sein de celles-ci, celles lui, telle la sociologie, ont réfléchi leur concept de cause, de celles, telle l'économie, qui ont cru l'emprunter aux sciences dures.

Simultanément, un autre emprunt fait son chemin : c'est celui de corrélation — et de tout l'outillage statistique élaboré par les biométriciens anglais de la fin du XIXᵉ siècle — dont certains économistes se saisirent pour fonder une procédure de vérification de leurs lois, sous le nom d'économétrie.

L'instrumentalisme dont témoignaient ces économistes devait les mener à la confusion entre causalité et corrélation : l'absence de réflexion conceptuelle sur la première facilitait l'adoption de la seconde. Il fallut quelques décennies pour abandonner cette fausse piste et en venir à la recherche d'une définition de la causalité spécifique à l'économétrie. L'opération devait déboucher sur une autre impasse : l'instrumentalisme régnant en maître, aucune réflexion épistémologique sur des problèmes essentiels, tels la relation réalité/modèle, la mesure des variables ou le choix des variables pertinentes, ne fut menée. La théorie économique sort perdante de cette longue histoire où elle se vit d'abord proposer un modèle de vérification inadapté, puis reléguée au rang de pourvoyeuse de relations à « vérifier » ou « infirmer ».

Cette saga des emprunts effectués par l'économie, puis l'économétrie, prouve à tout le moins la fragilité de la démarche. En fait, resurgit au bout de l'histoire ce qui se voulait dissimulé depuis les débuts de la science économique : son formalisme, lequel fonctionne à l'écart de toute vérification.

Les illusions sur la signification des « vérifications » statistiques des théories s'expriment mieux que nulle part en économie. Dans ce domaine, nulle expérimentation n'est possible. Le « corps social », contrairement aux corps organiques, ne se laisse pas réduire à un objet : la seule possibilité, pour ceux qui rêvent de faire de l'économie une « science » aussi valide que les sciences « exactes », est d'imaginer que des lois statistiques objectives règlent le mouvement évolutif de la société, tout comme les biométriciens pensaient, il y a un siècle, que des lois statistiques pouvaient régir les ressemblances phénotypiques. C'est là le domaine de prédilection de l'économétrie, science statistique née vres 1930, dont l'objet est de « tester » la validité de telle ou telle relation (ou loi) de théorie économique. Mais loi économique comme causalité économique ont-elles quelque relation avec loi et causalité en physique, science de référence des économistes ? Il s'avère que non : malgré les efforts démesurés de ceux-ci, l'économie reste une science où toute forme d'expérimentation est marginalisée et où le primat statistique de l'économétrie censé pallier celle-ci est vide de sens. Le formalisme règne ici en maître.

Un exemple récent illustre à la perfection les contradictions dans lesquelles la « vérification » économétrique peut enfermer l'économiste.

Il existe deux théories du cycle des affaires [1] : l'une, celle de Hicks, considère un système globalement instable soumis à des perturbations diverses, alors que l'autre, celle de Schumpeter par exemple, envisage un système économique stable sujet à des perturbations aléatoires. Tous les tests économétriques concourent à valider le second modèle et à rejeter le premier. Là où l'on est en droit de se poser quelques questions, c'est lorsque l'on constate que, si l'on génère des données sur la base du modèle de Hicks, les tests économétriques les considèrent comme issues d'un modèle de système stable ! Il est alors évident que les conclusions précédentes sont fausses : l'instrument économétrique adopté est inadéquat. Mais, si tel le cas, on peut se demander quelle est la signification réelle des résultats économétriques obtenus en général et pourquoi de telles critiques méthodologiques bien connues ont si peu d'effet sur la production économétrique contemporaine.

Des biométriciens aux économètres :
une même démarche scientifique

La démarche que l'on rencontre aujourd'hui chez certains économistes et certains économètres nous renvoie à une situation en de nombreux points analogue à celle qui existait en biologie au tournant du siècle. Les biométriciens, tels Pearson et Weldon, avaient pour objectif premier la description des ressemblances phénotypiques. Se refusant à utiliser une quelconque théorie de l'hérédité, ils sont partis des travaux de Galton [2] qui consistaient à décrire des régularités statistiques dans la relation entre les caractères de deux générations successives (taille, dimensions des membres...). Les données recueillies par Galton montraient que la taille moyenne du rejeton était plus proche de la taille moyenne de sa génération que ne l'était celle de son parent : c'est ainsi qu'il la dit « plus médiocre », ayant constaté une « régression » de cette génération sur la précédente. Dans cette perspective, les populations biologiques sont conçues comme agrégats d'individus : c'est à ceux-ci et à leurs caractères que s'intéressaient les biométriciens, et non aux caractères de l'espèce. Ce point déjà permet un rapprochement avec les économistes : le système économique, dans la théorie néo-classique, est conçu comme résultant des actions d'agents économiques agissant indépendamment les uns des autres.

Pearson formalisa l'approche des biométriciens en définissant l'hérédité comme étant la corrélation (définie comme degré de ressemblance) entre les caractères observés des différentes générations. Il n'est pas question pour lui de formuler une quelconque hypothèse biologique quant aux mécanismes de l'hérédité, mais bien d'obtenir « l'expression mathématique de variations statistiques pouvant s'appliquer à de nombreuses hypothèses biologiques » (Frogatt 1971, p. 7).

Il en est ainsi de la loi de l'hérédité, laquelle, par comparaison des caractères correspondants de plusieurs générations, avançait que chaque ancêtre contribuait selon sa place dans l'arbre généalogique : (1/4) pour chaque parent, (1/4)*(1/4) pour chaque grand-parent, etc. Cette loi, totalement empirique, ne reposait sur aucune conception d'un mécanisme de l'hérédité (si ce n'est l'hypothèse qu'existait un mécanisme de dilution de l'héritage ancestral) et utilisait une terminologie totalement étrangère aux conceptions biologiques du temps *. Il s'agissait de commencer par établir des relations statistiques, puis de voir quelle hypothèse physiologique se trouvait en meilleur accord avec celles-ci. Le refus de toute théorie *a priori* est donc la position épistémologique des biométriciens.

Une telle approche avait un avantage certain : *elle autorisait la prévision.* La droite de régression ainsi obtenue permettait de prévoir les caractères de la génération suivante. Cette propriété cadrait parfaitement avec la conception opérationnaliste des biométriciens : leur objectif reste la construction d'un modèle descriptif et prédictif de l'évolution permettant de prédire l'incidence globale de tel caractère au sein d'une population biologique. Or, *prévision et contrôle sont liés :* on pourrait intervenir au niveau d'une génération (en supprimant les individus présentant tel défaut) et ainsi prévoir l'état de la génération suivante. Une telle technique était recherchée par les éleveurs et les agriculteurs pour l'amélioration des espèces animales et végétales, et fortement souhaitée par les eugénistes dans la perspective d'une amélioration de l'espèce humaine.

La transition entre les biométriciens et les économètres modernes, il nous faut la rechercher dans les travaux des premiers statisticiens. On y constate que la terminologie comme les procédures adoptées ont pu aider à induire en erreur les économistes. A cet égard, l'exemple de Yule, lequel a beaucoup écrit dans l'*Economic Journal*, est révélateur [3].

En 1895, ce dernier insiste (quoique en note infrapaginale) sur le fait que *corrélation ne signifie pas causalité* : « Cette proposition ne signifie ni que le faible niveau moyen d'aide à domicile est la cause d'un faible paupérisme moyen ni l'inverse : ces termes devraient être évités lorsque l'on n'a pas affaire avec une chaîne de causalité. » Il propose de considérer les deux variables étudiées comme « réagissant l'une sur l'autre ». Malheureusement, Yule ouvre son article de 1897 en avançant

---

* A l'inverse, les mendéliens, tel Bateson, qui se voulaient avant tout biologistes (qualificatif qu'ils refusaient aux biométriciens), cherchaient à interpréter les résultats de leurs expériences en fonction d'une théorie physiologique de l'hérédité.

71

que « l'étude des relations causales entre phénomènes économiques présente des difficultés » que la théorie de la corrélation saurait résoudre. Dans ce nouveau texte, dès l'abord, il place la corrélation sous le signe de la causalité. « Au lieu de parler de " relation causale ", de " quantités liées par des relations de cause à effet ", nous utiliserons les termes de " corrélation ", de " quantités corrélées ". » Dès lors, l'identification entre corrélation et causalité ne peut qu'être établie par des économistes pour lesquels la catégorie de causalité est centrale. A cet égard, la discussion qui suit le papier de 1899 nous éclaire : un économiste présent dit avoir regretté en 1897 que l'auteur ne présente pas une « méthode qui permette l'association (des variations du paupérisme) avec ses causes ». Il se félicite alors que la nouvelle méthode y parvienne !

La façon dont Yule présente ses résultats laisse tout aussi songeur : on y retrouve tous les errements contemporains. Il commence par identifier ses concepts de « paupérisme » et d'« aide sociale » aux indicateurs utilisés pour les mesurer. Il interprète ensuite fidèlement l'équation de la droite de régression obtenue à l'aide de ces indicateurs, mais il la nomme « équation existant entre paupérisme et aide sociale ».

On retrouve la même démarche à propos de l'exemple suivant où il avance qu'à une augmentation d'un shilling du salaire des ouvriers agricoles « correspond » une baisse de tant de pour cent du paupérisme moyen. C'est là la porte ouverte à l'interprétation causale qui voudrait qu'une augmentation d'un shilling de ces gains *entraîne* une baisse de tant de pour cent du paupérisme. L'action et la prévision sont en germe dans cette utilisation de la corrélation.

L'article de Yule de 1899 est vraisemblablement le premier véritable article économétrique. Y est testé un modèle expliquant les variations du paupérisme à l'aide de trois facteurs : la modification dans l'approche administrative de celui-ci, la variation de la part des gens âgés dans la population et un facteur économique global. On y trouve un modèle méthodologique dont les économistes ne se départiront guère par la suite, truffé de glissements de sens et de confusions de niveau d'analyse. Trois d'entre elles vont se retrouver dans de nombreux articles économétriques ultérieurs :

1. Yule identifie corrélation et causalité : il hésite, parlant d'« association » des variables, puis, dans le corps du texte, opte résolument pour : « la variation de X est due à la variation de Y ».

2. *Il identifie en permanence le concept étudié et l'indicateur choisi*, même lorsqu'il reconnaît dès le départ l'imperfection de celui-ci. Un exemple est à cet égard révélateur : Yule mesure l'influence des mesures administratives et le paupérisme à l'aide d'indicateurs intégrant les deux mêmes variables de base. En fait, l'une de celles-ci (le nombre d'individus bénéficiant d'une aide publique) apparaît au numérateur des *deux* indicateurs. Or Yule, constatant un lien étroit entre les deux, l'interprète en avançant que « la plus grande partie de la corrélation observée entre les variations du paupérisme et celles des mesures administratives est due à une influence directe d'une modification de politique à l'égard du paupérisme : 5/8 de la baisse du paupérisme entre 1871 et 1881 est due à une modification de politique », laquelle avait consisté à restreindre l'aide publique. Cette « conclusion » fut triomphalement reprise lors du débat qui suivit la communication par le président de séance, lequel se félicita que l'action administrative ait entraîné une baisse du paupérisme. Le glissement est ici exemplaire : le lien repéré est inscrit dans les indicateurs choisis, les variables de base figurant dans les deux ! Si, par suite d'une modification de l'aide, le nombre d'individus bénéficiant d'une aide publique baisse, alors les deux indicateurs baisseront. Malheureusement, ce que les économistes et les hommes politiques présents retiendront, c'est bien évidemment que « 5/8, etc. »*.

3. On ne rappellera que pour mémoire les résultats avancés concernant des relations longuement étudiées alors que les coefficients de corrélation partiels sont quasi nuls, les plus significatifs ne dépassant pas 0,5. Mais *l'instrumentalisme règne en maître* : interrogé par l'économiste Edgeworth, lequel doute de l'application de la méthode lorsque les données ne sont pas distribuées normalement, Yule répond que les moyennes conditionnelles « ne sont pas vraiment alignées, et sont en fait si erratiques que les ajuster par une ligne droite n'est pas pire qu'autre chose » !

Ces critiques nous renvoient à certains des aspects généraux signalés

---

* Il ne s'agit pas de dire ici que Yule fait une erreur élémentaire, laquelle ne se reproduirait pas de nos jours. La littérature économétrique et économique contemporaine abonde en erreurs semblables.

plus haut : Yule préconise une *approche exclusivement empirique.*
Posant *a priori* une liste des « causes » du paupérisme, il propose une
méthode permettant de mesurer l'influence respective des diverses
variables explicatives sur la variable expliquée, et utilise une méthode
qui permet de discriminer entre diverses causalités (en intégrant les
diverses causes dans la même équation de régression). Yule conçoit son
travail comme le moyen de tester sans biais les théories couramment
avancées pour expliquer l'évolution du paupérisme. Il n'est nulle part
question d'une théorie du paupérisme, puis de la collecte de données
nécessaires élaborées dans le cadre de cette théorie afin de tester
celle-ci.

Un siècle plus tard les économètres en seront quasiment au même
point : ils testent des relations bivariées (entre monnaie et prix, entre
monnaie et revenus, etc.), sous prétexte qu'il s'agit là « de quelques-
unes des hypothèses fondamentales insérées dans le corpus de la théorie
économique [4] ». On peut leur reprocher justement d'extraire des
relations dont la particularité est d'être « insérées » dans certaines
théories économiques, et donc de n'être pas isolables. Mais, s'ils
persistent ainsi à travailler sur des relations isolées, c'est que leur
objectif essentiel reste de cerner des causalités. L'explication en est
simple, et l'introduction au texte de 1897 de Yule l'atteste : *il est
impossible de ne pas parler de causalité dans les sciences sociales.*

Sur la nature de la causalité en sciences sociales

Il importe de voir que la causalité joue un rôle privilégié dans ces
dernières à cause de la nature même de leur objet, lequel est en
permanence surdéterminé : ce qu'un éventuel modèle laisse de côté
détermine autant (voire d'une autre manière) que ce qui y figure. La
réalité sociale étant socialement instituée comme réalité de cette
société-ci, les événements qui constituent la trame des faits sociaux sont
infiniment empreints de significations sociales. Dès lors, les éléments
exclus du modèle renvoient à des significations par définition irréductibles à tout formalisme comme à toute ensemblisation du monde. Le

choix d'un autre modèle sera vraisemblablement tout aussi pertinent et porteur de connaissances nouvelles, mais il laissera tout autant d'éléments en dehors et tout autant de significations hors de son champ. C'est dans le cadre de cette spécificité des sciences sociales, laquelle n'est guère reconnue des scientifiques eux-mêmes, qu'il faut resituer la place de la causalité. La première constatation à faire est qu'une référence aux sciences de la nature et à la physique en particulier n'est ici guère de mise. L'utilisation de la causalité est souvent présentée par les philosophes des sciences comme caractéristique d'un stade préscientifique, période pendant laquelle les relations étudiées étaient établies entre phénomènes concrets, et non pas entre grandeurs abstraites. La relation causale aurait donc complètement disparu des énoncés de la physique. Une citation souvent rapportée, de Russell, lequel abonde dans ce sens, témoigne en fait de deux problèmes :

> Les philosophes, à quelque école qu'ils appartiennent, s'imaginent que la causalité est l'un des axiomes ou postulats fondamentaux de la science, alors qu'il est assez manifeste que, dans les sciences avancées comme la mécanique céleste, le mot de « cause » n'apparaît jamais [5].

Tout d'abord, on peut se demander si la notion de cause a véritablement disparu du discours scientifique. Il s'avère à l'analyse qu'il subsiste au moins deux domaines où on la rencontre :

1. Dans l'expression des modèles sous-jacents au formalisme mathématique adopté : le pragmatisme des physiciens les amène à adopter toute hypothèse compatible avec la vérification expérimentale. On peut ainsi relever de nombreuses hypothèses de structure (dites causales) en théorie physique, lesquelles postulent l'existence et la forme de phénomènes inobservables : celle de la théorie cinétique des gaz, celle de la structure électronique de l'électricité, celle de la structure atomique de la matière, etc. Le physicien, de fait, présuppose qu'il existe une causalité. Celle-ci, qui autorise et rend féconde la recherche, se traduit, une fois le mouvement d'investigation arrivé à son terme, en loi d'objet (relation mathématique le plus souvent), pour la compréhension ou l'utilisation de laquelle une représentation causale n'est pas du tout requise.

2. « Aux points d'articulation (d')une connaissance théorique (...) avec la pratique [6]. » Dans ce dernier cas, elle « représente dans une large mesure une adaptation à la pratique immédiate et un retour au langage commun ». Ce dernier point témoigne de la prégnance des valeurs anthropomorphes de la notion de causalité, comme de son enracinement dans l'expérience immédiate : sous la forme de la motivation, du moyen technique indispensable, du résultat qui se réalise parce qu'on en a posé les conditions. Cela explique le « succès » de cette catégorie dans le processus d'élucidation du monde qu'est la science. Compte tenu de ses origines empiristes, la notion de causalité reste liée à la perception utilitaire de l'expérience quotidienne : tout discours scientifique, à partir de l'instant où il cherche à passer au stade des applications, est quasiment contraint de s'adapter au sens commun et de s'exprimer en terme de métaphores causales. Deux conséquences se dégagent de cet état de fait pragmatique, conséquences qui ont une importance certaine en sciences sociales : d'une part la cause est identifiée à l'agent, de l'autre il est nécessaire de parler de cause afin de prévoir.

Le second élément important à retenir de la citation de Russell est l'opposition introduite entre scientifiques et philosophes. Russell dénie à ces derniers le droit de légiférer sur la science : à cet égard, les exemples de Mill, Jevons, Popper et Russell (!) sont révélateurs d'une telle tradition interventionniste. Les philosophes, surtout lorsqu'ils s'inscrivent dans la tendance logiciste, ont pour habitude de dicter aux scientifiques les canons de la scientificité, et donc de déterminer comment la science *doit* se faire. Cela explique en partie la prégnance de la catégorie philosophique de causalité en philosophie des sciences. Il s'avère que ce discours impérialiste n'a guère de rapport avec la pratique effective des scientifiques. Mais sa persistance dans le discours que les économistes tiennent sur la physique montre deux choses :

1. D'une part, qu'il existe une *séduction* certaine exercée par les philosophes logicistes sur les économistes néo-classiques : il s'agit là de toute une conception de la science qui s'affirme, dans laquelle on privilégie l'aspect logique des théories au détriment de leur adéquation à la réalité.

2. D'autre part, cela confirme que seule importe l'*image* de la physique et non pas sa réalité : les économistes se forgent une physique adéquate à leurs propres préoccupations et à leur épistémologie, au sein

de laquelle on peut donc impunément parler de causalité. Mais de cette physique rêvée est étrangement absente la seule sanction que se reconnaisse le physicien : l'*expérimentation*. La conception logiciste de la science à laquelle adhèrent les économistes néo-classiques favorise l'effacement de la distinction entre science expérimentale et science non expérimentale et permet donc de scientificiser l'économie. On comprend alors aisément que les économistes de la fin du XIXᵉ siècle aient massivement adhéré à cette épistémologie [7]. L'inconvénient, c'est que, sans la sanction de l'expérience, toute « loi » obtenue reste comme suspendue en l'air : la notion de cause en devient quasi métaphysique.

Cette lecture logiciste des philosophes des sciences permet à tout le moins de faire de la physique un modèle, c'est-à-dire une « méthode générale » transposable à d'autres sciences. On peut à la limite dire qu'aucun économiste ne s'intéresse à la physique telle qu'elle se fait, mais bien plutôt à la scientificité que la physique est censée incarner.

Il reste qu'en sciences sociales — et en économie en particulier — « le recours au raisonnement causal (...) exprime (...) l'impossibilité de s'en tenir jusqu'au bout au paradigme d'une connaissance par modèles et structures » (G. Granger 1978, p. 140). Cette impossibilité tient à deux faits :

1. L'événement socioéconomique ne saurait être réduit à *aucun* modèle : il est surdéterminé.

2. L'économiste (ou le sociologue) élabore une *science pratique*, laquelle privilégie la décision : il s'agit toujours de repérer les facteurs stratégiques, considérés comme causes, et donc *manipulables*.

La conséquence de cet état de fait est le simplisme des modèles et le privilège de l'instrument : « d'une trop grande hâte à passer de l'analyse des structures à la décision causale, peut dépendre (...) le médiocre succès des sciences humaines » (*ibid.*, p. 142).

Loi et causalité :
le confusionnisme économétrique

La causalité est un concept central en analyse économique dans la mesure où il apparaît systématiquement lié à la prédiction :

L'objectif essentiel d'une loi scientifique est de permettre la prévision, laquelle est recherchée parce qu'elle permet le contrôle des phénomènes. Ceci est évident, car, à moins de savoir ce qui « cause » un phénomène particulier, on ne peut ni empêcher, ni favoriser sa réalisation [8].

Mais la causalité pose un *problème de définition*. Aucune définition n'en a été donnée tout au long de la période du premier développement économétrique des années cinquante et soixante. Les auteurs ont, de même, été incapables de définir la relation existant entre les modèles économétriques construits et les lois scientifiques qu'ils étaient censés représenter. C'est dire qu'un des aspects épistémologiques essentiels à la compréhension de la causalité est absent des préoccupations des économètres : la distinction entre la réalité et les modèles que l'on peut en donner.

Il apparaît en fait que les économètres définissent le plus souvent la « relation causale » comme étant « une relation où figure à droite une variable exogène [9] ». Un tel énoncé est un problème épistémologique à lui seul : la causalité est-elle une propriété du seul modèle (position formaliste) ou de la réalité décrite par ce modèle (position réaliste) ? Or les économètres ne tranchent pas, ce qui les amène à proposer des conceptions de la causalité qui oscillent sans cesse entre les deux.

On peut noter qu'il arrive que des économètres se réfèrent aux philosophes afin de combler ces lacunes. On ne peut que constater que le problème reste malgré tout mal posé. Ainsi Zellner fait-il appel à Feigl [10] : « Le concept de causalité (purifié) est défini en termes de prévisibilité selon une loi (ou plus précisément selon une série de lois). »

Feigl entend ici « purifié » au sens de « purifié de toute connotation métaphysique ». Il exclut ainsi les causes finales, les conceptions téléologiques, ainsi que l'implication logique. Or, si Zellner adopte la position de Feigl, c'est de seconde main. Une des idées fondamentales de cet exégète de Feigl mérite d'être rappelée : *il identifie causalité et déterminisme*. Mieux, il retient du rejet par Feigl de l'implication logique l'insistance que ce dernier met sur la nature inductive de la causalité. Dès lors, *le cadre* — prétendument emprunté à la philosophie — *au sein duquel se déroule la causalité des économètres est très précisément celui d'une science inductive où « être la cause de » signifie « être déterminé par »*. L'économètre doit donc dérouler une « analyse logique inductive (en vue de) fournir des informations sur la qualité prédictive de différentes lois » (Zellner, 1979, p. 21).

En fait, on constate que les économètres abordent le problème de la causalité selon une double dichotomie :

a) propriété du modèle / propriété de la réalité ;

b) privilège temporel / atemporalité : pour certains, la causalité est un phénomène temporel (Granger), alors que, pour d'autres, tel Herbert Simon, il s'agit d'éliminer la séquence temporelle.

Ces deux clivages se recoupent pour dégager trois conceptions :

— une conception formaliste atemporelle ;

— une conception formaliste temporelle ;

— une conception réaliste strictement déterministe et temporelle.

a. La conception formaliste atemporelle

Constatant que les relations de cause à effet entre phénomènes sont inconnaissables (position de Hume), H. Simon considère que la causalité « est une propriété du modèle, propriété qui peut changer au fur et à mesure que le modèle est modifié pour s'adapter à de nouvelles observations [11] ». La causalié est ici un concept déductif logique qui n'a rien à voir avec le « monde réel ».

Simon déconnecte la causalité de la séquence temporelle : il met en avant l'asymétrie d'une relation, au détriment de la chronologie. Il exclut ainsi le dernier témoin de la réalité des phénomènes étudiés, leur temporalité. La référence obligée à la physique figure ici aussi, dans une ignorance complète du statut de la causalité dans cette science :

> Il n'y a pas de lien nécessaire entre l'asymétrie de cette relation et l'asymétrie temporelle, quoiqu'une analyse de la structure causale des systèmes dynamiques en économétrie et en physique montre-rait que des relations avec décalage temporel peuvent générale-ment être interprétées comme des relations causales.

Cette conception pèche par un autre côté : tout le problème du choix des variables pertinentes est évacué. Alors que la « causalité » au sens de Simon repose sur le découpage variable explicative / variable expliquée, et donc sur une théorie économique sous-jacente, celle-ci n'est jamais précisée.

Nous nous trouvons bien ici devant une *conception formaliste* de la causalité : celle-ci est propriété des seuls modèles et non pas de la réalité. Il est évident qu'adopter une telle approche de la causalité empêche toute invariance de celle-ci. De nombreux économistes ont été ainsi confrontés à ce problème *.

b. *La conception formaliste temporelle*

La définition que les travaux de C.W. Granger ont initiée est, quant à elle, très particulière, ce qui l'amène à noter : « Il paraît peu probable que les philosophes accepteraient totalement cette définition ; il se peut que " cause " soit un terme trop puissant, mais, puisque " cause " est un terme simple, nous continuerons à l'employer [12]. »

Une variable est causale au sens de C.W. Granger si elle contient une information qui améliore la prédiction d'une autre variable. On se place dans une perspective où l'ordre temporel devient central et on exclut les phénomènes déterministes du champ. Bien que C.W. Granger dise que « cette définition est très générale », il n'en est rien. Le choix des variables entre lesquelles on va tester la causalité est en effet primordial. Dans un premier temps, afin de rendre son approche inattaquable, C.W. Granger prit le parti d'utiliser « toute l'information universellement disponible » : il est évident que cela s'avère impossible et qu'il faut donc choisir un nombre limité de variables pertinentes. On testera alors toutes les relations entre ces variables et une variable à expliquer : seules celles dont la prise en considération améliore la « prédiction » de la variable expliquée seront dites « causes » de celle-ci. Or, cette démarche pose un véritable problème de théorie économique : on ne saurait faire croire que le choix des variables « pertinentes », comme la

---

* Ainsi P.-Y. Hénin, « Une étude économétrique de la décision d'investir et des structures financières dans l'entreprise : essai d'analyse typologique et causale », *Cahiers de l'ISEA*, t. IV, n° 7-8, juillet-août 1970. Il constate ainsi, en modifiant la forme d'une seule des équations de son système, que la structure causale change : il s'agit là bien entendu d'une tautologie dans le cadre formaliste retenu.

causalité ensuite repérée, ne sont que d'origine statistique, à moins de réfuter toute pertinence à la théorie économique. Le fait de déconnecter le modèle statistique et la définition de la causalité de toute référence à une quelconque théorie économique (position caractéristique de la causalité selon C.W. Granger) peut, selon l'auteur lui-même, amener à des « résultats idiots » (1977, p. 430). Tout scientifique, face à de tels résultats, se poserait quelques problèmes méthodologiques. Il n'en est rien : le seul moyen qu'il trouve d'écarter ces incohérences est d'affirmer qu'elles sont dues aux données disponibles, lesquelles doivent être insuffisantes. La pétition de principe instrumentaliste joue ici à plein : *puisque nos résultats ne dépendent que des données, modifions celles-ci.*

Il s'agit d'accumuler les données et les variables sans jamais se poser la question, ni de leur origine, ni de leur signification, ni de leur pertinence quant au problème posé. On peut se demander s'il y a encore un problème étudié.

c. *La conception réaliste et déterministe*

La notion classique et scientifique de causalité à laquelle nous ferons appel peut être ainsi exprimée : supposons que le mécanisme étudié puisse être isolé de toute autre influence systématique (non aléatoire) ; supposons que le mécanisme puisse être redémarré plusieurs fois à partir de toute condition initiale définie ; si, chaque fois que le mécanisme démarre d'approximativement les mêmes conditions initiales, il parcourt approximativement la même séquence d'événements, on le dira causal [13].

Cela est posé comme étant une position de principe, *même si elle n'est pas réalisable expérimentalement.* Là est bien le problème : on adopte pour définition de la causalité celle du déterminisme dans un système mécanique isolé. C'est bien parce que le cadre philosophique des économistes reste celui de la mécanique classique qu'une telle confusion reste possible. Toutefois, cette pétition de principe ignore superbement (grâce à deux « approximativement » de circonstance) le problème essentiel de la précision de la connaissance des conditions initiales. On ne peut à nouveau que constater que l'on se passe de l'expérience, c'est-à-dire de la confrontation aux faits dès que cela est possible. Le paradoxe veut qu'une telle conception se déroule en faisant simultanément appel à une position prétendument empiriste : mais cette revendication n'est bien entendu pas sérieuse, aucune réflexion digne de ce nom n'étant faite sur le sujet de la mesure et de la précision des données économiques.

d. Synthèse et perspectives

En résumé de ces diverses positions, on peut avancer que :

1. Il y a *confusion persistante entre réalité et modèle* dans la définition de la causalité chez la plupart des économètres : ils ne savent pas trop s'ils adoptent une position inductive ou déductive. Le choix de leurs références « philosophiques » (quand il y en a) est douteux : ils feraient mieux de s'intéresser aux travaux des historiens des sciences. On retrouve ici la propension des économistes mathématiciens à n'utiliser dans les définitions extra-économiques que ce qui peut leur être utile, ou ce qui peut aller dans leur sens. Toute cette ambiguïté est précisément celle qui ne préoccupe pas les physiciens... grâce à l'expérimentation, qui permet de transformer le modèle en instrument d'interrogation de la réalité.

2. Lorsque certains veulent contourner ce problème, ils définissent une causalité ne fonctionnant qu'au niveau du modèle. Celle-ci prend alors des formes totalement arbitraires ; à la limite, chaque auteur peut définir sa propre causalité puisqu'il n'y a plus de point de référence extérieur. Il n'est plus question de lois économiques mais de travail statistique. Toutefois, on ne se pose pas de questions sur les données nécessaires à ce travail, comme si elles étaient statistiquement immanentes. C'est dire que *le problème de la mesure ne les préoccupe pas.* A la limite, les économètres parlent de « mesure sans théorie [14] ». Peut-on *a contrario* parler dans ce cas de travail empirique ? En fait, *il n'y a plus rien ici d'empirique :* il ne faut pas confondre « absence de théorie » et « empirisme ». Il s'agit ici d'un travail formel où les relations décelées ne sont guère interprétables en termes économiques (ou alors peuvent donner lieu à des interprétations contradictoires) : le travail statistique sur les variables, plus la définition d'une causalité au niveau du modèle, les amènent à tirer des conclusions économiques du type « A est la cause de B », ce au niveau des phénomènes économiques. Toute la question est de savoir s'il existe un lien entre la causalité phénoménale et la causalité formelle. Rien ne l'indique, en l'absence d'expérimentation.

3. Le problème du choix des variables pertinentes repose sur celui de la théorie absente. « La méthode que nous utilisons ici pour identifier le sens de la causalité repose sur une version sophistiquée du principe *post hoc, ergo propter hoc* [15] » : sophistiquée ou absurde ?

En effet, les faits d'expérience ne sont pas univoques : ils n'existent que dans le cadre d'une théorie. « Seule la théorie décide de ce que l'on peut observer », disait Einstein. On ne peut pas faire semblant de croire qu'il existe un monde de faits (ou de données), existant hors de toute interprétation scientifique, et auquel nous comparons les diverses théories pour voir si elles sont falsifiées ou non par lui. Ceci quelle que soit la procédure sophistiquée utilisée.

Ainsi les données économiques (prix, travail, salaires...) ne sont-elles pas « données » : on ne peut pas les comparer aux « données » utilisées par les biologistes-physiologistes de la fin du XIXᵉ siècle, comme la taille, la couleur des yeux, etc., lesquelles ressortissent à la strate « naturelle » et perceptible des phénomènes. Toutefois, une certaine conception empiriste et naturaliste voudrait les faire croire telles.

Deux points sont à noter à cet égard. D'une part, ces « données » sont étroitement liées à des concepts de la théorie économique et ne sont souvent présentées que comme des mesures imparfaites de ceux-ci, sans qu'une véritable théorie de la mesure économique soit élaborée. D'autre part, les économètres ne se gênent pas pour triturer ces « données » afin de les rendre adéquates à leurs outils mathématiques : il ne s'agit plus de prix, ni même d'indice des prix à la consommation, mais du logarithme de la croissance de l'indice des prix à la consommation. Ceci dans le cas le plus favorable : très fréquemment, afin d'obtenir des résultats qui ne soient pas trop décevants, l'économètre est amené à « filtrer » ses données. Mais le plus souvent les auteurs ne sont pas d'accord entre eux sur le « meilleur » filtre : malgré leurs références persistantes à la physique, ne voient-ils pas qu'ici la garantie de l'expérimentation leur manque ? Triturer des données ne relève *pas* de l'expérimentation. Il faudrait, une fois pour toutes, rappeler qu'en physique l'expérience est *construite*, que les mesures sont élaborées dans le cadre de théories précises : qu'il ne s'agit donc pas d'empirisme. Dès lors, aucune interprétation économique n'est plus possible, à moins de supposer que l'on puisse identifier le concept économique avec le résultat d'une procédure mathématique *ad hoc*.

On ne peut alors que suivre Pierce lorsqu'il dit :

> En tenant compte de tous ces problèmes, il n'y a pas lieu de s'étonner que des propositions incompatibles peuvent être « confirmées » par les mêmes données, y compris la proposition selon laquelle une variable n'est pas liée à certaines autres variables. Si la recherche à venir confirme ce genre de résultat, nous pourrions à juste titre conclure que l'analyse économétrique est d'un usage limité dans la perspective de vérifier certaines relations économiques (1977, p. 21).

4. On peut « *triturer* » *les données* de manière à les adapter à l'outil. On se doit même de les triturer jusqu'à ce que l'outil fournisse de « bons » résultats : le filtrage, et les discussions sur le meilleur filtre, n'ont pas d'autre objet. La référence permanente à la physique afin de justifier une telle pratique ne tient pas. Ce que les économètres ignorent, parce que les approches logicistes l'ont toujours nié, c'est que la singularité de la physique tient à ce qu'*il y a des théories physiques qui donnent du sens aux données observables, qui permettent donc de les triturer,* certes, mais de manière ouverte et avouée.

5. On *rejette toute réflexion épistémologique* au profit d'un *instrumentalisme*. Sims [16], faisant référence au travail de Zellner et aux questions qu'il y pose quant à l'unité nécessaire des notions de causalité entre physique, philosophie et économie, avance : « Je ne suis pas sûr que ce genre de discussion soit bien utile à qui que ce soit. » Ainsi Keynes anticipait-il la réaction de Tinbergen aux critiques qu'il venait de lui adresser en avançant : « J'ai le sentiment que le professeur Tinbergen sera globalement d'accord avec moi, mais que sa réaction sera d'engager

dix nouveaux calculateurs et de noyer son chagrin dans l'arithmé-tique [17]. »

6. Qu'en est-il de la *confusion entretenue par certains économètres entre causalité et déterminisme* ? Supposons que le système étudié nous soit donné par un modèle de celui-ci, éventuellement sous forme d'une loi mathématique d'évolution ou d'un ensemble d'équations d'état. On dira que ce système est déterministe si la connaissance exacte de son état initial permet de prédire son futur avec certitude.

Nous distinguerons donc bien entre, d'une part, le modèle où s'applique le principe de déterminité et, d'autre part, la réalité où est censée régner le principe de causalité. C'est une position métaphysique commune que celle adoptée par les économètres, laquelle identifie réalité et modèle (ou théorie). Elle a pour conséquence l'identification entre déterminisme et causalité. Nous retrouvons bien là cette concep-tion où l'absence (ou la quasi-absence) de théorie économique et d'expérimentation se fond en un empirisme extrême.

Si l'on se borne au domaine des modèles, il importe de noter un point d'une extrême importance, lequel échappe aux économistes à cause de l'absence de réflexions de leur part sur le problème de la mesure. Nous commencerons par définir la *prédicibilité* d'un système comme étant la possibilité de prédire l'évolution de ce système [18]. Or il s'avère que le déterminisme n'implique pas la prédicibilité : en effet, il suffit que notre connaissance de l'état initial du système soit entachée d'une erreur pour que son évolution ultérieure en soit considérablement modifiée. Il s'agit là du phénomène, bien connu des physiciens, dit de la « sensibilité aux conditions initiales ». Un système déterministe, dont l'équation d'évo-lution est bien connue, peut donc avoir un comportement imprévisible. Il peut même présenter un caractère nettement aléatoire [19] : c'est le cas de nombreux phénomènes décrits par des équations du type $X(t + 1) = F(a, X(t))$. Selon la valeur que prendra le paramètre a, et selon la précision de sa mesure (laquelle peut dans certains cas n'être que de $0,01$), le système présentera des aspects stables ou totalement instables.

Il est évident qu'il y a là un problème majeur dont les économètres devraient être conscients : les « modèles » sur lesquels ils travaillent peuvent donner lieu à des trajectoires totalement divergentes selon les valeurs des paramètres. A l'inverse, si l'on introduit la notion fondamentale de précision des données disponibles, la trajectoire qu'est une série chronologique devient une « bande », laquelle peut regrouper une infinité de trajectoires issues de modèles déterministes qui peuvent être différents.

Au bout du compte, il reste que l'économie ne saurait singer la physique. Tout les sépare épistémologiquement, et en premier lieu l'expérimentation, absente de l'économie. Cette dernière ne doit pas se tromper : elle est *science pratique,* et comme telle elle doit élaborer ses propres procédures de vérification et sa propre épistémologie [20]. Le second enseignement à tirer de ce parcours est que les méthodes statistiques ne sauraient être utilisées impunément comme si elles recelaient à elles seules une vérité théorique concernant le champ étudié : les outils statistiques, lorsqu'ils sont utilisés en sciences sociales, ne sont que des artefacts qui permettent de mieux percevoir un champ préalablement défriché par une conceptualisation. A tout le moins, il importe de se rappeler que les données sur lesquelles on travaille ont été élaborées dans un certain cadre conceptuel. Dès lors, l'empirisme ne saurait être de mise et ne saurait remplacer la théorie absente.

NOTES

1. J.M. Blatt, « On the Econometric Approach to Business-Cycle Analysis », *Oxford Economic Papers,* vol. XXX, 1978, p. 292-300.
2. P. Progatt et N.C. Nevin, « The " Law of Ancestral Heredity " and the Mendelian-Ancestrian Controversy in England, 1889-1906 », *Journal of Medical Genetics,* vol. VIII, n° 1, mars 1971, p. 1-36.
3. W.H. Yule, « On the Theory of Correlation », *Journal of the Royal Statistical Society,* décembre 1897, p. 812-854 ; « An Investigation in the Causes of Changes in Pauperism in England », *ibid.,* vol. LXII, mars 1899, p. 249-286 ; « On the Correlation of Total Pauperism with Proportion of Out-Relief », *Economic Journal,* vol. V, p. 603-611 ; et *ibid.,* vol. VI, 1896, p. 613.
4. E. Feige et D. Pearce, « The Casual Causal Relationship Between Money and

Income : Some Caveats for Time Series Analysis », *Review of Economics and Statistics*, vol. LXI, novembre 1979, p. 521-533.

5. B. Russell, « On the Notion of Cause », in *Mysticism and Logic*, 1918, p. 180.

6. G.G. Granger, « Logique et pragmatique de la causalité dans les sciences de l'homme », in *Systèmes symboliques, Science et Philosophie*, Paris, Éd. du CNRS, 1978, p. 131.

7. M. Gutsatz, *Économie, Physique, Mathématiques : de l'économie politique à la science économique. Essai sur la constitution d'une science (1776-1910)*, Doctorat d'État, Université d'Aix-Marseille II, 1985.

8. G.J. Stigler, *The Theory of Price*, New York, Macmillan, 1949, p. 3.

9. T. Sargent, « Response to Gordon and Ando », *in* C.A. Sims (éd.), *New Methods in Business Cycle Research*, Minneapolis, 1977, p. 21.

10. A. Zellner, « Causality and Econometrics » *in* K. Brunner et A. Meltzer (éd.), *Carnegie-Rochester Conference Series on Public Policy. Three Aspects of Policy and Policymaking : Knowledge, Data and Institutions*, vol. X, North-Holland, 1979. H. Feigl, « Notes on Causality », *in* H. Feigl et M. Brodbeck (éd.), *Readings in the Philosophy of Science*, New York, Appleton Century Crofts, 1953.

11. H. Simon, « Causal Ordering and Identifiability », *in* W.C. Hood et T.C. Koopmans (éd.), *Studies in Econometric Method*, Cowles Commission Monograph, n° 14, Wiley and Sons, 1953, p. 22.

12. C.W. Granger et P. Newbold, *Forecasting Economic Time Series*, New York, Academic Press, 1977.

13. R. Basmann, « The Causal Interpretation of Non-Triangular Systems of Economic Relations », *Econometrica*, vol. XXXI, 1963, p. 439-448.

14. D.A. Pierce, « Relationships and the Lack Thereof Between Economic Time Series », *Journal of the American Statistical Association*, vol. 72, 1977, p. 11-21.

15. C. Sims, « Money, Income and Causality », *American Economic Review*, vol. LXII, 1972, p. 540-552.

16. C. Sims, « A comment on the Papers by Zellner and Schwert », *ibid.*, p. 103-108.

17. J.M. Keynes, « Professor Tinbergen's Method », *Economic Journal*, vol. XLIX, 1939, p. 558-568 ; compte rendu de J. Tinbergen, *A Method and Its Application to Investment Activity, Statistical Testing of Business Cycle Theories I*, Genève, Société des Nations, 1939.

18. D. Ruelle, « Déterminisme et prédicibilité », *Pour la Science*, n° 82, août 1984, p. 58-67.

19. R.M. May, « Simple Mathematical Models with Very Complicated Dynamics », *Nature*, vol. CCLXI, 10 juin 1976, p. 459-467 ; T.Y. Li et J.A. Yorke, « Period Three Implies Chaos », *American Mathematical Monthly*, vol. LXXXII, 1975, p. 985-992.

20. C. Schmidt, *La Sémantique économique en question*, Paris, Calmann-Lévy, 1985.

Le paradigme du calcul

Pierre Lévy.

Les ordinateurs jouent un rôle grandissant dans les divers domaines de la vie sociale. La science ne fait pas exception à cette tendance générale. Avec l'informatisation de la recherche, le mouvement de la science et de la technique se retourne sur lui-même jusqu'à mettre en question sa propre identité.

De grands repères balisaient traditionnellement l'espace de la science : l'expérience, l'explication, la démonstration, l'objet, le sujet, etc. Le texte qui suit montre que tous ces concepts rassurants se mettent soudain à trembler, parce que le paradigme du calcul ébranle la grande strate sous-jacente où ils s'enracinaient.

Les chercheurs sont pourvus d'outils neufs. Ils sont voués à des savoir-faire, à des langages et à des modes de pensée inconnus des générations précédentes. Ils sont aussi confrontés à des contraintes formelles inédites. Pour peu que l'on prenne la mesure de la mutation en cours, il n'y a donc rien d'étonnant à ce qu'ils appréhendent le réel de manière nouvelle. En effet, au-delà des enjeux méthodologiques, c'est bien aux frontières de l'interrogation ontologique que l'analyse du paradigme du calcul nous conduit. Jusqu'à quel point peut-on assimiler la réalité à un système formel ? Y a-t-il lieu de distinguer entre l'ordre du calcul et le jaillissement du devenir ?

Au cours de notre enquête sur l'informatisation des outils et des modèles de la recherche contemporaine, nous retrouverons des thèmes abordés ailleurs dans ce livre : la notion de complexité liée à la pertinence des angles d'interrogation, la question de l'empirisme, celle des limites de la formalisation, ainsi que l'inévitable problème du déterminisme. Mais tous ces thèmes interviennent ici pour illustrer la modification générale du paysage intellectuel liée à la montée du calcul.

Les enjeux de l'opération en cours sont multiples. Sur le versant ontologique, les systèmes physiques, vivants, psychiques sont-ils des machines à traiter l'information ? Sur le versant méthodologique, y a-t-il une seule rationalité scientifique, codifiable et applicable en droit à tous les objets ? Enfin et surtout, le but de l'activité scientifique est-il de prévoir et de calculer toujours mieux ou de rendre intelligible et d'éclairer le monde qui nous entoure ?

Au fond, lorsque la simulation numérique tend à se substituer aussi bien à l'expérience qu'à la démonstration, quand le raisonnement fait place aux algorithmes, avons-nous toujours affaire à ce que nous avions l'habitude de nommer science ? C'est dire que, dans le « paradigme du calcul », il sera moins question de la propagation d'un concept que du basculement possible de la connaissance rationnelle vers une figure anthropologique encore inconnue.

Les concepts du calcul

Une machine n'est pas nécessairement le moteur d'un véhicule ou bien une chose lourde et bruyante qui transforme la matière en lui appliquant avec violence une force mécanique. Radios, télévisions, centraux téléphoniques, montres à quartz et ordinateurs nous ont habitués à l'idée qu'une machine pouvait *traiter de l'information,* c'est-à-dire transformer suivant une loi déterminée un message d'entrée en message de sortie.

La différence entre un traitement industriel, par exemple, et un traitement informationnel réside dans la faible quantité d'énergie mise en jeu dans la sphère de l'information. Rigoureusement parlant, un traitement industriel est aussi informationnel, puisqu'il s'agit d'un processus par lequel des différences engendrent d'autres différences (ou par lequel une forme est donnée à une matière brute), mais on réserve la notion de traitement de l'information aux processus mettant en œuvre de petites énergies et qui servent souvent à connaître, surveiller, contrôler, commander, directement ou indirectement, des processus de niveau d'énergie supérieur.

Le traitement d'information par excellence est le calcul. Au sens mathématique restreint, un calcul est un ensemble d'opérations arithmétiques. Nous retrouvons ici la notion d'action organisée, méthodique, en vue de la production d'un effet déterminé. L'opération mathématique est une combinaison effectuée suivant des règles données sur des êtres mathématiques (par exemple des nombres, des ensembles, etc.) et admettant comme résultat un être mathématique bien déterminé. Si les êtres mathématiques sont convenablement représentés par des éléments physiques et les règles de combinaisons parfaitement précisées, nous apercevons immédiatement la possibilité de *mécaniser* ou d'*automatiser* les calculs.

Nous pouvons donner au mot « calcul » une extension plus large que son sens mathématique strict. On l'appellera alors calcul des opérations de tri, de classement, de permutation, de combinaison, de comparaison, de substitution, de transcodification (traduction d'un code à l'autre). Cette extension du sens du mot « calcul » est parfaitement légitime, puisque toutes les opérations précitées peuvent se ramener à la combinaison, plus ou moins complexe, de deux ou trois opérations mathématiques fondamentales. Ceci ne nous est pas familier, car, lorsque nous nous livrons à des classements, des tris, des traductions d'un code à l'autre, nous agissons, du moins consciemment, de façon directe ou globale. Mais il faut savoir qu'il est souvent possible de décomposer des actions globales en quelques opérations élémentaires répétées un très grand nombre de fois et appliquées dans un ordre déterminé aux objets sur lesquels on opère.

C'est ainsi que calcule un ordinateur ; ses circuits de base ne peuvent effectuer que quelques actions très simples, mais ces actions sont combinées entre elles et répétées de telle sorte que des calculs très complexes sont finalement réalisés.

Pour que l'ordinateur puisse effectuer un traitement, il faudra donc, non seulement que tous les mots soient traduits en suites de 0 et de 1, mais que l'instruction globale — « classez ces mots par ordre alphabétique », par exemple — soit décomposée en instructions élémentaires exécutables par l'ordinateur. Mais, s'il fallait, à chaque fois qu'il y a un calcul à faire, le décomposer en opérations élémentaires convenablement disposées pour le faire effectuer par l'ordinateur, on aurait souvent aussi vite fait de le faire à la main.

C'est pourquoi les opérations les plus courantes — addition arithmétique, multiplication, etc. — sont la plupart du temps déjà câblées dans la machine, c'est-à-dire que les circuits de base sont disposés de telle façon qu'ils réalisent automatiquement l'opération voulue. C'est aussi pourquoi on établit des plans de calcul à l'usage de l'ordinateur non pour *un* traitement déterminé mais pour *un ensemble* de traitements similaires ou une classe de traitements. Ce sont donc les exigences du traitement *automatique* de l'information qui conduisent les informaticiens (ou les usagers de la micro-informatique) à élaborer des algorithmes.

Un algorithme est une suite finie (car il faut que le calcul ne soit pas infini, aboutisse à un résultat) *et ordonnée* (convenablement disposée de façon à aboutir au résultat voulu) *de règles* (ou d'instructions, ou d'opérations) *en vue de résoudre une classe de problèmes* (de réaliser un certain type de tâches, et non pas *un* problème ni *une* tâche).

On dit qu'un problème à résoudre, une tâche à accomplir, a été algorithmisé lorsqu'on a établi la liste des opérations élémentaires, celle des objets sur lesquels s'effectuent ces opérations élémentaires, et qu'on a déterminé précisément dans quel ordre et sur quels objets doivent s'effectuer les opérations. La formalisation intégrale d'une tâche, d'un calcul, nécessite l'explicitation de tous ses aspects.

Il y a plusieurs algorithmes, ou plusieurs formalisations possibles, d'un même calcul. Les algorithmes varient en fonction de la compétence de l'opérateur (les instructions « élémentaires » ne sont pas les mêmes) et du facteur optimisé dans l'exécution : plus ou moins grande rapidité, plus ou moins grand degré de généralité, etc.

Le débutant en programmation est souvent déconcerté par les algorithmes : une fois formalisées, les actions les plus familières perdent leur apparence habituelle. La perception globale disparaît au profit d'une extrême rigueur dans l'explicitation et la description ; le découpage de la réalité n'y est pas fait autour de pôles de signification, mais suivant une logique purement opératoire.

En informatique théorique, les mots « machine » ou « automate » désignent moins le dispositif physique qui effectue la transformation d'un message d'entrée en message de sortie que la structure logique de ce dispositif. La même « machine » (à faire des additions, par exemple) peut donc s'incarner aussi bien dans une calculatrice à roues dentées, un microprocesseur ou une liste d'instructions que devrait suivre à la lettre un esclave humain parfaitement obéissant. En fait, une « machine » est un algorithme, un programme.

En 1936, près de dix ans avant la construction du premier ordinateur, le mathématicien anglais Alan Turing proposa un modèle extrêmement simple de la machine à traiter l'information. La thèse de Turing était la suivante : tous les processus décomposables en une suite finie et ordonnée d'opérations sur un alphabet restreint, qui aboutissent au résultat recherché en un temps fini, peuvent être réalisés par une *machine de Turing* ; inversement, tous les travaux qu'elle est capable de réaliser sont des *algorithmes ou procédures effectives*. Turing a démontré qu'il existait un grand nombre de tâches *impossibles* à faire exécuter par une de ses machines.

Le fonctionnement de ces machines est le suivant : les données de départ sont codées sur un ruban de papier de longueur indéfinie divisé en cases. Chaque case ne comporte qu'un seul symbole d'un alphabet binaire (0 ou 1). La tête de lecture de la machine n'inspecte qu'une case à la fois. Après chaque inspection de la case face à laquelle se trouve sa tête de lecture, la machine consulte son *tableau d'instructions*. Celui-ci lui indique comment elle doit se comporter en fonction *1)* de l'*état* dans lequel elle se trouve (la machine n'a qu'un nombre fini d'états possibles), *2)* du symbole que sa tête de lecture vient d'inspecter. Elle lit par exemple dans son tableau cette instruction : « Si vous êtes dans l'état 12 et que vous inspectez le symbole 0, effacez-le, écrivez 1 à la place, décalez-vous d'une case vers la gauche et mettez-vous dans l'état 13. » La machine exécute cette instruction puis inspecte la nouvelle case devant laquelle se trouve sa tête de lecture. Elle consulte alors son tableau d'instructions qui lui indique, par exemple : « Si vous êtes dans l'état 13 et que vous inspectez le symbole 1, ne l'effacez pas, n'écrivez rien, décalez-vous d'une case vers la droite et mettez-vous dans l'état 5. » Etc. La tête de lecture ne peut jamais se déplacer que d'une case vers la gauche ou vers la droite. Lorsque la machine exécute une instruction qui se termine par « stop », elle s'arrête. Pourvu que les données aient été convenablement codées et le tableau d'instructions bien conçu, le résultat du calcul est alors inscrit sur le ruban. A chaque problème calculable correspond au moins une machine de Turing (un tableau d'instructions) capable de le résoudre.

Turing est allé plus loin que la définition rigoureuse de la calculabilité. Il a montré qu'il existait une classe de machines, les machines universelles, capables de résoudre *tous* les problèmes calculables ou de réaliser toutes les procédures effectives.

Une machine universelle possède un tel pouvoir parce que son tableau d'instructions a été conçu pour lui faire imiter le comportement de n'importe quelle machine particulière. On ne fournit donc pas seulement à une machine universelle les données du problème à traiter mais encore la description codée de la machine capable de traiter ce problème. La description d'une machine se ramène en fait à la transcription de son tableau d'instructions. Comme celui-ci est toujours fini et qu'il peut être agencé suivant une organisation standard, on le représente facilement par une suite de symboles sur le ruban de la machine universelle.

En 1945, dans le « First Draft of a Report on the EDVAC », John Von Neumann proposait de construire des calculateurs dont les programmes seraient enregistrés, au même titre que les données, dans une grande mémoire rapidement accessible par l'unité arithmétique et logique de la machine. Von Neumann retrouvait ainsi sur le mode technique le principe du ruban de la machine universelle de Turing et définissait du même coup l'architecture de l'ordinateur moderne.

La machine universelle est l'ancêtre abstrait de l'ordinateur et la description codée de la machine particulière préfigure la notion de programme informatique. Quasiment tous les ordinateurs, même les micro-ordinateurs, *sont* des machines universelles. Ils peuvent en principe effectuer tous les algorithmes et simuler n'importe quelle autre calculatrice. En pratique, ils sont évidemment limités par leur vitesse de calcul et leur capacité de mémoire. On peut également considérer les règles syntaxiques d'un langage formel (un langage de programmation, par exemple) comme une machine universelle, si toutes les procédures effectives peuvent être décrites dans ce langage. En ce sens, au même titre que d'autres langues formelles créées par les logiciens, le Basic, le Fortran ou Logo sont des machines universelles.

Le néo-mécanisme

Jusque-là, il s'agissait du concept de calcul et de la constellation de notions qui lui sont rattachées. Or, certains courants scientifiques tendent à considérer leurs objets comme des machines et les processus dont ils sont le siège comme des calculs. Examinons maintenant les raisons du développement de ce mécanisme calculatoire.

L'ancien mécanisme, celui de Descartes, devait décrire ses objets en termes de figures et de mouvements, d'imbrications géométriques, de chocs et de poussées. Une explication n'était considérée comme satisfaisante que si elle faisait appel à des causes locales. Il s'agissait d'éliminer de l'explication scientifique l'action à distance ou l'effet de principes mystérieux auxquels on ne pouvait assigner ni forme précise ni situation dans l'espace. Au XVIIᵉ siècle, le parangon de la machine était l'horloge.

Au XIXᵉ siècle, c'est la machine à vapeur qui lui succède et le mécanisme s'adjoint le vocabulaire des bilans énergétiques. Les problèmes se déplacent ; on veut comprendre le fonctionnement des moteurs qui animent les processus physiques, chimiques, biologiques et même sociaux ; comment l'énergie se transforme et se dissipe.

Au XXᵉ siècle, la machine par excellence est l'ordinateur et le mécanisme suprême, celui qui régule tous les autres, est le traitement de l'information. A quels problèmes répond le nouveau mécanisme ?

En biologie et dans l'étude de nombreux systèmes complexes, il permet de réconcilier la causalité finale avec la causalité efficiente, seule autorisée par l'idéal scientifique. En faisant intervenir le stockage, l'échange et le traitement des messages, au lieu de se limiter à la pesée des forces ou aux transformations de l'énergie, on peut proposer des descriptions rationnelles de comportements stables et finalisés. Des mécanismes de *feed-back* rapportent au système l'effet de ses précédentes actions sur l'environnement. Semblant poursuivre un but situé dans l'avenir, le dispositif complexe n'agit en fait qu'en fonction des messages qu'il reçoit. La finalité devient immanente au système. C'est ainsi que de nombreux phénomènes de régulation, d'homéostase, ou encore d'emballement et de croissance, deviennent intelligibles.

Dans l'explication de l'hérédité et de l'ontogenèse, les notions informatiques de programme, de données, de codage et de traduction offrent encore une alternative aux explications vitalistes et finalistes.

En neurologie, les concepts de calcul et de traitement de l'information permettent d'assigner un substrat physiologique à ce qui était traditionnellement considéré comme le domaine réservé de l'âme, de la pensée ou de l'esprit. En un sens, la machine à calculer de Pascal avait déjà prouvé qu'un dispositif matériel pouvait réaliser des opérations qui semblaient réservées à l'intellect. Mais les calculatrices dont on disposait jusqu'au début du XXᵉ siècle étaient encore limitées à l'arithmétique et les machines à raisonner construites au XIXᵉ siècle, tel le « piano logique » de Jevons, faisaient figure de curiosités. L'incarnation des processus mentaux, conçue non comme un acte de foi matérialiste mais comme un objet de description rigoureuse, n'apparaît vraiment qu'avec les progrès de la logique du début du XXᵉ siècle. En 1910, Russell et Whitehead formalisent le calcul des propositions. En 1931, Gödel met en correspondance réglée les opérations de la logique et celles de l'arithmétique. En 1936, Turing donne la description d'un dispositif physique capable de résoudre tous les problèmes logiques et arithmétiques à condition que la solution puisse être atteinte au bout d'une série finie d'actions élémentaires sur des symboles discrets. En 1943, Mac Culloch et Pitts mettent en évidence l'isomorphie entre la dynamique des états d'un réseau de neurones idéalisés, ou formels, et le calcul des propositions dans le système de Russell. Ils démontrent en outre qu'un réseau de neurones formels (c'est-à-dire un modèle simplifié du cerveau) possède les mêmes capacités de calcul qu'une machine universelle de Turing pourvu qu'on lui adjoigne un ruban de longueur indéfinie et une tête de lecture-écriture. Cette condition semble raisonnable, puisque la plupart des hommes savent tracer des signes mnémotechniques sur différents supports et les relire. En bref, des automates physiques peuvent réaliser toutes les opérations intellectuelles descriptibles de façon finie et non ambiguë, et le cerveau pourrait bien être un de ces automates. Cela ouvre à la fois le programme d'une partie de la neurobiologie contemporaine et celui de l'intelligence artificielle.

En informatique, le déroulement d'un programme de haut niveau peut être considéré indépendamment de l'architecture électronique de l'ordinateur qui le supporte. L'hypothèse de base de l'intelligence artificielle et d'un fort courant de la psychologie cognitive est qu'il existe, dans le cas de l'intelligence humaine, un niveau du traitement de l'information relativement distinct du détail des calculs neuronaux. On s'efforce donc d'abstraire les algorithmes de traitement de l'information situés au niveau le plus élevé et le moins lié au matériel biologique pour les transplanter sur un matériel technique. Les algorithmes sous-jacents aux comportements intelligents seront intégralement explicités. La pensée, si longtemps rétive à se laisser appréhender par l'analyse rationnelle, peut être décomposée en opérations élémentaires sur des symboles et reproduite à volonté. Nous retrouvons ici l'exigence de précision et le dessein d'éliminer les principes vagues et mystérieux des explications scientifiques — qui caractérisent le mécanisme.

Ontologie ou métaphore ?

La description des phénomènes en termes de calcul ou de traitement de l'information relève-t-elle de la simple analogie, de la métaphore heuristique, de la modélisation à des fins de prédiction mais sans prétention ontologique, ou bel et bien de l'identification des objets étudiés à des machines ? La situation, à cet égard, est loin d'être simple et la simulation numérique sur ordinateur de phénomènes de toute nature, de plus en plus fréquente dans la recherche scientifique, contribue à brouiller ces belles distinctions. Il est néanmoins possible de dégager une forte tendance néomécaniste, transversale à différentes disciplines, pour qui l'usage des concepts informatiques et cybernétiques est réaliste et non seulement pragmatique ou métaphorique.

Les grands noms de la cybernétique des années quarante et cinquante, Norbert Wiener, Warren Mac Culloch et Ross Ashby, n'hésitaient pas à affirmer que les systèmes vivants et sociaux étaient des systèmes de traitement de l'information et l'homme une espèce particulière du genre machine. Les fondateurs de l'intelligence artificielle, Herbert Simon, John Mac Carthy et Marvin Minsky, pensaient fermement et pensent encore que l'intelligence est un mécanisme, au sens turingien du terme. Dans le sillage de l'intelligence artificielle, un bon nombre de tenants de l'école de psychologie dite cognitiviste ont soutenu des propositions identiques.

Dans le domaine de la biologie moléculaire, un auteur aussi éminent que Jacques Monod identifie effectivement la cellule à une usine chimique cybernétiquement régulée, l'ADN à un programme codé, etc. Le co-Nobel de Jacques Monod, François Jacob, n'écrit-il pas dans *la Logique du vivant* que ce sont dorénavant les algorithmes du vivant que l'on étudie dans les laboratoires de biologie ?

En marge de la puissante biologie moléculaire, certains courants de biologie théorique soutiennent également une ontologie mécaniste du vivant. Heinz Von Foerster, animateur du Biological Computer Laboratory * (le nom de Laboratoire d'informatique biologique est à lui seul

---

* Le Biological Computer Laboratory, appartenant au département de génie électrique de l'université d'Urbana (Illinois), a fonctionné de 1954 à 1976. Heinz Von

tout un programme), Henri Atlan ou Francisco Varela, quoique dissemblables par leurs approches et leurs conclusions, partagent néanmoins le cadre de référence fondamental du néo-mécanisme.

Poursuivant l'orientation donnée à la neurophysiologie par Warren Mac Culloch (sans être d'ailleurs toujours conscients de cette filiation), des chercheurs comme Jacques Paillard ou Jean-Pierre Changeux identifient carrément le cerveau à une machine et les neurones à des processeurs d'information. Bien entendu, cela ne signifie pas que le cerveau ressemble trait pour trait à un ordinateur. Il en est au contraire très différent. Mais un système de traitement de l'information a beau s'auto-organiser, fonctionner en parallèle, de façon probabiliste et sans distinction précise entre logiciel et matériel, les processus qui s'y déroulent n'en sont pas moins des calculs.

Les succès de l'ontologie computationnelle sont particulièrement éclatants en biologie moléculaire, en neurologie et en psychologie cognitive. Mais d'autres disciplines, comme la physique, sont également en cause. Citons ici la conclusion d'un récent article du physicien Stephen Wolfram :

> Les chercheurs utilisent l'ordinateur depuis assez peu de temps, mais l'informatique a déjà modifié l'étude des phénomènes naturels : on étudie aujourd'hui des phénomènes beaucoup plus complexes que ceux que l'on pouvait envisager auparavant, et le type de concepts et objets étudiés a changé en raison de l'outil utilisé : l'ordinateur. Cependant, le changement est encore plus fondamental, car un nouveau mode de pensée scientifique est apparu. On considère désormais les lois scientifiques comme des algorithmes et l'on étudie beaucoup de ces algorithmes sur ordinateurs ; d'autre part on considère les systèmes physiques comme des systèmes informatiques traitant l'information à la manière des ordinateurs.

Foerster l'a dirigé de 1958 jusqu'à la fin. Outre son directeur, de nombreux chercheurs ont assuré la renommée du BCL, parmi lesquels on peut citer le cybernéticien psychiatre W.R. Ashby, le psychologue Gordon Pask, les logiciens Gothard Gunther et Lars Lofgren et les biologistes Humberto Maturana et Francisco Varela. Les travaux du BCL ont porté sur la logique, l'épistémologie, la biologie de la perception et du mouvement, la cybernétique du « deuxième ordre » (auto-organisation) et l'intelligence artificielle.

Le lecteur remarquera le passage de la méthodologie à l'ontologie.

Comme nous l'avons vu, le néomécanisme est antérieur à l'utilisation massive des ordinateurs dans la recherche scientifique et répond à certaines exigences théoriques d'intelligibilité des systèmes stables, de la vie ou des comportements intelligents. Mais, si le néomécanisme ne s'explique pas uniquement par l'utilisation des ordinateurs, il est certain qu'elle le renforce. Par ailleurs, un univers physique pensé comme un gigantesque traitement de données et une cognition formalisée comme un calcul renvoient l'une à l'autre, offrant la perspective d'une philosophie naturelle unifiée et cohérente. Que le monde soit connaissable devient intelligible puisqu'un calcul peut en simuler un autre, et l'existence de systèmes cognitifs perd de son étrangeté au sein d'un univers omnicalculant.

Réorganisations dans les sciences

Bien qu'ayant vocation à devenir le paradigme dominant, le néomécanisme est évidemment contestable et contesté. Soulignons que l'enjeu du débat n'est pas seulement métaphysique. Il implique également le choix de problèmes et d'objets privilégiés, et l'usage préférentiel de certains formalismes mathématiques.

En ce qui concerne les formalismes mathématiques, il est clair que les outils continuistes et géométriques, comme ceux que propose la théorie des catastrophes, par exemple, entrent mal dans le cadre du néomécanisme. Les méthodes de simulation numérique, en revanche, sont très souvent congruentes avec l'appréhension des phénomènes en termes de calcul, particulièrement en psychologie cognitive.

En ce qui concerne le choix des problèmes et des objets privilégiés, signalons par exemple le relatif déclin de l'embryologie après la Seconde Guerre mondiale, qui tient peut-être à la difficulté qu'a eu cette discipline, de tradition organiciste, à reformuler ses questions dans les termes du néomécanisme.

Si la biologie moléculaire a pris pour objet d'étude privilégié la bactérie, c'est que le mécanisme cellulaire de synthèse des protéines à partir de l'information génétique est universel, essentiellement identique chez l'amibe et l'éléphant.

L'apparition du cognitivisme calculatoire a redistribué la configuration théorique ainsi que les rapports de forces institutionnels en psychologie : déclin du béhaviorisme et marginalisation de la Gestalt-Psychologie. Beaucoup de questions classiques de la psychologie telles que l'apprentissage ou la perception ont été traduites dans les termes de la résolution de problèmes, qui se prête particulièrement bien à la mise en algorithmes.

Le nouveau mécanisme est souvent sensible aux arguments de ses adversaires, notamment en psychologie cognitive, il ne doit donc pas être considéré comme un ensemble de théories closes et figées régnant sans partage sur la communauté scientifique. En revanche, il existe bien un programme néomécaniste. Force est de constater que le débat scientifique et philosophique tend de plus en plus à se polariser autour des problèmes et dans le langage que le néomécanisme a réussi à imposer.

Calcul et processus

Le donné et le construit

Nous citions plus haut la phrase en forme de manifeste de Stephen Wolfram : « On considère désormais les systèmes physiques comme des systèmes informatiques traitant l'information à la manière des ordinateurs. » Une telle déclaration n'est sans doute que l'expression d'un courant très marginal parmi les physiciens contemporains. Mais cette façon de voir pourrait se répandre rapidement, favorisée non seulement par l'usage croissant des simulations numériques dans la recherche mais encore par l'émergence d'une culture où les ordinateurs tiennent lieu de référence intellectuelle majeure.

Comment ne pas être tenté, en effet, par l'analogie entre la nature, ses lois et les expériences qu'y monte le scientifique, d'un côté, et les micromondes numériques, les algorithmes qui les régissent et les simulations qu'y déclenche le chercheur, de l'autre ? Qu'est-ce qui distingue la nature, au sein de laquelle nous sommes nés, du modèle informatique, que nous construisons ?

Le monde réel est bien entendu plus grand et plus compliqué que le micromonde numérique. Mais il a contre lui d'être régi par des lois fixes, tandis que l'on peut simuler autant de petits univers hypothétiques qu'on le désire. Dans cette vision des choses, la réalité physique est perçue comme un immense *data processing*, un calcul aux dimensions de l'univers.

Quel est le statut exact de cette saisie du réel ? Il ne s'agit ni d'un rapport immédiat aux phénomènes (les pures et simples données des sens), ni de la constitution de concepts ou d'objets scientifiques par définition opératoires et de relations répétables entre des mesures. Nous avons plutôt affaire à l'image des choses telle qu'elle est méditée par une intelligence culturellement informée. C'est le phénomène tel qu'il se donne avant la formalisation scientifique, mais déjà organisé, déjà mis en scène.

Lorsque Poincaré, par exemple, écrit, dans *la Valeur de la science,* que, pour donner toutes les conditions d'un phénomène qui se produit à l'instant $t + dt$, il faudrait décrire l'état de l'univers tout entier à l'instant t, il ne se situe pas sur un plan strictement scientifique. La physique moderne, en effet, ne considère pas des occurrences singulières (impliquant la situation de *tout* l'univers à un instant donné), mais des classes de phénomènes, les propriétés constituant les classes étant associées à des observations *répétables*.

Si un physicien déclare qu'un phénomène envisagé dans la plénitude de son épaisseur concrète n'a quasiment aucune chance de se reproduire *exactement* une seconde fois, il n'énonce pas non plus de loi scientifique. L'interaction universelle et la singularité du devenir appartiennent à une mise en scène préscientifique de l'être, mais qui se nourrit de représentations provenant de la science et commande en partie la mise en forme des objets scientifiques. Il s'agit en fait d'une métaphysique implicite. Un aristotélicien ne croira pas à l'interaction réglée de toutes les parties de la réalité physique, un stoïcien sera persuadé de l'éternel retour de tous les phénomènes avec le détail infini de leur complication. Cette représentation du monde qualitativement déterminée correspond si l'on veut aux « principes synthétiques de l'entendement pur » chez Kant. Seulement, le philosophe de Koenigsberg rapportait tous ces principes à un sujet transcendantal éternel, tandis que nous les attribuons à des sujets historiques situés dans leur époque et leur culture. Lorsque l'on prétend que les systèmes physiques traitent de l'information, c'est-à-dire calculent, on adopte d'emblée une métaphysique implicite, une certaine représentation de ce que les choses *sont*. Par certains aspects, la métaphysique du calcul est totalement nouvelle, quoiqu'elle prolonge par ailleurs une ancienne tradition mécaniste. Notre ambition n'est pas de réfuter le néomécanisme, mais, prenant au sérieux l'idée que le devenir physique serait un calcul, de mettre en évidence certaines implications de la métaphysique computationnelle.

Depuis les travaux de Gödel, Turing, Church, Kleene et Post, datant des années 1930-1940, nous disposons de définitions rigoureuses de ce qu'est un calcul, de ce dont il est capable et de ses limites. La théorie des automates, la théorie des fonctions récursives, en plein développement depuis quelques lustres, produisent chaque année leur moisson de théorèmes. Le calcul est un objet des mathématiques et de l'informatique fondamentale. La théorie du calcul est entièrement déductive. Remarquons déjà l'opération qui consiste à penser un donné naturel, l'atmosphère terrestre et la multitude de ses météores, par exemple, sur le mode d'un objet construit. La couche gazeuse qui entoure notre planète calculerait les climats, les nuages, la neige et les lignes isobares en fonction de la rotation de la terre, de l'énergie reçue du soleil et de son état antérieur. Mais la météorologie est-elle une science déductive ? A l'évidence non, puisque l'observation y joue un rôle prépondérant.

Le donné atmosphérique peut être appréhendé de cent façons différentes, comme un ensemble de phénomènes immédiatement sensibles (une tempête, un beau temps clair) ou comme la combinaison de mesures de pression de température et d'hygrométrie. Il peut être envisagé dans le court terme (passage d'une perturbation) ou dans la très longue durée (climat océanique). Les calculs nécessaires à la prévision du temps peuvent se faire à toutes les échelles de précision imaginables, et pourraient en principe intégrer une énorme quantité de faits et de mesures allant de la configuration astronomique jusqu'au vol d'une libellule en passant par la surface variable des forêts, tous les événements de l'univers ayant un rôle possible dans l'évolution du temps.

Si l'on dit que l'atmosphère calcule, à quelle échelle ce calcul se déroule-t-il ? La computation, au sens strict, définit une échelle de description unique : celle des symboles et des opérations élémentaires. C'est pourquoi, aussi finement que nous descendions dans la précision des données, il y aura toujours un niveau de description plus serré. Aussi exhaustif que soit notre algorithme, on pourrait encore en construire un qui prenne en compte de nouveaux détails.

Dira-t-on que la « computation naturelle » est la limite à l'infini d'une série d'algorithmes de plus en plus précis et exhaustifs ? A supposer que cette limite existe, elle impliquerait un saut dans le continu qui ferait justement perdre au calcul son essence discrète et finie. Ainsi, la discontinuité fixée du calcul laisse échapper par le bas le détail infini de la réalité naturelle. Mais cette réalité fuit encore la mise en algorithmes par le haut, tout au long de l'échelle graduée des niveaux de description. Douglas Hofstadter compare l'atmosphère terrestre au « matériel » d'un ordinateur et le temps qu'il fait au logiciel. Le mouvement simultané des molécules gazeuses est identifié au « langage-machine », c'est-à-dire à un niveau de description le plus décomposé et le plus fin possible, tandis que les brouillards, cumulo-nimbus, ouragans, saisons et alizés sont assimilés au « langage évolué », c'est-à-dire à un niveau de description le plus global et composé. Hofstadter suggère que l'utilisation d'un niveau de description intermédiaire (petite trombe, rafale, etc.) permettrait de mieux prévoir le temps.

La comparaison du célèbre philosophe de l'intelligence artificielle souffre de deux défauts touchant la distinction et l'homogénéité des niveaux. Les langages de programmation de différents degrés de composition sont relativement isomorphes, ils se traduisent et s'emboîtent les uns dans les autres. Un fil déductif relie une instruction en Basic à un transfert de bits dans quelque registre de la machine. L'explication des tornades et celle des périodes glaciaires, en revanche, relèvent de paramètres et de mécanismes très hétérogènes ; on n'y trouve pas l'homothétie interne, l'empilement récursif de structures semblables si caractéristiques des rapports entre langages de programmation. De plus, les niveaux de langages de programmation sont parfaitement distincts et cloisonnés, ce qui ne semble pas être le cas pour les phénomènes atmosphériques. Les deux, trois, quatre ou cinq plans emboîtés d'un calcul automatique sont évidemment construits par nous de toutes pièces et ce sont donc les niveaux réels. Au contraire, les niveaux de description des phénomènes naturels sont choisis parmi le feuilletage infiniment différencié de toutes les échelles possibles, le long d'une gradation continue de niveaux ou, ce qui revient quasiment au même, ils sont découpés à l'intérieur d'une unité naturellement indivise. On dira que le degré auquel nous choisissons de focaliser notre vision n'est pas totalement arbitraire.

Les tourbillons, nuages, anticyclones ou climats imposent un certain réglage de notre perception sur une échelle particulière par leur permanence dans le temps et leur connexion interne dans l'espace. Mais, chacun de ces phénomènes définissant son propre niveau, il existe une quantité indéfinie de niveaux « objectifs » potentiels. Et surtout aucun cloisonnement ne sépare les différentes échelles, chaque phénomène plonge des pseudopodes plus ou moins importants aux étages inférieurs et supérieurs, peut naître et mourir de perturbations minuscules. Le vol d'un papillon provoque un déplacement d'air qui influencera un an plus tard la totalité du temps sur la terre. Le météorologiste Lorenz a baptisé cette surprenante découverte l'« effet papillon ».

Ainsi les processus naturels ne se ramènent pas à quelques niveaux construits et bien distincts entre lesquels jouent des algorithmes de traduction de telle sorte que ce qui se passe en haut peut se déduire de ce qui arrive en bas et *vice versa*. Il faut essayer de penser une continuité potentielle de niveaux de description qualitativement hétérogènes où les phénomènes dessinent des zones plus ou moins denses et à travers lesquels se propagent certains effets, sans que l'on puisse clairement établir leur appartenance à telle ou telle échelle.

Temps, déterminisme, instabilité

Un calcul consiste essentiellement en manipulation et recombinaison de symboles atomiques. Une fois l'alphabet fixé — et cet alphabet est nécessairement fini —, on ne peut envisager aucun nouveau symbole qui serait à mi-chemin entre deux symboles initiaux. Par ailleurs, les opérations sur ces symboles sont elles-mêmes discrètes. Les étapes du calcul sont discontinues. Entre un état du calcul et l'état immédiatement postérieur, on ne peut déterminer aucun état intermédiaire.

La différence éclate immédiatement avec le simple mouvement d'une molécule d'oxygène, qui est évidemment continu. Même si l'on adoptait une métaphysique discontinuiste, on serait au moins forcé d'admettre que beaucoup de processus physiques se laissent adéquatement décrire par des fonctions mathématiques continues. Or, la continuité suppose l'existence de différences infiniment petites. On sait au moins depuis Maxwell et Poincaré qu'une variation aussi petite que l'on voudra dans les conditions initiales d'une dynamique physique peut avoir des répercussions extrêmement grandes sur son cours ultérieur. Une mesure d'une précision infinie étant physiquement à jamais hors d'atteinte, les processus instables ou sensibles aux conditions initiales sont pratiquement indéterminés, comme l'auditeur des bulletins météorologiques en a souvent fait l'expérience.

L'algorithme et les données qui déterminent le cours d'un calcul, en revanche, peuvent être connus avec une précision infinie. Le déroulement du calcul est intégralement et pratiquement déterminé par l'ordre des instructions et la série de caractères inscrits dès le commencement sur le ruban de la machine. Cela ne signifie pas qu'il soit toujours prévisible. Connaissant le programme et la collection de symboles sur lesquels il doit opérer, on ne peut toujours prédire, par exemple, au bout de combien de temps le calcul va s'arrêter, ou même s'il s'arrêtera jamais. Mais il est pratiquement déterminé parce que, étant donné un calcul, on peut toujours en programmer un deuxième qui se comporte *exactement* comme le premier. C'est cette reproduction des « mêmes causes » pour obtenir les « mêmes effets » qui ne peut être toujours obtenue dans le cas des processus instables.

Il faut clairement distinguer déterminisme et prédictibilité. Le déterminisme postule que, l'état d'un système (généralement : l'univers) à un instant t étant donné, l'état de ce système à tout instant ultérieur est déterminé. La prédictibilité concerne la possibilité de prévoir effectivement l'évolution d'un système quelconque. Les deux notions sont relativement indépendantes.

Supposons, par exemple, que le libre arbitre existe réellement, ou qu'un univers parallèle exactement semblable au nôtre se mette soudain à évoluer différemment. Les mêmes causes pourraient alors produire des effets différents. Il n'y aurait donc pas de déterminisme absolu, c'est-à-dire pas de déterminisme du tout. Cela ne nous empêcherait pas de prévoir le retour du soleil pour le lendemain matin.

Supposons, au contraire, que nous vivions dans un univers véritablement déterministe. Certains phénomènes, comme le temps qu'il fait, resteraient de toute façon imprévisibles, non parce qu'ils seraient *fondamentalement* indéterminés, mais parce qu'il faudrait, pour qu'ils soient *pratiquement* déterminés, une connaissance d'une précision infinie portant sur un nombre gigantesque de variables, donc humainement inaccessible. La connaissance pratique devrait alors distribuer les systèmes en fonction de leur instabilité, distinguer des zones de prévisibilité variable, différencier les domaines suivant que l'imprécision des mesures entraîne plus ou moins de conséquences.

En fait, nous ne savons pas si l'univers est déterministe ou non, et aucun dispositif expérimental imaginable ne peut décider entre l'une et l'autre thèse. Ni le déterminisme ni l'indéterminisme absolus ne sont donc des propositions scientifiques. En revanche, l'indéterminisme pratique des systèmes instables resterait dans les deux cas inhérent à la finitude humaine.

Si l'on prétend qu'un système physique traite de l'information, et donc que le processus dont il est le siège est un calcul, on se range, qu'on le veuille ou non, sous la bannière métaphysique du déterminisme, car la machine de Turing est déterministe par construction. Bien entendu, de ce que l'on puisse concevoir une machine entièrement déterminée, il ne s'ensuit nullement que toute la réalité puisse être légitimement pensée sur son modèle.

Dans l'ordre de la computation, c'est le calcul irréductible qui, intuitivement, avoisine le plus l'instabilité du processus naturel. Rappelons que la succession des états d'un automate effectuant un tel calcul irréductible ne peut être connue que par la simulation intégrale du calcul lui-même. Il n'existe aucun algorithme « plus rapide » permettant de prévoir l'évolution de l'automate. Mais, lorsque l'on dit ici : « plus rapide », il faut comprendre : « comportant un nombre inférieur de pas de calcul ». Il ne s'agit pas de vitesse physique mais logique. En fait, si le même algorithme irréductible était exécuté sur une machine lente et sur une machine rapide, l'observation de l'automate véloce permettrait de prévoir une part de plus en plus étendue de l'évolution du tardif. On remarquera qu'une telle comparaison est absolument impensable dans le cas d'un système physique instable, aucun artifice n'autorisant à accélérer le processus naturel sans le transformer du même coup. Mais c'est du point de vue de la production d'information que la différence est la plus radicale. Qu'un calcul soit irréductible ou non, il ne fait que condenser, développer, dérouler, expliquer ou exprimer l'information déjà contenue dans l'algorithme et les données qui le commandent. Du point de vue de la théorie de l'information, un calcul ne produit pas le moindre bit d'information. (Quoiqu'il puisse en *éliminer* : il y a plus d'improbabilité dans 2+3+4 que dans 9.) Le calcul traduit ou détruit le message porté par une collection de symboles en suivant les instructions d'un programme. Le processus naturel, lui, allonge sans trêve, à chaque seconde, inépuisablement, le texte d'un message infini.

La mise à l'écart sélective de nombreuses dimensions des phénomènes naturels qui accompagne la constitution des objets scientifiques est une chose. La métaphysique suivant laquelle on pourrait penser le devenir physique comme computation en est une autre. La première est inévitable, la seconde peut être légitimement refusée. Nommer traitement d'information le processus naturel, c'est aplatir le donné sur le construit ; c'est postuler la traduction transparente d'un niveau de description à l'autre quand tout nous indique une hétérogénéité à explorer ; c'est retourner subrepticement au déterminisme laplacien lorsque la science contemporaine nous invite au discernement des instabilités et à la découverte d'un temps producteur.

Calcul et méthode

Un nouveau rapport à l'expérience

La pratique de la simulation sur ordinateur se répand dans les champs les plus divers : mathématiques, physique nucléaire, astrophysique, cosmologie, météorologie, sismologie, chimie, avionique, gestion, économie, démographie, histoire, etc. Un des premiers effets de l'usage de la simulation numérique est de conférer un caractère expérimental à des disciplines qui ne le possédaient pas, comme la cosmologie ou la démographie. Le changement est essentiellement pratique. Rien n'interdisait, en effet, aux chercheurs en astrophysique ou en histoire économique de formaliser des ensembles de relations logiques explicites entre des variables, de faire varier systématiquement les différents paramètres pour étudier le comportement du modèle, puis de comparer les résultats au phénomène en vraie grandeur. Mais, avant les ordinateurs, cette possibilité de principe se heurtait à une impraticabilité de fait, le moindre calcul un peu compliqué pouvant occuper plusieurs années d'une équipe de mathématiciens chevronnés.

Bien entendu, les simulations numériques ne sont pas de véritables expériences, puisqu'elles ne portent pas sur les phénomènes, mais sur des modèles de ceux-ci. Il faut néanmoins remarquer que l'expérience scientifique classique opère déjà une manière d'idéalisation, de purification et de construction artificielle de son objet. On peut donc considérer la simulation numérique comme un degré supplémentaire dans l'artifice visant le contrôle et la purification du phénomène.

La simulation numérique permet de *tester des hypothèses* beaucoup plus facilement que par la simple observation de phénomènes sur lesquels le chercheur scientifique est incapable d'agir. La pratique de la simulation met le modélisateur dans la nécessité d'expliciter et de justifier le choix de ses variables ainsi que de formuler une description quantitative précise des relations supposées de cause à effet. La testabilité des hypothèses et la formalisation rigoureuse des modèles rapproche fortement la psychologie, l'économie, la sociologie ou l'histoire des sciences exactes, au moins sur le plan méthodologique.

Dans les disciplines, comme la physique, qui avaient traditionnellement accès à l'expérimentation, la simulation numérique ajoute un troisième terme à la théorie et aux résultats empiriques. Dans cette nouvelle configuration, l'activité théorique consiste moins à rendre compte de tous les résultats qu'à sélectionner les modèles qui pourraient avoir une signification physique. Le réel est ici pratiquement appréhendé comme un modèle parmi une prolifération de modèles possibles, alors que l'ancienne physique était censée partir uniquement de résultats réels pour dégager le modèle sous-jacent qui les rendrait cohérents. Certes, l'expérience de pensée et l'imagination de modèles possibles ont toujours fait partie de l'activité scientifique. Il reste que l'ordinateur transforme l'expérience de pensée, de bricolage artisanal qu'elle était, en entreprise systématique à grande échelle.

Une des plus curieuses modifications liées à l'usage des simulations numériques est celle qui affecte aujourd'hui les mathématiques. Traditionnellement considérées comme le royaume de la déduction, elles prennent à leur tour un caractère expérimental. Des simulations numériques d'objets mathématiques peuvent infirmer, confirmer ou faire naître des *conjectures*. La conjecture ne devient cependant *théorème* qu'une fois démontrée. On rencontre ici les limites du calcul, car les démonstrateurs automatiques n'ont encore jamais démontré à ce jour de théorème significatif qui n'ait déjà été prouvé par un mathématicien en chair et en os. Or, en mathématiques, seule la démonstration éclaire et rend raison du théorème. Le calcul laisse prévoir, suscite des hypothèses, donne plus de poids à certaines conjectures, il n'explique pas.

L'extraordinaire puissance de calcul statistique et d'analyse des données offerte par l'informatique se conjugue à la simulation pour renforcer le caractère empirique et inductif de la recherche informatisée. L'analyse des correspondances, l'analyse en composantes principales, l'analyse factorielle, les programmes de classification automatique ainsi que de nombreuses autres méthodes statistiques nées avec l'informatique autorisent des traitements extrêmement complexes sur des masses énormes de données qui seraient restées muettes sans les ordinateurs. Il faut ajouter à la puissance de calcul statistique proprement dite les efforts de mise en scène visuelle des résultats par image synthétique, qui permettent au chercheur d'appréhender sur un mode sensible d'immenses tableaux de chiffres autrement illisibles.

Limites de la simulation numérique

Comment un calcul, par essence discret, pourrait-il toujours simuler adéquatement un processus continu ? Dans *le Calcul, l'Imprévu*, Ivar

Ekeland donne l'exemple du carambolage de quelques boules sur une table de billard. Si nous entrons dans un ordinateur les positions et les vitesses initiales de toutes les boules et que nous attendons en sortie leurs positions et leurs vitesses à un temps ultérieur, le résultat de la simulation risque fort de n'avoir rapidement plus aucune signification. A cela, deux raisons principales. Premièrement, l'ordinateur ne peut travailler qu'avec un nombre fini de décimales en négligeant les décimales supplémentaires. A chaque nouvelle opération, les erreurs d'arrondi s'amplifient jusqu'à dénaturer grossièrement le résultat final. Secondement, le système réel est soumis à une multitude de perturbations, qui vont de la respiration de l'expérimentateur dans la pièce au mouvement d'un noyau d'hydrogène sur Alpha du Centaure. Or, ces perturbations deviennent vite significatives, si bien que le résultat du calcul, même exact, n'en sera pas moins très éloigné du résultat observé.

On sait que les trajectoires des vaisseaux spatiaux naviguant vers la Lune doivent être corrigées à intervalles rapprochés en fonction de leur vitesse et de leur position *réelle*. Les ingénieurs de la NASA savent parfaitement que les ordinateurs, pourtant extrêmement puissants, dont ils disposent ne peuvent calculer le trajet exact des engins spatiaux uniquement à partir des conditions astronomiques et astronautiques initiales.

Un autre type de limite des simulations numériques tient au choix du langage de description. Dans le cas d'une simulation, toutes les décisions quant à ce qui pourrait être pertinent pour l'évolution du système étudié ont été prises d'un seul coup, au moment de la formalisation du modèle. L'expérience réelle, au contraire, peut toujours laisser apparaître l'importance d'un facteur auquel on n'avait pas pensé au moment de sa mise au point. Cela ne signifie pas qu'une simulation numérique soit incapable de surprendre le chercheur, mais que les genres de surprises que peuvent offrir la simulation et l'expérience réelle ne sont pas du même ordre. Le résultat d'une simulation, même surprenant, était logiquement contenu dans un ensemble de possibles précodés par l'algorithme et les données. Les surprises qui surviennent au cours d'une expérience réelle, en revanche, peuvent provoquer un changement dans la façon d'appréhender le phénomène et amener le chercheur à redéfinir l'objet même de son étude. La surprise « réelle » est capable d'ouvrir un nouveau champ de virtualités.

Il est des disciplines, comme l'histoire, où la légitimité de la simulation est problématique. Une école d'histoire économique américaine, la *New Economic History*, a mis à l'honneur l'utilisation de modèles formels précisément quantifiés simulés sur ordinateur pour étudier des questions du type : « L'esclavage dans le Sud avant la guerre de Sécession était-il réellement une entrave au développement économique ? » ou : « Peut-on vraiment considérer l'extension du chemin de fer comme un facteur fondamental de la croissance américaine au XIXᵉ siècle ? » Les modèles mis au point essaient de prévoir ce qui serait arrivé si les planteurs avaient utilisé des salariés agricoles et si l'on avait creusé des canaux et construit des routes plutôt que d'étendre le réseau ferré. Pour certains historiens traditionnels, de telles simulations n'ont aucun sens, car elles supposent que l'on puisse faire varier *seulement* les facteurs dont on veut peser l'importance historique, toutes choses étant égales par ailleurs. Or, disent les historiens traditionnels, le « toutes choses égales par ailleurs » n'a aucun sens en histoire. Il serait au contraire très raisonnable de penser que, si le Sud n'avait pas été esclavagiste, ou si les chemins de fer ne s'étaient pas développés, énormément d'autres faits de mentalité, de société et d'économie auraient *aussi* été différents. Ce qui enlève toute valeur aux conclusions des simulateurs.

Les nouveaux historiens de l'économie répondent que presque tous les historiens utilisent implicitement le « conditionnel irréel » chaque fois qu'ils tentent de déterminer les causes d'un phénomène historique. (Si le nez de Cléopâtre avait été plus court, la face du monde en eût été changée.) Au lieu de le faire de façon vague et implicite, ils jugent beaucoup plus conforme à la démarche scientifique d'utiliser le « conditionnel irréel » de manière explicite et formalisée. C'est seulement à cette condition que les hypothèses sur le poids causal de tel ou tel facteur historique peuvent être *testées*.

Le débat sur l'usage de la simulation en histoire recouvre un enjeu plus profond. Y a-t-il, en droit, homogénéité des procédures méthodologiques et des modes d'explication légitimes d'une discipline à l'autre ? Doit-on reconnaître une seule méthode scientifique, quitte à l'adapter à des objets divers, ou bien, au contraire, faut-il admettre une hétérogénéité fondamentale entre les approches rationnelles d'objets aussi différents que l'univers physique et le monde historique ? Si l'on se décidait pour une acception unique et rigoureuse du concept de causalité, par exemple, alors aucun historien, économiste ou psychologue ne pourrait parler de cause sans formaliser un modèle quantifié où la cause en question s'incarnerait dans la liaison fonctionnelle de quelques paramètres. On voit le risque de stérilité qu'une telle exigence pourrait faire courir à nombre de disciplines. Comment *quantifier* le rôle de l'imaginaire social, par exemple ? Cela ne signifie pas que la modélisation ne soit souvent utile et légitime localement, mais seulement qu'il serait néfaste d'en faire une condition de scientificité *a priori*.

Les ordinateurs permettent d'utiliser des outils statistiques sophistiqués, donnent accès à la simulation de modèles numériques et contribuent largement à la formalisation des procédures de la recherche. Ils peuvent ainsi conférer un caractère inédit de rigueur et d'exactitude aux sciences humaines. L'informatique serait donc plus qu'un instrument scientifique. Capable de faire passer une discipline d'un état préscientifique au statut de science exacte, elle serait un opérateur méta-scientifique. Dans le débat épistémologique en cours, l'ordinateur renforce le camp de la méthode scientifique unique parce qu'il lui donne pour la première fois les moyens de ses ambitions.

Expliquer, calculer

Pour évaluer correctement le rôle de la simulation numérique, il importe de distinguer soigneusement la mise en algorithmes et la modélisation numérique d'une part, la mathématisation et la théorie d'autre part.

La simulation vise avant tout à prévoir ou à reproduire le comportement du système étudié. En intelligence artificielle, par exemple, le calcul sert souvent à obtenir une certaine *performance* cognitive, sans prétendre l'atteindre par les mêmes moyens que l'esprit humain. Le modèle sous-jacent au calcul est donc instrumental, ou opératoire, plutôt qu'explicatif.

La mathématisation d'un phénomène, en revanche, a pour objectif premier d'élucider sa structure fondamentale, de le rendre intelligible, de mettre en évidence les paramètres pertinents capables d'en rendre compte rationnellement. La capacité prédictive ne vient que par surcroît, pour confirmer la justesse de la théorie mathématique.

En un sens, la théorie physique d'Aristote était prédictive : le feu monte, la terre descend, les mouvements de la sphère céleste sont réguliers, etc. La théorie newtonienne, prédictive elle aussi, découvre d'abord *une autre structure du réel* : espace homogène, corps s'attirant en fonction de leurs masses et de leur distance. La formule mathématique de la loi de la gravitation exprime dans tous les cas la nature des interactions en jeu, elle permet en outre de prédire parfois le comportement de systèmes simples. Dès que trois corps sont en jeu, la théorie mathématique, bien qu'elle propose un schéma correct, ne permet plus de calculer précisément l'évolution du système à partir de ses conditions initiales.

La différence entre calcul et mathématiques ressort encore de la comparaison classique entre les physiques de Newton et d'Einstein. Sur le plan du calcul, c'est-à-dire au fond d'un point de vue opératoire, la théorie newtonienne peut être considérée comme un cas particulier de celle d'Einstein, moyennant une légère approximation. En revanche, sur le plan du modèle mathématique décrivant la structure de la réalité physique, les deux théories sont radicalement différentes.

Disons qu'en général une théorie mathématique ne permet pas nécessairement de prédire, et que des calculs, même utiles et corrects à des fins de prédiction, peuvent parfaitement s'effectuer sans théorie ou à l'aide d'une théorie fausse. Il existe en général un très grand nombre d'algorithmes capables d'arriver au même résultat.

L'usage de l'ordinateur favorise massivement la simulation opérationnelle, la prédiction et le calcul. Ici encore, l'idéal scientifique est en jeu. Les théories mathématiques sont-elles des fictions utiles pour faciliter les calculs, dont on pourrait à la limite se passer au profit d'algorithmes performants ? La science doit-elle au contraire viser à rendre intelligible, à expliquer la réalité, le calcul ne jouant à cet égard qu'un rôle instrumental ? La fin ultime de la science est-elle l'opération ou l'interprétation ?

La formalisation du raisonnement scientifique

La mise en algorithmes du raisonnement scientifique peut être envisagée sous deux points de vue, normatif et descriptif. L'approche normative est le fait de l'école logiciste en sciences humaines. L'abord empirique et descriptif est généralement soutenu par des informaticiens.

On rencontre sous la plume d'archéologues, d'historiens ou d'économistes des déclarations parfaitement explicites sur l'idéal du logicisme : toutes les opérations intellectuelles par lesquelles un scientifique passe d'une collection initiale de données à ses propositions finales doivent pouvoir être effectuées par un automate calculateur. Le raisonnement est ici entendu comme l'ensemble des techniques de traitement de l'information utilisées par le chercheur. Pour juger de la rigueur d'un raisonnement, sa programmabilité est un critère essentiel.

Les logicistes déplorent que, dans de nombreux travaux en sciences humaines, les propositions présentées par les chercheurs comme des conclusions valides ne résultent en réalité ni de déductions logiques dont on connaîtrait clairement les prémisses, et les différentes étapes, ni de raisonnements inductifs probabilistes corrects à partir de séries définies de données d'expérience ou d'observation.

La programmation du raisonnement suppose l'explicitation de toutes ses étapes. Elle impose la transparence, la publicité des moyens employés par le chercheur. La possibilité de discussion rationnelle est augmentée, tandis que beaucoup d'erreurs sont évitées. Le critère de la programmabilité dissuade enfin de publier les auteurs qui comptent sur des artifices rhétoriques pour convaincre le lecteur plutôt que sur la cohérence de leurs raisonnements et la testabilité de leurs conclusions.

La définition des données initiales peut elle-même faire l'objet d'une procédure informatisée. En archéologie, par exemple, on se gardera de ranger immédiatement un artefact découvert sur un champ de fouille dans telle ou telle catégorie (hache, grattoir, etc.) en fonction d'une

113

reconnaissance informelle immédiate. On préférera décomposer l'objet en caractères et confier son classement à un programme taxonomique, ou la détermination de son identité à un algorithme de reconnaissance de forme.

Un algorithme n'opère pas sur des données appréhendées dans leur signification immédiate et informelle. Il ne traite que les symboles de la description des données, au sens typographique du mot « symbole ». C'est pourquoi la programmation du raisonnement implique toujours en amont le *codage uniforme* de toutes les descriptions de faits.

Comme elles doivent être testables, les conclusions devront elles-mêmes être exprimées dans un langage congruent avec le code de description des faits. L'exigence d'un certain type de rigueur provoque donc une forte pression vers la standardisation du langage scientifique.

L'utilisation croissante des banques de données et des langages documentaires incline également à la normalisation des idiomes scientifiques, mais pour d'autres raisons que la rigueur logique. Une meilleure communication entre les équipes, une utilisation optimale des réseaux de téléinformatique, la portabilité des programmes, autant d'arguments en faveur de la standardisation des langages, dans la perspective d'une rationalisation du travail scientifique.

La normalisation des langages peut entrer en opposition avec la stricte logique de la recherche. Supposons que la proposition obtenue au terme de la chaîne de calculs symboliques soit infirmée par les faits. Le chercheur doit alors soupçonner soit que la collection de faits qui fondent ses inductions est insuffisante, soit qu'une ou plusieurs des prémisses de ses déductions sont incorrectes, soit enfin que le langage de description utilisé ne reflète pas adéquatement les paramètres pertinents pour le problème à résoudre. Un langage implique une théorie.

Plus encore que l'usage de la simulation numérique des phénomènes, l'exigence de mise en algorithme programmable du raisonnement scientifique accompagne une prise de parti épistémologique en faveur de l'unité de la méthode scientifique. Un des principaux objectifs du logicisme est la métamorphose des sciences humaines en « vraies » sciences. Les sciences humaines ont-elles tout à gagner en formalisant leurs opérations intellectuelles de la sorte ? Il est douteux, en particulier, que la dimension herméneutique ou interprétative de la recherche puisse se ramener entièrement à des calculs inductifs et déductifs ainsi qu'à des tests programmables.

La formalisation du raisonnement scientifique peut être envisagée sur un mode beaucoup plus descriptif et pragmatique. Cette deuxième voie est en général adoptée par les informaticiens spécialistes de l'intelligence artificielle cherchant à constituer des systèmes experts reproduisant fidèlement les raisonnements des chercheurs. Dans ce cas, l'informaticien ne tente pas d'imposer une norme de scientificité à l'historien ou à l'archéologue, mais il le conduit à expliciter le plus parfaitement possible un grand nombre de savoir-faire implicites et d'opérations intellectuelles sous-entendues.

Il est rare qu'on aboutisse par ce moyen à la construction de systèmes formels décidables et complets. Les structures *ad hoc* et les règles heuristiques auxquelles parviennent les programmeurs ne garantissent pas contre les erreurs, les contradictions ou les circularités logiques, mais elles permettent peut-être de les déceler plus facilement. Même si les systèmes obtenus ne sont pas totalement cohérents, la mise à plat des procédures intellectuelles autorise leur automatisation effective, leur multiplication et leur exportation. De plus, l'expérience de la formalisation de leur savoir-faire est souvent pour les chercheurs l'occasion d'une réflexion épistémologique féconde.

Dans l'état de sciences humaines telles que l'histoire et l'archéologie, les spécialistes en intelligence artificielle constatent que les raisonnements ne sont formalisables que par segments, et non d'un bout à l'autre de la chaîne de la recherche. Il reste que la mise en calcul de plaques locales du travail intellectuel impose de proche en proche, en amont et en aval de ces zones calculées, un accroissement de rigueur formelle ainsi qu'une pression vers le codage uniforme des données.

L'intelligence artificielle rencontre dans la simulation du raisonnement scientifique le même type de problèmes théoriques que dans ses autres applications. Pour que les programmes soient autonomes, il faudrait qu'ils soient capables d'apprendre et qu'ils puissent mettre en œuvre une hiérarchie indéfinie de connaissances sur la connaissance (méta-connaissance), ce dont aucun programme n'est encore vraiment capable. Par ailleurs, les simulations automatisées de raisonnements scientifiques fonctionnent à l'intérieur d'une problématique fixe. On n'en connaît pas qui sache poser de *nouvelles questions*, quoique cela semble être la principale vocation du chercheur.

Le paradigme du calcul porte un projet de « durcissement » des sciences humaines et même de disciplines comme la physique. Au cours d'une étude sur les communications entre physiciens et informaticiens dans un centre de calcul du CNRS, Philippe Breton a observé que les informaticiens reprochent implicitement aux physiciens leurs tâtonnements, leurs bricolages et leurs démarches au coup par coup. Il arrive que les informaticiens réussissent à « retourner » un physicien pour le convertir aux vertus des méthodes formelles et générales.

Les ordinateurs peuvent être utilisés à n'importe quelle fin et n'imposent en eux-mêmes aucune philosophie particulière. Mais l'informatisation de la recherche scientifique favorise *en fait* une philosophie des sciences à la fois inductiviste, parce qu'elle offre d'extraordinaires possibilités de traitement de données, instrumentaliste, par le rôle grandissant de la simulation numérique, et logiciste, à cause des nouvelles possibilités de mécanisation effective de la plupart des étapes du travail scientifique. On dira que l'opérationnalisme ne caractérise pas adéquatement ce paradigme puisqu'il existe une ontologie computationnelle et donc un réalisme du calcul. On peut répondre que ce réalisme est précisément la saisie d'une réalité intégralement opérante, psychisme y compris. Il faut donc admettre, à côté de l'instrumentalisme méthodologique, un opérationnalisme ontologique.

Il serait cependant vain de vouloir absolument faire coïncider le paradigme du calcul avec telle ou telle philosophie des sciences préexistante. Le phénomène en cours est nouveau et doit être perçu comme tel. Le néomécanisme, l'usage des simulations numériques, la mise en algorithmes des raisonnements, la normalisation des langages et la diffusion de l'information par banques de données progressent ensemble et se renforcent mutuellement.

Par l'extension du néomécanisme, le calcul est du côté de l'objet. Par les résultats de la biologie, de la neurologie, de la psychologie cognitive et de l'intelligence artificielle, il objective le sujet. Par les effets épistémologiques de l'informatisation, il structure enfin la communauté scientifique en tant que sujet collectif.

La mutation proprement épistémologique est largement supportée par des transformations relevant plutôt de la sociologie des sciences. Depuis la fin de la Seconde Guerre mondiale, un cycle dynamique s'est constitué où la science, la technique, l'industrie et l'armement sont tour à tour fins et moyens sur l'horizon d'une course planétaire à la puissance. La recherche est de plus en plus programmée par des instances économiques militaires et administratives à qui le paradigme du calcul fournit d'utiles critères de décision. Dans la compétition que se livrent les laboratoires des pays industrialisés, le dépôt d'un brevet, la découverte d'une molécule ou la conception d'un nouveau produit avant les autres dépendent bien souvent de la rationalité du système de documentation automatique, de la puissance de calcul ou de la subtilité des logiciels de simulation dont on dispose. L'essor du paradigme du calcul s'appuie sur une évolution sociale et institutionnelle qui lui est favorable.

Si nous élargissons encore notre champ de vision, force est de constater que l'algorithmisation des savoir-faire individuels ou collectifs, la simulation de portions du réel à des fins de prévision et l'usage de langages codés pour l'alimentation et la consultation de réseaux de documentation automatique ne concernent pas le seul domaine de la recherche scientifique. L'émergence du paradigme du calcul n'est sans doute que le moment épistémologique d'une plus vaste mutation. Avec les progrès de l'informatisation, le préétablissement des possibles se substitue aux jeux de la virtualité et de l'inventivité locale, l'ordre du calcul et des opérations effectives tend à gouverner la sphère du sens et de l'interprétation. Autant de signes d'une bifurcation culturelle fondamentale vers l'attracteur du calcul.

RÉFÉRENCES

Andler, Daniel, « Le cognitivisme orthodoxe en question », *Cahiers du CREA*, n° 9, 1986.
Andréano, Ralph, et Heffer, Jean (éd.), *La Nouvelle Histoire économique*, Paris, Gallimard, 1977.

Grandes manœuvres

Atlan, Henri, *Entre le cristal et la fumée*, Paris, Éd. du Seuil, 1979.
- *L'Organisation biologique et la Théorie de l'information*, Paris, Hermann, 1972.
Benzecri, Jean-Pierre, *L'Analyse des données*, Paris, Dunod, 1973.
Borillo, Mario, *Informatique pour les sciences de l'homme*, Bruxelles, Pierre Mardaga, 1984.
Breton, Philippe, « Déprofessionnaliser l'informatique », *Esprit*, n° 8/9, septembre 1983.
Changeux, Jean-Pierre, *L'Homme neuronal*, Paris, Fayard, 1983.
Diaconis, Persi et Edfron, Bradley, « Méthodes de calculs statistiques intensifs sur ordinateurs », in *L'Intelligence de l'informatique*, Paris, Bibliothèque « Pour la Science », 1984.
Dupuy, Jean-Pierre, « L'essor de la première cybernétique », *Cahiers du CREA*, n° 7, 1986.
Ekeland, Ivan, *Le Calcul, l'Imprévu. Les Figures du temps de Kepler à Thom*, Paris, Éd. du Seuil, 1984.
Gardin, Jean-Claude, *Une archéologie théorique*, Paris, Hachette, 1979.
Hofstadter, Douglas R., *Gödel, Escher, Bach : an Eternal Golden Braid*, New York, Basic Books, 1979 ; trad. fr., Paris, Interéditions, 1985.
Jacob, François, *La logique du vivant*, Paris, Gallimard, 1970.
Lévy, Pierre, « L'univers du calcul (calculer, percevoir, penser) », in J.-L. Lemoigne (éd.), *Question vive : Intelligence artificielle et Sciences de la cognition*, Nouvelle Encyclopédie, Fondation Diderot, Paris, Fayard, 1986.
- *La Machine Univers*, Paris, La Découverte, 1987.
- « L'œuvre de Warren Mac Culloch », *Cahiers du CREA*, n° 7, 1986.
- « Wittgenstein et la cybernétique », *Cahiers du CREA*, n° 7, 1986.
- « Analyse de contenu des travaux du Biological Computer Laboratory », *Cahiers du CREA*, n° 8, 1986.
- « Le théâtre des opérations », *Cahiers du CREA*, n° 8, 1986.
Minsky, Marvin, *Computation : Finite and Infinite Machines,* Londres, Open University Set Book, 1972.
Monod, Jacques, *Le Hasard et la Nécessité*, Paris, Éd. du Seuil, 1970.
Ruelle, David, « Déterminisme et prédictibilité », *Pour la Science*, n° 82, août 1984, p. 58-67.
Serres, Michel, *Hermès I. La Traduction*, Paris, Éd. de Minuit, 1974.
- *Hermès IV. La Distribution*, Paris, Éd. de Minuit, 1977.
Stengers, Isabelle, « Les généalogies de l'auto-organisation », *Cahiers du CREA*, n° 6, 1986.
Thom, René, *Paraboles et Catastrophes*, Paris, Flammarion, 1983.
Varela, Francisco, *Principles of Biological Autonomy*, New York, Oxford, Elsiever North-Holland, 1979 ; trad. fr. à paraître aux Éd. du Seuil.
Walliser, Bernard, *Systèmes et Modèles*, Paris, Éd. du Seuil, 1977.
Weizenbaum, Joseph, *Puissance de l'ordinateur et Raison de l'homme*, Éd. d'Informatique, 1981.
Wiener, Norbert, *Cybernétique et Société*, Paris, UGE, 1964.
Wolfram, Stephen, « Les logiciels scientifiques », *Pour la Science*, n° 84, novembre 1984.

Signalons la revue *Techno-Logos* du Laboratoire d'informatique pour les sciences de l'homme (LISH-CNRS).

Problème

Une clé universelle ?

Daniel Andler.

Le concept de problème donne lieu à un double effet de propagation. Il se propage d'abord au sein des sciences, passant de la science absolument formalisée — les mathématiques — aux savoirs les moins formalisés (l'histoire par exemple, ou la philosophie) ; en même temps, de figure parmi d'autres de l'activité scientifique, le problème se transforme en figure exclusive ou du moins paradigmatique : cette « problématisation » des sciences est en partie une réalité, en partie un idéal méthodologique.

Par ailleurs, le concept se propage, en se durcissant, dans certains des domaines qu'étudient les sciences. C'est ainsi que d'un côté l'intelligence artificielle, de l'autre Popper, prenant pour objet d'étude respectivement la cognition et l'entreprise scientifique, expliquent toute activité de connaissance en fonction de problèmes purement objectifs, antérieurs aux efforts déployés pour les résoudre. De même l'organisme et, pour les adaptationnistes (voir « Sélection naturelle »), la Nature elle-même ne feraient que résoudre des problèmes. Enfin, nos activités publiques et privées se ramèneraient également à la résolution de problèmes. Naturellement, une caractérisation de l'activité fondée sur la notion de problème n'est complète qu'en présence d'un concept de solution. Or, dans son mouvement vers une formalisation toujours plus poussée, la pensée actuelle tend à réduire la solution, et la résolution, au calcul (résultat et activité), tout en lui ménageant une certaine diversité — celle des modes de calcul ou de traitement de l'information (voir « Le paradigme du calcul »).

Ces conceptions, du moins dans le cas de l'homme, ne sont pas sans effet autoréalisateur. D'où l'importance particulière d'une évaluation de ces diverses formes de « panproblématisme ».

Or l'objectivité ou la prédétermination du problème n'est que relative ; considérée comme absolue, elle est une illusion. Le problème ne semble incontournable que dans le contexte qu'il a lui-même créé ; sa pertinence n'est assurée que tautologiquement, mesurée à l'aune de la pertinence que lui-même instaure. Ce qui n'implique pas que l'acte de poser un problème soit entièrement arbitraire : le contexte antérieur peut, dans une certaine, voire une grande mesure, le préparer, en instituant un ordre, en créant une intelligibilité porteuse

119

Grandes manœuvres

de certaines anticipations (voir « Les registres de l'ordre »). Mais l'adéquation du problème à l'objet visé n'est pas garantie, et c'est quand elle fait défaut qu'on peut parler d'effet de complexité (voir « La complexité : effet de mode ou problème ? »). On doit alors constater que la résolution de problèmes, si difficiles soient-ils, ne suffit pas pour faire la lumière sur l'objet considéré. On pourrait penser que c'est un autre problème, le « méta-problème » du choix du « bon » problème, qui a reçu une solution défectueuse. Mais ce serait précisément la leçon d'une découverte de la complexité que de nous convaincre qu'il n'y a pas de « bon » problème, ou du moins qu'il n'y en a pas un qui soit unique ou privilégié. Le choix du problème n'est pas un problème ; il demeure irréductiblement un choix.

Proposer le problème objectif comme concept explicatif fondamental équivaut en fin de compte à prendre le comportement comme instance significative exclusive. Le problème objectif devient l'environnement dans lequel il s'agit d'étudier le comportement du savant, ou de l'intellect, ou de l'organisme, ou de la Nature, ou de l'homme dans sa pratique — comportement qui se ramène à la recherche de solutions. Ainsi s'accomplit une fois encore (voir « Comportement » et « Transfert ») l'opération d'élimination de la subjectivité.

*

Que ce soit dans les sciences, la philosophie, la politique ou la vie quotidienne, les problèmes jouent un rôle essentiel. Faut-il pour cela admettre que « rien ne compte que les problèmes », comme on l'entend dire souvent ?

Tout dépend de ce qu'on entend par « problème ». Il existe un « panproblématisme » purement verbal, qui consiste à employer le mot « problème » de manière floue, pour désigner indifféremment la difficulté, l'obstacle, la résistance rencontrée, voire simplement la tâche à accomplir. La maxime en question revêt alors l'aspect d'un truisme, ou peut-être d'une profession de foi vaguement hégélienne. Je ne m'intéresserai pas à cette forme de panproblématisme, pas plus que je n'édicterai les règles de bon usage du mot « problème ». Au fil des pages du présent volume, on trouvera mainte occurrence du terme pris dans son sens lâche ; autour de soi, on ne cesse d'en entendre des exemples. Sans doute est-ce symptomatique d'un certain état d'esprit. Mais rien ne serait plus vain que de vouloir légiférer en la matière, car l'enjeu tant épistémologique que pratique reste insaisissable à ce niveau.

Il en va autrement lorsqu'on entend conserver au mot « problème » un sens précis, en lui attribuant une extension qui soit, d'un certain point de vue, naturelle. On a affaire dans ce cas à un panproblématisme

120

substantiel. Pour en mesurer la portée, il faut d'abord caractériser l'emploi restreint du terme, celui sur lequel il n'y a pas de doute, puis examiner à quels aspects de cette caractérisation il faut passer outre quand on veut faire jouer au problème un rôle étendu, et enfin évaluer les mérites des descriptions des domaines ou des activités dans lesquelles il jouit d'un statut d'exclusivité.

On commencera donc par essayer de préciser les conditions d'application du concept de problème pris au sens strict : un concept méthodologique lié à une figure particulière de subjectivité inscrite à la fois dans la temporalité d'un progrès rationnel et dans la spatialité d'un contexte fixé, et se prêtant par là à une objectivation et à une reproduction sans résidu. On verra que l'horizon dans lequel se déploie naturellement le problème est une représentation explicite à caractère formel — horizon qui tend à se constituer en idéal épistémologique. On suggérera que les branches du savoir, pur et pratique, sont implicitement hiérarchisées en fonction de leur éloignement de cet idéal : les plus problématisées font figure de modèle. On évoquera à ce propos une forme de panproblématisme méthodologique qui consiste à s'efforcer de ramener l'activité scientifique à la résolution de problèmes, pour stimuler les chercheurs et favoriser la discussion critique.

Dans un deuxième temps, on examinera les tentatives faites dans les différents domaines pour attribuer à la notion de problème, ou de *problem-solver*, un rôle explicatif privilégié : la cognition humaine (dans le programme de l'intelligence artificielle et de la psychologie cognitive), le savant et l'organisme (dans l'épistémologie objectiviste de Popper et dans l'épistémologie évolutionnaire), l'évolution elle-même (dans le programme adaptationniste), enfin l'homme dans sa pratique publique et privée sont vus comme autant de *problem-solvers*. On tentera de montrer les limites de telles perspectives, en évoquant la possibilité d'une autre conception, selon laquelle, dans chacun de ces domaines ou pour chacune de ces fonctions, l'activité interprétative prime la résolution de problèmes.

Le propre du problème

Caractérisation du problème

Ballein, jeter. Le problème est ce qu'on jette devant *(pro)* soi, comme le cochonnet de la pétanque, le thème qu'on soumet à la discussion, la question qu'on se pose, la tâche qu'on s'assigne. Le problème est donc foncièrement *subjectif*, il est d'emblée problème-pour-moi. C'est sur *ma* route qu'est placé l'obstacle, puisque c'est moi-même qui l'y ai placé ; mieux, j'ai défini ma route comme celle qui doit passer par l'obstacle. J'aurais pu lancer le cochonnet ailleurs, ou ne pas le lancer du tout : le problème doit son existence à ma décision de le créer, ou de le reconnaître comme tel.

Non moins immédiatement que par la subjectivité, le problème est caractérisé par la temporalité : le problème appelle une solution, qui n'est solution que si elle vient après. D'abord le cochonnet, puis la boule. La flèche du temps est inscrite dans le problème. Elle le demeure même si la solution n'existe pas, à condition toutefois que cette inexistence n'éclate pas d'emblée : on ne pose pas un vrai problème en demandant un cercle carré — on crée une difficulté, on provoque un conflit ou un drame. Le vrai problème porte en lui la promesse ou l'espoir d'une solution. Le temps s'inscrit dans l'intervalle entre la promesse et son exaucement, entre l'apparition du problème et sa disparition sous l'effet de la solution. Cet intervalle reste indéfini tant que la solution reste à trouver, mais il est orienté, c'est un délai. De l'état où je me trouve quand l'obstacle est devant moi à celui auquel je parviens quand il est derrière, la transformation est irréversible.

De cette irréversibilité, un autre phénomène témoigne. Un problème admet, sinon une solution unique, du moins un unique ensemble de solutions (ensemble qui constitue, en un sens, son unique solution). Une solution est toujours au contraire solution d'une infinité de problèmes. Quand, dans la forêt, on parvient à un carrefour, on revient difficilement sur ses pas : vu du carrefour, le sentier d'où l'on a débouché ne se distingue plus des autres.

Le troisième trait distinctif du problème est ce qu'on pourrait appeler, par égard à l'étymologie, mais de manière un peu trompeuse peut-être, sa spatialité. (Quoi de plus spatial qu'un jet, un pro-jet, une projection ?) Le problème ne naît pas dans le vide, mais dans un espace. Dans l'image de la pétanque, cet espace ne serait pas tant l'aire du jeu que l'ensemble des règles du jeu, et l'interprétation qui en est faite dans le milieu de joueurs considéré. De manière générale, un problème n'advient que dans un *contexte fixé*. Changer de contexte — ce qui peut se produire par exemple dans la recherche d'une solution — revient à reformuler le problème, c'est-à-dire à se poser un problème différent, quoique sans doute apparenté.

Ce trait — la présence d'un contexte déterminé — est sans doute le moins apparent des trois qui, selon moi, caractérisent conjointement la notion de problème prise au sens strict. Pourtant, il me paraît non seulement juste mais d'une importance capitale. Car c'est grâce au contexte que le problème, initialement subjectif par essence, acquiert une existence objective ; qu'il se met à exister en tant qu'objet observable indépendamment du sujet qui le fait advenir. L'obstacle que ce dernier avait placé sur sa propre route peut, *dans le contexte*, être interprété par n'importe qui, c'est-à-dire placé par n'importe qui sur sa route à lui. Ainsi, le problème de mon dentiste — guérir ma dent —, tout autre dentiste peut, mais uniquement dans le contexte des finalités et des techniques de l'art dentaire, s'en approprier les termes. La chaîne virtuelle des dentistes constitue ainsi le problème dont les termes sont : guérir ma dent ; c'est une entité intersubjective dans laquelle le problème initial s'est résorbé *sans résidu*. Ce n'est pas le cas de ma souffrance, dont il ne reste, en mon absence, qu'une pâle description, un reflet peu fidèle.

Inversement, un problème objectivé donne naissance à autant de problèmes (subjectifs) qu'il se trouve de sujets pour se l'approprier. Son existence dépend d'ailleurs de cette possibilité d'appropriation. Ma dent à guérir devient le problème du dentiste que je viens consulter, et le « à guérir » marque la place du dentiste ; mes dents, au contraire, ou leur lente destruction, ne dépendent d'aucune appropriation subjective (si, du moins, l'on s'en tient à un réalisme du sens commun). Il y a donc une tension permanente, un potentiel de conversion bilatérale entre problème objectivé et problème subjectif.

La même dualité s'établit sur un plan temporel, et pour les mêmes raisons. Si le problème subjectif naît et meurt, dans un déroulement irréversible et unique, le problème objectivé revient éternellement, se répète indéfiniment. Car, si, de la solution, on ne saurait *remonter* au problème, rien n'empêche de repartir du problème comme si la solution n'était pas encore apparue. En ce sens, on peut dire que le problème, subjectivement aboli par la solution, lui survit objectivement *. Et c'est parce que le problème peut être saisi, formulé, indépendamment du fait qu'il s'est posé à moi, qu'il survit à sa solution : c'est en tant qu'il est *aussi* objectif, ou intersubjectif, qu'il est *aussi* répétable ou atemporel.

Le problème est donc en fin de compte affecté d'une double ambivalence : il oscille entre subjectivité et objectivité, et entre temporalité et atemporalité. En combinant les deux aspects, on pourrait parler d'historicité et d'anhistoricité du problème, ce qui ouvrirait d'ailleurs la porte à une multitude de possibilités, du sujet unique et de l'événement singulier à un extrême, jusqu'au sujet universel et à la trace éternelle à l'autre, en passant par des degrés croissants d'intersubjectivité et d'abstraction temporelle.

La langue refuse de trancher : il n'y a pas deux mots dont l'un correspondrait au problème subjectif, au problème-question, et l'autre au problème objectif, au problème-énoncé ; celui-ci désignant, selon le cas, l'équation, la conjecture, l'ensemble d'hypothèses et de faits d'observation ; celui-là, l'équation que je dois résoudre, la conjecture qu'il me faut trancher, l'explication cohérente qu'il me reste à découvrir. La langue se tient à la bifurcation, elle ne choisit pas entre le problème latent et le problème patent, activé. C'est ce qui explique la facilité avec laquelle l'usage glisse vers une notion apurée de toute objectivité (« J'ai un problème avec mon chef de service », ou « avec la musique électro-acoustique », ou « avec les mathématiques »), ou inver-

---

* En un autre sens, on est tenté de dire précisément l'inverse : le problème peut être objectivement « réglé » — par exemple, une conjecture mathématique résolue par une preuve de sa justesse — tout en subsistant subjectivement — par exemple, parce que la démonstration est trop complexe pour m'être pleinement intelligible.

sement vers un concept purement objectif (le « problème kurde », le « problème des quatre couleurs »).

Il en va autrement de la solution. La langue distingue nettement la solution-processus (résolution, *problem-solving*, « solutionnement ») de la solution-résultat, ou solution tout court (réponse, but poursuivi, valeur de l'inconnue, agencement recherché). C'est que la solution ne se conçoit qu'une fois le problème posé, moment à partir duquel il s'ouvre à l'objectivité. La solution s'inscrit donc d'emblée sur les deux plans : elle prend la forme du chemin que j'ai suivi, chemin qui est aussi celui que chacun peut suivre à son tour. Il y a néanmoins une nuance : la résolution effective passe par des détours, des retours en arrière qui se révèlent inutiles une fois le but atteint ; je suis donc amené, dans une deuxième étape, à « nettoyer » ma solution, à simplifier mon parcours ; et c'est ce deuxième itinéraire que je présente à l'autre comme ma solution, que je l'invite à parcourir à ma suite.

Le problème à l'œuvre

a. *Pertinence globale et pertinence locale*

Le problème se situe à l'articulation de deux champs de pertinence, ou de deux contextes. Le premier est celui à l'intérieur duquel le problème se situe, c'est le contexte déterminé dont il a été question plus haut, qui permet l'interprétation univoque des termes du problème, donc son appropriation intersubjective. La pertinence qu'institue ce contexte général peut être qualifiée de *globale*.

En même temps qu'il s'inscrit dans ce champ, le problème crée son propre sous-contexte, le champ de pertinence *locale* dans lequel chemine la résolution, et finira par s'inscrire la solution si elle est découverte.

Le problème est donc plongé dans un milieu, et crée son propre milieu interne. Si bien que son apport est double. Il situe — ou confirme — l'espace dans lequel il s'inscrit, en indiquant — le plus souvent de manière implicite — les règles d'interprétation de ses termes et ceux de sa solution potentielle. Et il détermine ou repère, parmi tous les trajets possibles au sein du champ dans lequel il s'inscrit, un trajet particulier. En posant le problème, nous choisissons, dans l'infinité de ce que nous ignorons, une équation, un énoncé. Nous le faisons passer de ce que nous ignorons sans le savoir à ce que nous savons ignorer.

Le lecteur ne sait sans doute pas si Kant aimait les salsifis, mais, en se posant et en nous posant la question, il fait surgir une connaissance, celle de la possibilité d'une telle question, et un obstacle, celui de notre ignorance : il montre un chemin que nous n'avions pas discerné et nous invite en même temps à le prendre. Tel est le contenu explicite de son acte. Ses conséquences implicites sont d'instaurer (ou de confirmer) un type de pertinence : si le contexte est celui de l'histoire de l'alimentation en Europe, il le confirme et l'enrichit en sollicitant un témoignage auquel on ne songeait sans doute pas jusque-là ; s'il s'agit d'histoire de la philosophie, il l'instaure — il conjecture (par exemple) une correspondance entre les goûts alimentaires et les inclinations philosophiques, ou encore un rapport causal entre l'absorption de tel composant du salsifis et la formation de certains concepts.

b. *Rattachement local et rattachement global*

Dès sa conception, le problème se rattache, en vertu du champ local de pertinence qu'il inaugure, à un réseau de problèmes, parfois à plusieurs. Ce rattachement peut être flou, il peut rester implicite ou ne se donner à lire que dans le contexte de la découverte, ou bien dans les commentaires. Il n'est pas irrévocable : la reformulation, événement fréquent et crucial dans la vie d'un problème, peut avoir pour effet de l'intégrer — éventuellement modifié — dans un nouveau réseau. En tout cas, le problème est un animal grégaire, il ne perdure que lié à d'autres problèmes.

En même temps, en vertu du champ global de pertinence dans lequel il baigne, le problème tend à se rattacher à une discipline. Le plus souvent, ce rattachement va de soi : le contexte est d'entrée de jeu celui d'une discipline, le réseau des problèmes associés est plongé dans cette discipline. Il arrive que ce ne soit pas le cas : le problème et son ou ses réseaux flottent entre plusieurs disciplines. Est-ce à dire que la notion de discipline est parasite ou factice, qu'elle n'a aucune réalité épistémolo-

gique ni même méthodologique, qu'elle n'a d'autre utilité, comme le
pense par exemple Popper [1], que de simplifier la tâche de l'administration universitaire, et qu'elle devrait donc disparaître ?

Ce n'est pas le lieu d'examiner cette vaste question ; contentons-nous
ici d'observer que les disciplines ont la vie dure ; et que les réseaux
cherchent à s'enraciner dans une discipline, quand ils ne le sont déjà. Un
réseau suffisamment stable finit par se cristalliser en sous-discipline. Il
est tout à fait remarquable que, contrairement aux disciplines, dont le
nombre demeure faible, rien ne semble borner la prolifération des
sous-disciplines. Encore faut-il remarquer qu'un réseau de problèmes ne
constitue pas *d'emblée* une sous-discipline. Une sélection « naturelle »
opère, fort heureusement, parmi les constellations théoriques : les
« programmes de recherche dégénérés » dont parle Lakatos, par exemple [2], sont voués à la disparition, ou à la résorption dans une ou plusieurs
problématiques concurrentes. Un exemple actuel, fort intéressant, est
fourni par les sciences cognitives, qui, malgré leur titre, ne sont encore
qu'un réseau peu homogène de problèmes, et dont l'avenir est très
incertain : seront-elles absorbées par une discipline existante, dépecées
entre plusieurs (ce qui n'empêcherait évidemment pas le maintien des
liens interdisciplinaires), ou bien, fait exceptionnel, donneront-elles
naissance à une nouvelle discipline ? Beaucoup dépendra des solutions
aux différents problèmes du réseau — de leur existence d'abord, de leur
nature ensuite.

c. L'effet du problème

On peut classer les problèmes selon l'effet qu'ils ont sur la discipline
ou la sous-discipline auxquelles ils se rattachent, ou finissent par se
rattacher. On établit ainsi une hiérarchie, certes précaire, mais qui, dans
chaque discipline, constitue l'une des cartes les plus utiles que les
scientifiques puissent dresser à leur propre usage (aussi la remettent-ils à
jour fréquemment).

Au sommet — ou faudrait-il dire : à la base ? —, on trouve
naturellement les problèmes fondateurs, par exemple celui du mode de
transmission des caractères héréditaires, ou celui de la preuve de la
non-contradiction de l'arithmétique. Résolu, un problème fondateur

devient sans doute le cœur de ce que Kuhn appelle un paradigme [3]. Puis viennent les problèmes moteurs, qui orientent la discipline sur de longues périodes — par exemple celui des causes de la chute de l'Empire romain, celui de la fluctuation des taux d'intérêt ou celui de l'insolubilité par radicaux des équations de degré supérieur à 4. Ensuite viennent ce qu'on pourrait appeler les problèmes confirmateurs : par leur nombre, par leur intérêt propre, par leur variété, ils confirment la vitalité de la branche dont ils relèvent. A peu près au même niveau se situent généralement les problèmes appliqués (l'application étant une notion éminemment relative), encore qu'il leur arrive de jouer un rôle moteur, ou inversement de tomber dans la catégorie des problèmes obscurs. Cette dernière catégorie est la moins bien connue, que ce soit du public, qui ne soupçonne pas même l'existence de ces bataillons de l'ombre, ou des épistémologues, qui réservent leurs soins aux grands problèmes, à l'image des historiens qui pendant longtemps n'ont eu d'yeux que pour les grands de ce monde. Les scientifiques eux-mêmes sont parfois étonnés de la masse des problèmes obscurs, quand ceux-ci défilent dans les revues ou dans les congrès. Si leur rôle psychologique est manifeste, leur contribution objective à la discipline est souvent moins évidente. Et pourtant, on sait combien il est difficile d'évaluer la fécondité d'un problème ouvert. Un changement de perspective peut à tout moment le faire apparaître comme un sous-problème d'un problème majeur. Ou encore sa solution mettra en jeu une méthode, un concept qui conduira, plus ou moins directement, à la résolution d'une vieille conjecture. Les nombres de Fibonacci, une antique curiosité sans grand intérêt mathématique, ont fourni le chaînon manquant à la solution du dixième problème de Hilbert, soixante-dix ans après sa formulation ! Et l'on connaît trop d'exemples et trop de commentaires de l'« effet Serendip » pour qu'il soit nécessaire de s'y arrêter ici, sinon pour rappeler que c'est toujours en cherchant quelque chose qu'on tombe, parfois, sur un trésor qu'on ne cherchait pas. Remarquons pour conclure sur ce point que, s'il existait une méthode générale pour éliminer les problèmes mineurs, les chemins de la connaissance seraient, dans une large mesure, tracés d'avance : nous aurions là, sans doute, une bien pauvre connaissance.

Collectivement, les problèmes se comportent comme les abeilles : ils essaiment lorsqu'une masse critique est atteinte. En termes moins métaphoriques, leur multiplication conduit de façon quasi mécanique à la formation de ramifications qui viennent raffiner la classification, à moins qu'ils ne donnent naissance à une subdivision principale qui prend place à côté des autres.

L'effet inverse de ce bourgeonnement est produit par le problème insoluble. Le problème qui résiste à toutes les attaques, qui ne se laisse pas même entamer, est une cause de crise, larvée ou ouverte. Simone Weil note dans ses « Notes écrites à Londres » (1943) : « La méthode propre de la philosophie consiste à concevoir clairement les problèmes insolubles dans leur insolubilité, puis à les contempler, sans plus, fixement, inlassablement, pendant des années, sans aucun espoir, dans l'attente. » Mais elle ajoute aussitôt : « D'après ce critère, il y a peu de philosophes. Peu est encore beaucoup dire [4]. »

Dans les sciences, le problème qui résiste obstinément pose tôt ou tard la question de son insolubilité : un méta-problème se formule, en termes plus ou moins précis selon les circonstances, mais qui consiste toujours à montrer en quoi le problème, apparemment bien posé, ne l'est pas en réalité. En mathématiques, la notion logique d'insolubilité permet de donner au méta-problème une formulation précise. Un exemple célèbre est celui du premier problème de Hilbert *, qui consistait à établir l'hypothèse du continu. L'échec de toutes les tentatives pour prouver comme pour réfuter cette hypothèse conduisit Gödel à poser le (méta-)problème de son indépendance vis-à-vis des axiomes de la théorie des ensembles communément adoptée, celle de Zermelo-Fraenkel (ZF). Ce nouveau problème, sans tout à fait liquider celui de Hilbert — qui conservait une chance de recevoir une solution tant que l'autre restait ouvert —, faisait néanmoins peser sur lui une lourde menace. La liquidation proprement dite fut prononcée lorsque le méta-problème fut complètement résolu : parachevant les travaux de Gödel, Paul Cohen établit (en 1962) que l'hypothèse du

---

* En 1900, lors du Second Congrès mondial des mathématiciens réuni à Paris, David Hilbert proposa à ses collègues une liste de vingt-trois problèmes qu'il jugeait décisifs pour le développement de leur discipline. L'extraordinaire apport de cette liste, l'influence qu'elle a exercée tout au long du XXe siècle sur les mathématiques invitent à une réflexion inépuisable sur les questions effleurées dans le présent article (et sur quelques autres). Le premier problème de Hilbert consistait à démontrer l'hypothèse du continu, à savoir qu'il n'existe pas de cardinal supérieur au dénombrable et inférieur au continu (une autre formulation, moins ésotérique, est donnée plus loin).

continu n'est ni prouvable ni réfutable dans ZF. Et c'est toute la discipline appelée théorie des ensembles qui fut en un sens liquidée ce jour-là. Elle renaquit toutefois de ses cendres, mais si profondément transformée qu'on pourrait parler, à propos de la théorie postcohénienne, d'une nouvelle discipline. Les géométries non euclidiennes de Bolyai, Lobatchevski et Riemann firent subir un sort analogue à la géométrie (désormais « euclidienne »), la théorie de la relativité restreinte à la mécanique (newtonienne), etc. Ces théories, qui réfutent, mais en un sens conservent, une théorie antérieure suffisamment générale et complète, naissent toujours d'un problème qui se révèle une fois résolu comme le liquidateur de la première théorie.

Tous les effets qui viennent d'être passés en revue relèvent de la face objective du problème. Du côté subjectif, les choses se présentent différemment. Les problèmes qui, sur le plan objectif, forment une hiérarchie portent tous ici le même képi : ils sont tous moteurs, mais ce sont maintenant les chercheurs et non les disciplines qu'ils font bouger. Un problème n'existe en effet que s'il éveille la curiosité de quelqu'un, comme le souligne Michael Polanyi [5]. Or cette curiosité peut à son tour naître pour les raisons les plus diverses. Le même problème, pédagogique pour l'un, sera initiatique pour l'autre ; péniblement formulé par un directeur de laboratoire à bout de souffle, il suscitera chez tel de ses étudiants une authentique passion. Le problème est irréductiblement ouverture de l'esprit, même s'il participe aussi d'un étroit déterminisme psychosociologique. Il s'y ajoute que, pour tout chercheur, seul le problème peut créer la tension, le champ en l'absence duquel il resterait immobile, prisonnier de la fatale question : « Qu'ai-je à *dire* ? » Mais pour jouer ce rôle, le problème ne doit être ni trop facile ni trop difficile, faute de quoi le chercheur ne parviendra pas à en faire son affaire, à « s'engager émotionnellement », comme l'observait Kurt Lewin (cité par Polanyi).

Ce phénomène a une conséquence. Le problème « ordinaire » est — presque par définition — le pain quotidien du chercheur « moyen ». Et le chercheur « moyen » est indispensable à la science. D'où la vanité de toute tentative pour séparer le secondaire de l'essentiel, qu'il s'agisse de problèmes ou de chercheurs, dans l'espoir de maîtriser ce qui peut apparaître comme une prolifération maladive. Les uns comme les autres jouissent d'une manière de droit à la vie, qui repose à la fois sur un principe de solidarité et sur un calcul pragmatique d'utilité espérée : il n'est que rarement possible d'affirmer avec certitude qu'un chercheur, qu'un problème restera éternellement cantonné dans un rôle négligeable.

d. L'apport de la solution

Rien de plus simple, en apparence, que la solution : n'est-elle pas ce qui comble le vide désigné par le problème, la réponse à la question posée ? Pourtant, à s'en tenir là, on négligerait deux de ses dimensions sur trois : la spatialité et la subjectivité.

La métaphore de l'obstacle sur la route l'indique bien : la solution doit s'inscrire à la fois dans le paysage et sur le trajet marqué par le problème. En d'autres termes, elle doit se conformer aux critères de pertinence tant globaux que locaux institués par le problème et son contexte. Voilà pour la spatialité. Quant à la subjectivité, elle impose à la solution d'être accessible à celui auquel elle est destinée. On peut amalgamer les deux impératifs de pertinence et d'accessibilité et parler d'intelligibilité.

Cette intelligibilité peut, dans le contexte de la découverte, au stade de la résolution, demeurer privée, tacite, implicite. Mais, dans le contexte de la justification, quand la résolution s'objective en solution, l'intelligibilité doit devenir patente, publique, même si elle reste tributaire du contexte et de l'utilisateur. La solution a pour fonction d'indiquer à l'autre comment parvenir à la réponse en partant de la question, et comment s'assurer qu'il s'agit bien de la réponse souhaitée. Or il s'agit là d'un idéal élevé, pour deux sortes de raison.

D'une part, le chemin qu'il s'agit d'indiquer dépend du paysage conceptuel, si bien que les indications dépendent de la familiarité de l'autre avec ce paysage : nécessaires et suffisantes pour celui-ci, pour celui-là elles risquent de n'être ni l'un ni l'autre. De plus, l'adéquation de la réponse à la question est relative aux dispositions, aux intentions de l'autre, lesquelles dépendent notamment de ses fins dernières et de ses connaissances *générales*. D'autre part, même à supposer qu'une solution soit, pour tel individu, parfaitement accessible et pertinente, rien ne garantit son consentement ultime : il y faudrait une suite infinie de méta-instructions (de type : « Lire attentivement la présente phrase »). Tout ce à quoi on peut tendre, c'est réduire l'effort exigé de l'autre en se fondant sur un savoir implicite commun, sur une pratique partagée, sur l'hypothèse d'une visée mutuelle.

Naturellement, c'est toute la conception de l'explication (notamment scientifique) qui se trouve engagée là. L'une des fonctions de la discipline, en tant que telle et non comme simple collection de problèmes, est précisément d'imposer certaines contraintes permettant de lever partiellement l'indétermination qui grève la notion d'explication — qu'on songe au nombre d'ouvrages intitulés *l'Explication en...* (*psychologie, économie, histoire, physique,* etc.). Mais la solution de chaque problème comporte une exigence supplémentaire, comparable à l'exigence de « coopération » dans la communication verbale définie par Grice à l'aide de ses neuf célèbres maximes — « Fais en sorte que ta contribution soit aussi informative que possible », « Fais en sorte qu'elle ne soit pas plus informative que nécessaire », « Sois pertinent », « Sois bref », etc.[6] — ou encore comparable à l'unique « principe de pertinence » par lequel Sperber et Wilson pensent pouvoir rendre compte de tous les effets de contexte dans la communication[7] : tout acte communicatif s'accompagne de la garantie que les faits transmis sont suffisamment pertinents pour justifier l'effort nécessaire pour traiter le stimulus, et que le stimulus est le moyen le plus efficace pour transmettre ces faits.

Dans le cas de solutions à des problèmes scientifiques, l'exigence d'intelligibilité prend des formes particulières, liées à la nature du problème. Examinons-en quelques-unes à titre d'exemples.

Il arrive fréquemment qu'un problème P condense une infinité de problèmes plus particuliers P_i. Il est raisonnable d'exiger des solutions qu'elles se ressemblent — plus précisément : qu'il existe une méthode générale permettant d'obtenir la solution de P_i à partir de i. Si le contexte est mathématisé, on cherchera un *algorithme* acceptant i en entrée et produisant la solution en sortie. Mais un tel algorithme n'existe pas dans tous les cas : on se heurte à l'*indécidabilité*.

Une autre exigence porte sur la manière, plus ou moins effective ou concrète, dont la solution est appréhendée. En mathématiques, on préfère les solutions *constructives*, plus informatives et, aux yeux de certains, plus réelles — voire, c'est le point de vue intuitionniste, les seules réelles. Mais, ici encore, on rencontre des limites : certains problèmes n'admettent pas de solution constructive.

Dans d'autres situations, on parlera d'approximations de la solution, qui apparaît alors comme la limite idéale d'un procès infini.

Il est fréquent qu'une solution soit donnée en fonction d'autres entités. Son intelligibilité dépend alors du type de connaissance qu'on a de ces dernières. La plus petite racine de l'équation $x^{117} - 7 x^{33} + 1987 = 0$ n'est (vraisemblablement) connue de personne, mais elle peut être d'une part approchée d'aussi près que l'on veut, d'autre part identifiée comme telle, en vue de re-connaissances futures. La somme de la série $\Sigma \ 1/\pi^2$, en revanche, m'est parfaitement connue (c'est $\pi^2/6$), quoique π ne me soit jamais donné avec une exactitude parfaite — sinon sous la forme même de π. Cette difficulté apparaît dans tous les domaines. Identifier l'auteur du tableau Y comme le « maître de X », c'est résoudre le problème de son identité plus ou moins bien selon que le maître de X est depuis longtemps connu, sans qu'on connaisse son nom, ou qu'on ne sait pas grand-chose de lui en dehors du fait qu'il a peint le tableau en question.

Un autre critère souvent employé pour évaluer une solution est la pureté. Une solution est pure si elle ne met en jeu, serait-ce implicitement, aucune notion qui n'entre pas dans la formulation du problème. Hilbert voulait montrer que toute proposition vraie portant sur des objets mathématiques « concrets » (en gros : finis) pouvait être établie par une démonstration « concrète ». (Le second théorème d'incomplétude de Gödel mit fin à cet espoir.) Bachelard demandait qu'on n'expliquât point « la fleur par l'engrais ». Fodor (entre autres) défend l'idée d'une explication des phénomènes psychologiques qui ne fasse appel à aucune notion de neurophysiologie [8]. La question de la pureté est intimement liée à celle de la réduction interthéorique, c'est-à-dire à l'opération de traduction (avec ou sans résidu) du vocabulaire d'une théorie T dans le vocabulaire d'une théorie T', et de transformation des explications propres à T en explications propres à T'. Les difficiles problèmes de la réduction, qui font l'objet de nombreux débats dans l'épistémologie contemporaine, ne peuvent être abordés ici.

De même, on ne fera que mentionner les autres attributs que sont l'optimalité, le caractère canonique ou naturel, la simplicité, l'élégance, qui sont autant de manières pour une solution d'être plus qu'une simple réponse à une question, plus que la satisfaction d'un besoin d'information.

Représentation et formalisation

Entre le moment où une résistance se fait sentir, où l'obstacle se révèle, et celui où le problème se formule, que se passe-t-il ? Un espace de représentation est institué, ou activé, dans lequel viennent s'inscrire les termes du problème. De l'écart entre les objets à agencer et l'agent naît la nécessité d'une inscription de ces objets dans un espace d'abstractions interne à l'agent ; de l'écart entre la situation de fait et la situation souhaitée par l'agent naît la nécessité d'une inscription de cette dernière dans un espace — en un sens — fictif. Et c'est dans cet espace que, entre la formulation du problème et celle de la solution, s'effectuent les opérations de la résolution.

Ces affirmations, dans leur généralité, ne soulèveront guère d'objections pour le cas de domaines parvenus à un haut degré d'abstraction. Même dans ce cas, il est cependant intéressant, et parfois difficile, de dégager les éléments générateurs de la représentation associée à un problème donné — c'est d'ailleurs l'une des tâches majeures de l'histoire des sciences et de l'épistémologie. Reprenons l'exemple du premier problème de Hilbert, consistant à démontrer l'hypothèse du continu : toute partie infinie de l'ensemble **R** des nombres réels peut être mise en bijection ou bien avec **R** ou bien avec l'ensemble **N** des nombres entiers. La représentation associée comprend entre autres les éléments suivants : le concept d'ensemble abstrait, celui de partie abstraite, celui de nombre réel, celui de fonction bijective. L'objet « nombre réel », par exemple, est représenté par une suite de 0 et de 1 scindée par une virgule ; le phénomène d'égalité en quantité de deux ensembles abstraits est représenté par l'existence d'une bijection entre les ensembles. Et, bien entendu, cette représentation du problème de Hilbert est plongée dans l'univers mathématique tel qu'il est constitué à l'aube du XXe siècle : un univers de représentations. De même le problème de la chute des corps fait-il appel à des représentations des corps physiques (par des « points matériels »), du mouvement (par des fonctions suffisamment « lisses » associant à une représentation de l'instant une représentation du lieu dans un espace abstrait), etc. (On ne peut que rester vague tant qu'on n'a pas précisé dans quel horizon — celui d'Aristote, celui de Galilée, celui du baccalauréat de 1987 — on se place.)

Dans les sciences humaines, non seulement les représentations sont omniprésentes, mais leur adéquation est presque constamment au cœur de la discussion. Non seulement on ne fait pas d'économie sans une représentation du marché, de l'agent économique, du producteur, du consommateur, ni d'histoire sans une représentation de la nation, du peuple, de la classe sociale, de l'univers mental ou cognitif des acteurs, du pouvoir, etc. — mais on ne cesse de poser la question de l'*interprétation* de ces notions. Ce qui nous aidera dans un instant à préciser la différence entre sciences exactes et sciences humaines, mais qui nous garantit dans l'immédiat que les représentations, dans ces dernières, ne risquent pas de passer inaperçues ou de demeurer à l'arrière-plan.

Dans des domaines plus concrets, la nécessité d'un passage à la représentation est moins évidente. Le mécanicien qui cherche un boulon en fouillant au hasard dans une boîte qui en contient mille a-t-il procédé à une représentation de son problème ? Il s'agit là sans doute d'un cas limite. Il faut bien pourtant que le mécanicien ait à l'esprit une représentation du boulon dont il a besoin, à la fois pour pouvoir le reconnaître quand il tombera dessus, malgré les écarts « négligeables » qu'il ne manquera pas de présenter par rapport à tel autre boulon qui ferait l'affaire, et pour intégrer la pièce manquante dans une stratégie globale de construction ou de réalisation de plan. Avec le grimpeur en difficulté dont la main cherche le gratton salvateur, avec le fugitif qui cherche une issue, nous sommes sur une frontière : d'un côté il y a encore, peut-être, une représentation de gratton-pour-donner-prise-aux-doigts, de déchirure-dans-le-grillage-pour-accéder-au-dehors, de l'autre il y a le corps qui, dans une anticipation qui n'est peut-être pas de l'ordre de la représentation, attend l'instant où il *re*-connaîtra instantanément le chemin à prendre — comme l'animal qui bondit sur sa proie, comme la proie qui s'élance vers le refuge. C'est que nous sommes aussi à l'extrême limite de ce qui est, selon moi, le domaine propre du problème.

Si le problème entraîne dans son sillage une représentation, toute représentation entraîne une formalisation, du moins en tant qu'elle est objective ou peut le devenir. En effet, d'une part, les symboles qui représentent les éléments du problème (compris au sens le plus large) n'en ont pas les propriétés (le mot « chien » ne mord pas). Les contraintes qui s'exercent sur leur agencement dépendent donc de leur forme. (Si le mot « chien » s'accole au mot « mord », c'est parce qu'il a la forme requise ; naturellement, cette contrainte est telle que l'assemblage « chien »+« mord » représente un état du monde — réel ou fictif, mais les mots eux-mêmes n'en ont cure.) Cependant, d'autre part, pour qu'on puisse parler de lois générales de fonctionnement des symboles, donc de formalisation, il faut que la représentation ait la stabilité et le caractère explicite exigés par l'objectivité du problème. Le contexte dans lequel il s'est posé nous évite, nous empêche de constamment retourner aux objets eux-mêmes pour savoir si nous sommes fondés à postuler telle relation entre tels symboles : si nous le faisions, la représentation perdrait toute efficacité, le problème n'aurait pas été, à proprement parler, posé. C'est évident (certains même diraient aujourd'hui : tautologique) dans le cas des mathématiques : que faire d'ensembles, de parties, de fonctions abstraites si l'on ne se donne pas les règles de leur agencement ? Mais c'est également le cas dans des domaines peu « formalisés » au sens étroit du terme. Que sert-il de poser le problème du rôle de la classe paysanne dans la Révolution chinoise si l'on ne se fonde pas, du moins implicitement et sans doute provisoirement, sur certaines règles déterminant l'usage du concept de rôle historique, de classe sociale, d'événement ?

Il est clair néanmoins que la formalisation est affaire de degré ; elle est d'autant moins achevée que les règles restent implicites, floues, lâches, et que le retour aux objets est plus fréquemment nécessaire. Ces retours font intervenir dans la recherche de la solution une démarche interprétative caractéristique de la phase antérieure qu'est la formulation du problème. Lorsque cette démarche prend le pas sur la recherche d'une solution dans un cadre formel stable, et que l'essentiel de l'activité déclenchée par le problème tend à mériter le nom d'*élucidation* plus que celui de résolution, on s'éloigne à nouveau du problème *stricto sensu*. Mais, même dans le cas de problèmes très théoriques en physique ou en mathématiques, la formalisation n'est pas toujours immédiatement entièrement donnée : plusieurs années auront été nécessaires, par exemple, après le Congrès de Paris de 1900, pour parvenir à une théorie formalisée des ensembles rendant pleinement intelligible la possibilité d'une démonstration ou d'une réfutation de l'hypothèse du continu.

Le degré de problématisation

On a commencé à voir, en particulier à l'instant à propos de représentation et de formalisation, que la question de savoir si une « situation », un « état de choses » (pour rester aussi vague que possible) est un problème n'admet pas pour seules réponses un oui ou un non. Si la subjectivité et la temporalité sont invariablement présentes dans le problème (au sens strict), la condition d'existence d'un contexte déterminé est susceptible de modulation : plus le contexte est contraignant, plus on est proche de la situation problématique typique.

Ainsi conçue, la notion de problème instaure une manière de gradient, de coloration de l'activité, que je désignerai sous le nom de *problématisation*. La problématisation d'une discipline, et, beaucoup plus largement, d'une aire d'activité, est donc affaire de degré, ce qui n'empêche pas que ce degré puisse être, pour certaines d'entre elles, clairement et absolument nul quand, aux situations dans lesquelles s'exercent ces activités, font défaut soit le caractère subjectif soit le caractère temporel.

Il semble clair que seule une activité cognitive peut présenter un degré non nul de problématisation. Car, s'il y a manque, ou obstacle, pour un sujet, *et* si ce manque ou cet obstacle s'inscrit dans un contexte déterminé se prêtant à l'intersubjectivité, alors il y a *représentation* du manque ou de l'obstacle, donc cognition. Cet argument ne prétend pas à la rigueur géométrique, mais permet de marquer la différence entre l'activité problématisée et, par exemple, la satisfaction des besoins ou l'historicité pure (qui ne passent pas par le contexte et l'objectivité), les processus physiques (auxquels manque la dimension subjective), le savoir constitué (atemporel), etc.

Nous verrons plus loin que la réciproque ne va pas de soi : il n'est pas certain que toute activité cognitive soit problématisée. En revanche, toute activité *rationnelle* l'est probablement jusqu'à un certain point. C'est le cas, bien entendu, des disciplines théoriques, mais également de pratiques aussi diverses que la médecine, l'industrie, le génie, l'administration, la politique, le commerce, la guerre ou les arts. Toute activité donnant lieu à l'exercice d'une profession est problématisée *. Mais la problématisation ne requiert pas la professionnalisation (même si elle y amène bien souvent) : les activités familiales et sociales sont également problématisées.

Ce qui distingue cette conception d'une vision essentiellement panproblématique des activités rationnelles, c'est justement qu'elle met en jeu un degré différentiel de problématisation dépendant de l'activité considérée, et suggère une analyse comparée des rapports qui peuvent s'établir entre une composante problématique et des composantes interprétative, pragmatique, sensorielle, corporelle, etc., qui ne s'y ramènent pas principiellement. Les observations qui suivent n'ont d'autre prétention que de suggérer la forme que pourrait prendre, au terme d'une étude qui reste à faire, une typologie des aires d'activité rationnelle.

Les arts et les sciences (au sens le plus large) se caractériseraient par le fait qu'ils impliquent *nécessairement* des réseaux de problèmes : si une connaissance complète de l'arithmétique était sécrétée par le foie, les mathématiques disparaîtraient. Au contraire, s'il suffisait de respirer au bord d'un fleuve pour qu'un pont vienne à l'enjamber, le génie civil continuerait d'exister — qu'il devienne une occupation ennuyeuse, ou du moins ne nécessitant aucune compétence, ne changerait que les salaires et les vocations. Les problèmes que le génie civil doit résoudre n'entrent dans sa définition que de manière contingente **. De même, l'assurance de ne rencontrer désormais aucun problème en élevant nos enfants ne nous dissuaderait pas (tous) d'en faire — du moins faut-il l'espérer pour notre espèce.

* Non bien sûr au sens trivial où chaque profession a ses (méta-)problèmes (ceux dont s'occupent les organisations professionnelles et les syndicats, ou les difficultés individuelles que rencontrent les gens pour l'exercer), mais au sens où l'activité professionnelle consiste en partie à résoudre des problèmes (sans que ceux-ci lui donnent nécessairement son sens).

** Je distingue dans cet exemple limite le génie civil de la science ou de l'art de construire des ouvrages civils (dans le monde tel qu'il est). Je le réduis, pour les besoins de la cause, à sa fonction sociale.

Les sciences se distingueraient des arts en ce que les problèmes y jouent un rôle *directement* moteur. Dans les arts, ils apparaissent comme un frein, même s'ils jouent, comme y insiste notamment Valéry, un rôle canalisateur, et donc moteur, indispensable à la genèse de l'œuvre. Il ne me semble pas juste d'affirmer que l'œuvre a pour seule ni même principale raison d'être de résoudre *un* problème, même si elle n'existe que par l'effort de l'auteur pour surmonter *des* problèmes, et même si cet effort est à son tour l'effet d'une volonté de l'auteur de résoudre un « problème » intérieur, ou un problème d'argent, ou tout autre problème que le critique panproblématiste dénichera immanquablement (résolvant du même coup, sans aucun doute, son propre problème).

Les sciences de la nature se distingueraient des sciences de l'homme par leur degré relativement élevé de formalisation. On y calcule, on y mesure, on y compare des données, on y résout des problèmes en résolvant des sous-problèmes. Dans les sciences de l'homme, on ne cesse de revenir sur l'interprétation des éléments constitutifs de la représentation du problème ; on élucide plus qu'on ne résout, ou encore : l'essentiel du travail consiste à trouver une manière pertinente de représenter les choses, et l'agencement des éléments de la représentation en vue d'une conclusion souhaitée n'est souvent qu'une étape subsidiaire. Certes, on parle sans cesse dans ces sciences de problème : le commerce dans les Balkans au xIVᵉ siècle, la lutte des classes, le sens de l'histoire, l'essor du capitalisme, la culture de la pomme de terre en Europe sont autant de problèmes. « Sujet d'étude » conviendrait pourtant mieux, car, lorsqu'on examine les « solutions » proposées par les différents penseurs, on s'aperçoit que les problèmes effectivement résolus, pour un même sujet d'étude, varient du tout au tout. L'enjeu caché est donc l'approche, l'interprétation des phénomènes fondamentaux. Sans doute certains voudront-ils objecter que ce que montrent ces exemples, c'est seulement que le problème initial était incomplètement formulé. A quoi l'on peut répondre que si cette incomplétude est foncière, il y a bien lieu de distinguer deux types de situations (quels que soient les termes utilisés pour les désigner). En revanche, on doit convenir qu'il y aurait une différence à établir entre les travaux « révolutionnaires », ceux qui instituent une interprétation radicalement nouvelle, et les recherches menées dans le cadre d'un « paradigme » plus ou moins contraignant ; entre les travaux de Weber et ceux des wébériens, entre Marx et les marxistes : là, l'interprétation prime, ici, sans être complètement absente, elle cède en importance et la démarche se rapproche de la pure résolution de problème.

Au sein des sciences de la nature, les disciplines se distinguent selon leur degré, inégalement élevé, de formalisation. Lorsque la formalisation est poussée, on attend des solutions qu'elles révèlent des phénomènes profondément cachés ; elles tendent donc à être longues et complexes, c'est-à-dire à faire intervenir dialectiquement plusieurs niveaux de représentation. Au contraire, lorsque la formalisation est sommaire, les relations mises au jour au cours de la résolution sont nécessairement superficielles ; les solutions sont courtes et éventuellement compliquées, c'est-à-dire obtenues par la combinaison de nombreux éléments se situant à un même niveau de représentation. Les disciplines très formalisées mettent en jeu des réseaux de problèmes immenses et solidement structurés ; dans les autres flottent quantité de petits réseaux friables.

Les mathématiques occupent évidemment dans le paysage des savoirs une position de surplomb. Non seulement elles sont complètement *formalisées*, mais elles sont (ou peuvent être conçues comme) purement *formelles* : elles sont homogènes à leur domaine d'interprétation, ce qui revient à dire qu'elles n'appellent principiellement aucune interprétation. Par suite, *tous* leurs problèmes peuvent être considérés comme endogènes, même si historiquement ils lui sont souvent suggérés par d'autres disciplines ou directement par des phénomènes naturels. A l'inverse, tous les problèmes des autres disciplines, dans la mesure où ils sont complètement formalisés, deviennent des problèmes mathématiques, puisque les mathématiques sont l'unique langage formalisé ou, si l'on préfère, contiennent tous les langages formalisés concevables. Si ce fait n'a pas, il s'en faut, la portée qu'on lui attribue souvent, c'est précisément que les problèmes posés par les sciences naturelles et sociales, à l'exception de certaines branches de la physique, sont incomplètement formalisés ; et que les sous-problèmes pour lesquels la formalisation peut être achevée sont si élémentaires sur le plan mathématique que l'intervention du spécialiste n'est pas nécessaire — le savoir mathématique exigé est disponible sur place, l'importation en est indolore.

Il n'empêche : dès qu'une discipline s'oriente vers la formalisation, elle privilégie ses virtualités logico-mathématiques. Et, dès qu'elle érige le problème et sa résolution en paradigme de son activité, elle s'oriente vers la formalisation. Le degré de problématisation induit une hiérarchie au sein de chaque discipline, et entre les disciplines. En affirmant la valeur prééminente du problème en tant que tel dans toute activité scientifique, on privilégie, parmi les disciplines, celles qui se prêtent le mieux à la formalisation et, dans chacune d'elles, la dimension combinatoire.

Les tenants d'un certain panproblématisme que l'on pourrait qualifier de *méthodologique* pourront néanmoins faire valoir le rôle irremplaçable que joue le problème dans l'*organisation du travail* intellectuel. Non seulement, diront-ils, il semble être un moyen privilégié pour motiver le chercheur, mais il est la figure se prêtant le mieux au débat rationnel, à l'appropriation intersubjective, à la comparaison des diverses approches, quel que soit le domaine considéré, et à quelque niveau que se situe la dimension interprétative. Il faut donc selon eux tout mettre en œuvre pour ramener la conjoncture à une situation de problème. Ce qui peut impliquer de décomposer le sujet initial en fragments suffisamment petits pour qu'on puisse considérer, en première approximation, le contexte comme fixé. Ou encore de se donner d'emblée, au moyen de règles, le contexte global, quitte à le préciser localement à mesure que se dessinent les enjeux. La question est alors de savoir quel rapport subsiste entre la situation initiale et l'ensemble de problèmes auquel on l'a ainsi ramenée. Ne risque-t-on pas même de perdre de vue le caractère hautement interprétatif de la décomposition à laquelle on a procédé, ou des règles qu'on s'est données pour attaquer la question de départ ? C'est ce dont débattent, notamment, les partisans de la philosophie analytique et leurs adversaires *. Mais y a-t-il là la source d'un véritable désaccord ? Ne peut-on admettre que, si l'on tient à une certaine forme d'appropriation rationnelle — forme rigoureuse, exigeante, certains diraient : maximaliste —, on doit reconnaître à la

---

* Je prends « philosophie analytique » en un sens large, qui inclut notamment Popper. Voir François Recanati, « Pour la philosophie analytique », *Critique,* n° 444, mai 1984.

problématisation le statut d'une nécessité méthodologique et accepter les risques qu'elle fait courir ? Ce ne serait pas la première occasion de constater l'inévitable écart entre ce que nous visons et les moyens que nous mettons en œuvre. On ne saurait nier, en tout état de cause, la redoutable efficacité de ce panproblématisme méthodologique : c'est à lui qu'il faut attribuer l'extraordinaire — et accablante — explosion quantitative de la recherche contemporaine.

Programmes panproblématiques

Le problème comme phénomène cognitif premier : le programme de l'intelligence artificielle

Au cœur de l'intelligence est la capacité de résoudre des problèmes. Autour de cette idée déjà classique à l'époque s'édifie dans les années cinquante un programme d'analyse et de simulation sur ordinateur de l'intelligence humaine, qui donnera bientôt naissance à l'intelligence artificielle et à la psychologie cognitive [9].

Ce programme a sa cohérence. Du côté des phénomènes, il semble s'en tenir au sens propre du mot « problème ». Du côté de la théorie et de la technique, il se place très exactement au bon point de vue, puisque l'ordinateur est (en un sens) par excellence la machine à résoudre des problèmes, et que ce point de vue est pour l'intelligence artificielle le seul possible : la cognition sans *problem-solving* est pour elle ce que le crime sans mobile est pour Hercule Poirot. Mais chercher la cognition sous le lampadaire du problème n'est pas sans poser de graves difficultés, dont l'intelligence artificielle commence à mesurer l'étendue.

Un premier obstacle surgit dès l'instant où il faut choisir ce qu'en intelligence artificielle on appelle une « représentation interne » adaptée au problème. Une fois le problème formulé de manière intelligible et complète pour l'homme ou pour l'ordinateur, il reste à organiser les données au sein d'une représentation opératoire rendant possible la recherche systématique d'une solution. Cette représentation n'est en général pas imposée par le problème tel qu'il est formulé, ni par le contexte dans lequel il prend son sens. Or la manière dont l'homme constitue une telle représentation demeure largement mystérieuse, en dépit de nombreuses recherches menées sur ce sujet depuis une trentaine d'années. Quant à l'ordinateur, il reste évidemment tributaire du programmeur, à moins que celui-ci ne parvienne à obtenir que l'ordinateur lui-même résolve le problème de définir la bonne représentation pour le problème de départ. La question de la représentation interne est alors considérée comme un méta-problème.

Le passage au méta-niveau n'est pas ici nécessairement fatal : le spectre de la régression infinie peut être conjuré. Car le méta-problème pourrait, malgré les apparences, être fondamentalement plus simple que le problème lui-même, en ce sens par exemple qu'il serait essentiellement le même quel que soit le problème initial, ou encore qu'il n'admettrait qu'un petit nombre de solutions entre lesquelles il suffirait d'opérer un choix selon la nature du problème. Malheureusement pour l'intelligence artificielle, rien ne semble indiquer pour l'instant qu'elle puisse surmonter la difficulté de cette manière, sinon dans des cas très particuliers, ce qui laisse le problème entier. Les choses se présentent différemment pour les courants néocybernétiques que sont le connexionnisme et l'autopoïèse [10]. Le connexionnisme esquisse une solution au problème des représentations internes, mais dans un contexte qui n'est justement pas celui de la résolution de problèmes. Il se place plutôt dans celui de la reconnaissance des formes et de la recherche d'équilibre sous contraintes. Il n'est cependant pas évident qu'il n'y ait pas moyen de subsumer en dernière analyse ces différents phénomènes sous une catégorie unique — c'est pourquoi le débat reste largement ouvert. Quant à l'autopoïèse, elle prétend s'affranchir purement et simplement de la notion de représentation, et tente de donner corps à une conception « herméneutique » de la cognition : nous sommes — apparemment — aux antipodes du programme et des thèses de l'intelligence artificielle.

La deuxième grande difficulté de ce programme, du moins s'il a l'ambition de jeter une lumière sur la cognition humaine, est de donner des raisons plausibles au monopole qu'il accorde à la résolution de problèmes. Car deux métaphores croisées ne valent pas un argument.

Or, d'une part, il n'est pas littéralement exact que l'ordinateur résolve des problèmes, pas plus que les planètes ne résolvent des équations différentielles : la subjectivité fait défaut. Et, d'autre part, de ce que, métaphoriquement parlant, les ordinateurs ne font que résoudre des problèmes et à supposer que, non moins métaphoriquement, l'esprit humain fonctionne comme un ordinateur, il ne s'ensuit pas que l'esprit ne fasse *littéralement* que résoudre des problèmes, même s'il lui arrive en effet de se livrer, au sens propre, à cette activité.

Si l'essence de la cognition humaine est la résolution de problèmes, tous les phénomènes cognitifs, si éloignés de ce modèle qu'ils puissent paraître, doivent s'y ramener pour l'essentiel — ainsi en sera-t-il de la perception, de la mémoire, de l'apprentissage et de la *formulation* de problèmes. Prenons cette dernière fonction, qui est cruciale. On entend souvent affirmer que « le vrai problème est de poser le problème » ; l'intelligence artificielle en a fait l'amère expérience lorsqu'elle a cherché à généraliser ses programmes en sorte qu'ils puissent faire face à un ensemble ouvert de situations ne dérivant pas d'un même patron. Or, elle n'a d'autre choix que d'affirmer que le *problem-setting* est une forme de *problem-solving*, le problème à résoudre étant le « méta-problème » de poser le problème. Or, si l'on ne peut exclure la possibilité que *certains* de ces prétendus « méta-problèmes » soient effectivement des problèmes (au sens strict), l'erreur capitale est peut-être de supposer que formuler un problème revient *toujours* à résoudre un méta-problème. S'il est — répétons-le — inoffensif en soi de parler de « problème » pour désigner ce que surmonte l'acte proprement créateur par lequel un problème advient, il ne l'est pas d'attribuer à la situation en question toutes les caractéristiques du problème. Il lui manque en effet la prédétermination d'un contexte — un jeu dont les règles changent en cours de partie n'est pas un jeu (sauf si les changements obéissent eux-mêmes à des règles, ce qui correspond au cas où le « méta-problème » est un problème véritable). Le glissement verbal masque un glissement conceptuel. Quand Bergson écrit : « La vérité est qu'il s'agit, en philosophie et même ailleurs, de trouver le problème et par conséquent de le poser [11] », il faut entendre le « il s'agit de » au sens plein : c'est « la chose prochaine », ce vers quoi je tends sans délai, sans distance, sans objectivité, et sans répétition à l'identique. « Il s'agit de... » — et non : « mon problème est de... ». Le reproche de glissement conceptuel laisse naturellement de glace les spécialistes d'intelligence artificielle : il s'agit pour eux de surmonter leurs difficultés. Pour nous, témoins de ces difficultés, nous ne pouvons que nous interroger sur une forme de panproblématisme qui consiste à réduire tout ce qu'il s'agit d'accomplir sur le plan cognitif à des séries de problèmes s'ordonnant selon une double hiérarchie (méta-problème / problème et problème / sous-problème).

Voyons vers quelles autres difficultés nous entraîne cette position. Il y a d'abord la tentation de postuler un espace homogène de problèmes, un « englobant » abritant une manière d'« espèce naturelle » dont chaque problème particulier, qu'il soit rencontré par l'homme, l'animal ou la machine, dans quelque tâche que ce soit, serait un représentant. C'est ainsi que, dans un manuel d'intelligence artificielle [12], sous l'intitulé : « Qu'est-ce qu'un problème ? », on trouve énumérés le problème du représentant de commerce *, la question de savoir si je dois mettre une cravate aujourd'hui pour aller au bureau, le problème de l'opportunité d'une intervention militaire des États-Unis au Moyen-Orient pour protéger Israël ; et l'on voit affirmer une continuité et une homogénéité telles qu'un progrès dans le traitement des deux premiers (par exemple) nous rapprocherait d'une solution informatique au dernier.

Une autre tentation est de postuler que toute activité cognitive a une utilité, une fonction qui ne peut être que de contribuer à améliorer les capacités de résolution des problèmes. Un exemple un peu caricatural en est fourni par deux spécialistes d'intelligence artificielle qui ont récemment entrepris d'étudier le rêve éveillé (*daydreaming*) et n'ont pas manqué de lui découvrir quantité de fonctions : il favoriserait l'exploration de possibilités *a priori* peu plausibles dans la recherche d'une solution ; il faciliterait l'élaboration de stratégies et l'évaluation de scénarios ; il enrichirait notre palette d'analogies, etc. [13].

De manière générale, les grandes fonctions cognitives reconnues par la psychologie expérimentale doivent, dans la perspective de l'intelligence artificielle, être comprises comme autant de formes de résolution

---

* On cherche une méthode *optimale* pour déterminer l'itinéraire le plus économique qu'un représentant de commerce ayant un ensemble donné de villes à visiter doit emprunter. On ne connaît à l'heure actuelle aucune autre solution exacte générale que celle qui consiste à comparer tous les itinéraires possibles.

de problèmes. Situer un objet dans son champ de vision, par exemple, consiste à résoudre un problème (hautement complexe) ; reconnaître la voix maternelle également, de même qu'y déceler de l'inquiétude, adopter le ton rassurant qui convient en la circonstance, etc. Quant à l'apprentissage, qu'il s'agisse du langage (Chomsky) ou des concepts (Fodor) [14], il doit lui aussi être compris comme la résolution de problèmes d'identification — de la grammaire de la langue ou des conditions d'application d'un concept ; l'audace de ces thèses, on le sait, est qu'elles concernent le jeune enfant (qui procède en général sans délibération ni conscience du processus).

Dans aucun de ces cas, les problèmes dont il est question ne présentent le caractère subjectif (et notamment conscient) et la temporalité propres au problème *stricto sensu*. Ce qui est — clarification faite — sans gravité, mais prend un certain relief à la lumière de ce qu'on peut considérer comme l'échec partiel, peut-être provisoire, des entreprises les plus ambitieuses de l'intelligence artificielle et de la psychologie cognitive [15].

La dernière difficulté que l'on évoquera est celle de la régression infinie dont semble menacée, dans une perspective panproblématiste, la cognition humaine. Tout problème ne recevant son sens que de la solution d'un problème antérieur (le méta-problème), qui lui-même présuppose un autre problème, comment expliquer, sur le plan logique comme sur le plan génétique, qu'en fin de compte des problèmes soient effectivement posés et résolus, et de manière générale que notre esprit remplisse les fonctions cognitives qu'on lui connaît ? La réponse est évidemment que le corps en tant que source de sensations, que l'organisme en tant que support et perpétuateur de vie, que l'environnement naturel et social enfin fournissent, initialement et continuellement, le cadre, les conditions aux limites dans lesquelles l'activité « problématique » peut se déployer. Mais, s'il faut faire appel, par conséquent, à l'autre aspect du problème pour expliquer le rôle du problème dans la cognition, le doute est jeté sur l'importance de ce rôle : peut-être les rôles du corps, de l'organisme, de l'environnement ne s'arrêtent-ils pas à la périphérie de notre organe cognitif, mais pénètrent plus avant, se mêlant même, qui sait, aux opérations de résolution proprement dites ?

Il est vrai que, dans bien des cas, il semble que nous puissions décomposer nos activités cognitives en éléments simples, faisant ainsi apparaître ces activités comme solution au problème de combiner ces éléments en vue d'une fin. C'est le cas de certaines des aptitudes que nous n'avons pas apprises, du moins consciemment et délibérément (notre langue maternelle, notre manière de saluer un ami, de nous orienter sur une carte, etc.), mais de manière plus évidente encore de celles qui nous ont été inculquées, étape par étape (l'orthographe, l'art de jouer d'un instrument ou de conduire une voiture, le calcul différentiel, les convenances...). Mais, comme y insistent Hubert et Stuart Dreyfus, rien ne prouve que, une fois maîtrisée l'aptitude en question, elle mette en jeu les mécanismes élémentaires dont la pratique répétée nous a conduits à la maîtrise [16]. Nous n'appliquons pas des règles, comme le remarque Pierre Livet [17], nous reconnaissons après coup que notre action s'y est conformée. A la suite de Heidegger, H. Dreyfus [18] distingue deux modes de comportement, correspondant respectivement à la disponibilité immédiate des choses et à la panne. La panne seule crée l'opacité qui nous contraint à l'analyse et à la synthèse ; dans l'autre mode, nous faisons, nous agissons dans la transparence.

Au terme de cette discussion, qui ne saurait être concluante (il n'existe à ma connaissance aucun argument rationnel décisif contre le programme panproblématiste de l'intelligence artificielle et de la psychologie cognitive), une question reste posée : une autre approche des phénomènes cognitifs est-elle concevable ? Une réponse positive semble s'esquisser : les réseaux « neuronoïdes » construits par le connexionnisme peuvent être décrits comme des mécanismes qui reconnaissent, mémorisent, apprennent, agissent — et tout cela précisément, du moins en apparence, sans résoudre des problèmes.

Le problème comme phénomène épistémique premier : l'épistémologie sans sujet de Popper

Selon Popper, les êtres vivants, d'Einstein au coquelicot, sont des *problem-solvers* [19]. Le principal avantage du premier sur le second est qu'il peut faire endosser à ses théories la responsabilité de ses erreurs, et les envoyer périr à sa place. Mais tout organisme, comme tout homme rationnel à la poursuite de la vérité, suit des cycles de la forme :

$$P \longrightarrow TC \longrightarrow EE \longrightarrow P'$$

où P désigne un problème initial (plongé dans un contexte), TC une théorie conjecturale (*tentative theory*) proposée dans l'espoir de résoudre P, EE une phase d'élimination des erreurs, P' un nouveau problème (ou contexte problématique) issu du processus.

Pour que le même schéma puisse s'appliquer aux hommes et aux plantes, pour qu'il décrive aussi bien le processus par lequel notre savoir s'accroît que celui par lequel la vie se perpétue en se modifiant, il faut que le problème, par lequel commence et finit tout cycle, soit affranchi de la subjectivité. C'est bien ce que fait Popper, qui veut fonder une épistémologie objectiviste, indépendante de tout sujet connaissant (*without a knowing subject*), sur l'existence d'un « monde-3 » peuplé des produits objectivés de l'activité cognitive : théories, problèmes, conjectures, doctrines et options philosophiques, interprétations, etc. Il s'agit pour lui, non de nier l'évidence — à savoir que les êtres du monde-3 doivent leur existence au travail des sujets —, mais d'affirmer qu'il est possible, et fructueux, d'étudier ces produits indépendamment de l'histoire de leur production ; beaucoup plus que d'étudier cette production même dans l'espoir d'en tirer des enseignements sur les produits. Naturellement, le monde-3 n'est pas accessible au coquelicot, faute d'un langage à fonction descriptive et argumentative, pas davantage que le monde-2, celui de l'expérience subjective, des processus mentaux. C'est qu'il n'y a pas dans son cas de distinction à opérer entre une sphère de la subjectivité et une sphère de l'objectivité qui ne se confonde pas elle-même par ailleurs avec le monde-1 des objets et processus physiques : tout ce qui concerne le coquelicot s'inscrit dans le monde-1. Pour l'épistémologie antisubjectiviste de Popper, c'est dans le cas de l'homme que la distinction entre monde-2 et monde-3 est décisive.

Ce recours au monde-3, lequel n'est pas sans rappeler le monde platonicien des idées, mais que Popper préfère rapprocher des « contenus de pensée » de Frege, le conduit donc — puisqu'à ses yeux toute théorie est, et demeure, conjecturale — à la notion de problème objectif. L'homme s'emploie à résoudre des problèmes : il exerce sa force intellectuelle sur les entités du monde-3, comme sa force physique sur celles du monde-1. « L'activité de compréhension est, pour l'essentiel, la même que celle de toute résolution de problème [20]. » Nous avons affaire à un panproblématisme radical, qui n'est pas sans soulever, me semble-t-il, plusieurs difficultés *.

On sait que Popper s'est très tôt intéressé — notamment à propos de la psychanalyse — à la stratégie « immunisante » (ce qu'il a d'abord appelé le « stratagème conventionnaliste ») qui permet à l'auteur d'une théorie de la protéger contre toute réfutation *concevable*. Or comment se propose-t-il de mettre en œuvre, dans des cas concrets, la notion de problème objectif ? Voici sa réponse : étant donné un problème, P, ou plus précisément un problème pris dans un contexte (ensemble d'éléments du monde-3 ayant rapport à P) — ce qu'il appelle une *problem situation* —, nous conjecturons telle ou telle explication concernant le cycle P $\longrightarrow$ TC $\longrightarrow$ EE $\longrightarrow$ P', ou bien P'' $\longrightarrow$ TC $\longrightarrow$ EE $\longrightarrow$ P dont il est, ou aurait pu être, l'origine ou l'aboutissement. Il s'agit d'explications au sens fort du terme, couvrant les situations hypothétiques ou « contrefactuelles ». Pour reprendre un exemple cité par Popper, Heyting estimait possible que si les fonctions récursives avaient été inventées plus tôt, Brouwer n'eût pas conçu la notion de suite de choix [21]. On nous demande de nous imaginer Brouwer, placé dans un contexte objectivement défini, puis dans tel autre, s'emparant d'un problème également objectif et se livrant ou non à telle ou telle opération créatrice. C'est ce que Popper appelle l'« analyse situationnelle ». Or, autant on peut admettre le recours, sur le mode conjectural, à un « contexte épistémologique », autant la notion de problème objectif ouvre la porte à l'immunisation : car il suffira d'élargir opportunément le contexte pour que tel problème, dont l'existence objective dans le contexte en question a été contestée, se voie justifié. Cette manœuvre est précisément interdite à l'épistémologue subjectiviste, ou du moins à celui qui maintient le caractère subjectif du problème, car il devra légitimer sur le plan subjectif, celui des processus mentaux effectifs, l'appel conjectural à tel ou tel problème.

---

* Au risque de faillir à l'idéal méthodologique qui sous-tend l'épistémologie objectiviste de Popper, on doit observer que le panproblématisme est un développement tardif de la pensée du philosophe (fin des années soixante).

Cet inconvénient méthodologique est lié à ce qui me paraît être une difficulté de fond. Il semble qu'il n'y ait pas place, dans le monde des situations problématiques au sens de Popper, pour les problèmes *implicites*. Tout problème qui, dans un contexte donné, *se* pose *est* par là même posé, puisque, objectivement, tout ce qui figure sur la « carte » épistémique, ce sont les obstacles, non les itinéraires des chercheurs. Pourtant, la formulation explicite du problème paraît intuitivement modifier la situation problématique. La preuve en est que, une fois posé, ledit problème appelle une solution (conjecturale), alors que, tant qu'il ne l'est pas, il peut être contourné : dans une autre conjoncture, issue de la première par l'effort pour résoudre un autre problème, le problème implicite en question peut se trouver trivialement résolu. Ainsi, le passage de l'état implicite à l'état explicite semble à la fois important et invisible sur le plan objectif.

Popper rétorquerait peut-être que rien ne l'oblige à admettre que le problème implicite fait partie de la situation problématique. Mais alors, qu'est donc celle-ci, sinon une copie conforme de la situation problématique *subjective* caractérisant l'état des connaissances d'un chercheur ou d'un groupe de chercheurs déterminé à un moment donné ?

Une autre réplique possible consiste à se restreindre à une catégorie de problèmes majeurs, moteurs, incontournables. Mais est-on certain de pouvoir dans ce cadre définir sans circularité la notion de problème moteur ou incontournable ? Quoi qu'il en soit, à aucun moment Popper ne suggère qu'il s'en tient à une situation particulière ou limite : celle des grands problèmes dont s'emparent les grands esprits dans les moments décisifs d'une histoire des sciences idéalisée. Au contraire : *tout* processus de compréhension doit selon lui être compris comme la résolution d'un problème (objectif). Or il semble intuitivement évident que ce qui s'applique peut-être à un certain niveau (celui où se placerait la « super-élite » dont parle P.B. Medawar) de l'histoire du développement des sciences exactes ne s'étend pas à l'exercice plus humble du métier de scientifique, ni par ailleurs aux sciences de l'homme (quoique Popper prévienne avec vigueur cette objection), ni bien moins encore à la totalité des actes de compréhension. En vérité, tout au long de notre vie mentale, et jusque dans notre pratique scientifique la plus consciencieuse, nous flânons, suivons nos habitudes, nous laissons bousculer, surprendre, aveugler, effrayer et interrompre, changeons sans raison déterminante de cap et d'intérêt, et donc de perspective ; ce n'est que rarement que nous sommes occupés (acculés ?) à résoudre des problèmes au sens fort où l'entend Popper. Bref, il donne la partie pour le tout, en un geste qui rappelle celui de Herbert Simon jetant à la même époque les bases de l'intelligence artificielle.

Ce que Popper concède, dans un premier temps, c'est que « certaines expériences ou attitudes subjectives jouent effectivement un rôle dans le processus de compréhension. Je [Popper] pense à un phénomène tel que l'accent mis sur tel problème ou telle théorie, alors que ce n'est pas exactement le problème ou la théorie en cours d'examen ; ou au contraire à la mise à l'écart d'une théorie non parce qu'elle est fausse, mais parce qu'elle n'a rien à voir avec la question », etc. [22]. Popper ici laisse parler sa riche et longue expérience des problématiques, qu'elles soient philosophiques ou scientifiques. Mais c'est pour renverser la situation en un étonnant tour de passe-passe. *Primo* : « On communique [*convey*] une proposition d'abandon d'une théorie ou d'un problème (...) par des moyens expressifs ou émotifs. » (Mais qui donc parlait de *communication* ? Ne s'agissait-il pas de savoir comment nous nous trouvions *poussés* à un choix, à un abandon ?) *Secundo* : « On voit facilement que, du point de vue de la manipulation d'objets du monde-3, ces moyens [expressifs] opèrent comme une sorte de sténographie ; ils pourraient en principe être remplacés par une *analyse plus détaillée* de la *situation problématique objective*. » Il semble donc aller de soi, pour Popper, que la contribution du contexte, que tout ce que recouvre la notion de pertinence est objectivable, donc déterminé de manière unique. Il est frappant de voir le philosophe du *open universe* (titre d'un de ses ouvrages) — qui si souvent fait fond sur l'imprévisibilité du développement du savoir, tributaire d'une série d'actes créateurs, pour réfuter le déterminisme — défendre ici, sur le terrain le moins propice, ce même déterminisme. Et il ne gagnerait rien *en la circonstance* à rappeler qu'il s'agit pour lui précisément de faire abstraction des motivations, intentions, craintes et espoirs des savants ou des penseurs : car ce qui reste, l'abstraction faite, est vide d'explication. Ce qui se cristallise dans le problème n'est rien de moins que l'intentionnalité du chercheur. Comment espérer en faire abstraction, ou la rabattre sur une analyse plus détaillée du contexte objectif ?

Le problème comme phénomène biologique premier :
le programme adaptationniste

L'adaptation n'est pas au cœur de la théorie darwinienne : elle n'intervient, comme l'a souligné Richard Lewontin [23], que lorsque Darwin, puis les adaptationnistes néodarwiniens, veulent rendre compte du phénomène de survie et de reproduction différentielles d'une variété à l'autre d'une même espèce. L'explication, à grands traits, est la suivante : placé dans un milieu soumis à des contraintes, les individus se disputent les ressources disponibles qui sont généralement en quantité insuffisante en raison d'une tendance des espèces à se reproduire en excès. Seront avantagés ceux qui, pour telle et telle raison, sont en mesure de s'approprier une part plus importante de ressources, ou d'en faire un meilleur usage (grâce à un meilleur rendement métabolique), ou encore d'utiliser des ressources inassimilables par d'autres ; et ces individus et leurs descendants survivront et se reproduiront mieux que les autres. Or, comme les enfants tendent à ressembler à leurs parents, les individus avantagés tendront à engendrer (éventuellement avec une facilité accrue) des descendants également avantagés.

Certaines variétés sont donc mieux « adaptées » que d'autres à un environnement donné. A l'échelle évolutionnaire, on est tenté de décrire le processus comme celui par lequel une espèce résout certains problèmes : elle propose plusieurs solutions, dont certaines sont retenues, du moins pour un temps, et d'autres plus ou moins rapidement rejetées. Mais la question est alors de savoir comment identifier ces « problèmes » indépendamment de leurs « solutions » incarnées ; car la circularité menace : les problèmes risquent de se voir définis comme ce à quoi les solutions ont permis à l'espèce de faire face.

Le danger est encore plus grand quand on passe de l'adaptation relative à l'adaptation absolue d'une espèce. Cette notion présuppose à la fois une « niche écologique », que l'espèce « cherche » à atteindre — ou dans laquelle elle « tente » de se maintenir — (sans quoi il n'y aurait rien à expliquer, et pas d'évolution) et des « problèmes » que l'espèce doit « résoudre » pour y parvenir. Or comment définir une niche écologique d'une espèce sinon comme l'environnement dans lequel cette espèce, qu'elle soit aujourd'hui éteinte ou non, prospère ? Et comment définir les problèmes qu'elle a dû résoudre sinon comme l'ensemble des fonctions, manifestes ou cachées, que remplissent ses organes ? Beaucoup d'évolutionnistes ont franchi le pas (pas toujours, semble-t-il, en connaissance de cause) et ont défini leur tâche comme étant d'expliquer, en quelque sorte, les « solutions » par les « problèmes » reconstruits à partir des solutions. Les plaques dorsales du stégosaure (exemple pris par Lewontin) sont présentées comme des organes de défense (ils s'interposent entre l'animal et son prédateur), ou d'intimidation (ils augmentent sa taille apparente), ou encore de parade sexuelle, ou enfin de thermorégulation : ils résolvent *donc* un problème de protection, ou un problème de reproduction, ou un problème physiologique. Plus récemment, la sociobiologie a cru pouvoir expliquer de manière analogue chez l'homme des traits tels que le conformisme.

Certains adaptationnistes vont jusqu'à postuler que *tout* trait est adaptatif : la temporalité du problème se trouve là proprement inversée, la solution étant donnée et le problème postulé et recherché comme solution de la solution. D'autres, devant le caractère apparemment non adaptatif, voire antiadaptatif, de certains traits, se rendent à l'évidence et créent une nouvelle étiquette : les traits rebelles sont réputés « non darwiniens ». Dans un cas comme dans l'autre, l'immunisation de la théorie contre l'expérience est parfaite, et l'on a affaire à ce que Lewontin appelle une caricature de l'idée évolutionnaire.

La seule façon de donner un sens à cette idée est donc de définir un cadre dans lequel « problèmes » et « solutions » sont caractérisés de manière indépendante. Le problème, dont la formulation exige de l'expérience, du jugement et du soin, retrouve alors sa propriété d'antériorité, et une analyse des contraintes peut dans certains cas étayer l'hypothèse que tel trait ou ensemble de traits, décrit sous l'angle approprié, constitue une solution, ou (s'il y a concurrence) une meilleure solution, au problème préalablement défini. Les difficultés méthodologiques et épistémologiques ne sont pas pour autant complètement éliminées [24], mais les intuitions, aujourd'hui incontournables pour presque tous les biologistes, de la théorie néodarwinienne sont préservées du naufrage dans la tautologie.

Ce qui ne mérite pas, semble-t-il, d'être sauvé, c'est l'idée que la Nature, ou les espèces, sont des *problem-solvers*. La notion de problème qui y est engagée se voit dépouillée de deux de ses traits fondamentaux, la temporalité et (bien entendu) la subjectivité. Priver le problème de sa subjectivité produit ici la même confusion que dans la théorie poppérienne de la connaissance objective — Popper s'appuie d'ailleurs fortement sur le parallèle, esquissant ainsi le projet d'une épistémologie évolutionnaire qui est en passe de devenir la spécialité d'un petit groupe de chercheurs de diverses disciplines [25]. Quant au critère de temporalité, dont la violation fait basculer toute la théorie dans le néant explicatif, il oblige à restreindre fortement l'extension du concept. Si donc la Nature fait parfois, voire souvent, autre chose que résoudre des problèmes, la métaphore perd sa dernière vertu. Il devient urgent d'y renoncer.

Le problème au centre de la vie pratique

La vie des gens, celle des sociétés, est-elle de plus en plus envahie de problèmes, ou sommes-nous plus lucides, ou bien encore s'agit-il d'un simple effet de langage ? Il n'est question que de problèmes, ou d'absence de problèmes (« où est le problème » ?, « il n'y a pas de problème », « ce n'est pas le/mon problème », etc.).

Le foyer de l'épidémie se situe du côté des sciences et des techniques, et toute description à prétention scientifique d'un aspect de la réalité humaine, de la psychanalyse à la recherche opérationnelle, est un vecteur potentiel. On ne peut pas non plus s'empêcher d'observer le rôle joué par l'anglais : le recours immodéré aux locutions où figure le mot « problème », nous l'avons pris, au cours des trente dernières années, chez nos amis d'outre-Atlantique. « C'est/ce n'est pas *mon* problème » est un emprunt tout récent, une traduction littérale d'une expression familière de l'anglais américain. On peut être tenté d'interpréter ce phénomène linguistique comme un symptôme d'une épidémie culturelle, marquée par un positivisme et un pragmatisme caractéristiques.

Ce panproblématisme pratique revêt deux formes. La première est liée à la technique et à une métaphore mécanique : une *difficulté* qui vient interrompre le cours normal des événements est assimilée à une *panne*. Pour agir rationnellement, donc efficacement, dans cette circonstance, il convient d'analyser les causes de la défaillance et d'y remédier, c'est-à-dire de remettre la machine en état de marche. Il s'agit donc d'annuler un écart par rapport à un état antérieur postulé comme normal.

La seconde forme de ce panproblématisme est liée à la science et à une métaphore géométrique. Dans une situation nouvelle, l'incertitude où nous sommes quant à ce qu'il convient de faire ou d'instituer est assimilée à la recherche d'une solution optimale sous contraintes, c'est-à-dire à la détermination d'une géodésique, d'un plus court chemin sur une surface donnée. La situation est donc vue comme entièrement déterminée, même si elle est nouvelle du fait que certains de ses éléments entrent dans des combinaisons nouvelles (une frontière est abolie ; une rencontre résulte en l'ouverture d'un canal de communication ; une invention rend possible un type d'opération qui ne l'était pas ; une tendance qui s'est confirmée modifie qualitativement l'équilibre antérieur, etc.). La solution est nouvelle également, mais préexiste en un sens à sa découverte, car le critère (l'optimalité) par lequel elle se distingue des autres arrangements possibles est connu d'avance. La recherche opérationnelle fournit le paradigme de cette situation, et sur ce paradigme se fonde une conception « technocratique » de la décision politique.

Contre ce genre de conception militent toute une série d'arguments qu'on ne fera ici qu'évoquer. Ces arguments sont de deux types. On peut d'une part soutenir que, dans la vie privée comme dans la vie publique, on ne fait pas que chercher des solutions ou formuler des problèmes. On peut faire valoir en outre que même les activités qui semblent susceptibles d'une description en termes de problèmes et de solutions s'en écartent en fait souvent d'une manière notable. D'un côté, on parlera par exemple du corps, des sens, de l'acquisition et de la pratique d'aptitudes, du jeu, de la contemplation, des arts, de la religion, des rites, de la tradition, de l'angoisse, des sentiments, de la quête du sens, de l'affirmation de soi, de la volonté de puissance, de la soumission, etc. Et l'on dira d'un autre côté que, ce qui scande l'existence des individus comme des collectivités, ce sont les malaises, les crises, les conflits, les accidents

155

(heureux ou malheureux), lesquels appellent création de sens et réinterprétation.

Mais il faudra préciser en quoi ces processus se distinguent de ceux de la formulation de problèmes et de la recherche de solutions, du moins dans certains cas. C'est le lieu d'invoquer la notion de contexte, ou celle de pertinence : l'espace du problème impose une pertinence qui demeure préservée au cours du processus. C'est elle qui fait communiquer le problème et la solution, c'est elle qui rend possible, on l'a vu, la survie du problème après sa résolution, sa répétabilité. Or, la recherche d'une (nouvelle) pertinence, son surgissement tantôt inattendu, tantôt attendu mais par des voies obliques, voilà ce qui caractérise bien souvent notre cheminement. J'accomplis les gestes de la foi, la foi me vient de surcroît, créant une situation dans laquelle mon état antérieur m'est inintelligible — où l'idée même d'un geste qui, dans son immédiateté, n'exprime pas ma foi m'est devenue impénétrable. Je tombe amoureux : je n'ai pas, contrairement aux apparences (et à supposer que je sois payé de retour), résolu le problème de la solitude. Car le seul problème que je pouvais me poser, dans la solitude, était de trouver une raison de distinguer un être dans la foule. Mais c'est sans raison qu'on aime : aucun progrès n'est accompli, une ère a seulement aboli la précédente, dessinant la figure d'une historicité pure. Je cherche à me situer dans l'espace social ; et je m'aperçois que cette quête de repères, menée par tous, joue collectivement le rôle des repères que chacun recherche [26]. Et ainsi de suite.

Enfin, même en présence d'un problème caractérisé, notre attitude n'est que rarement la délibération rationnelle, la recherche systématique d'agencements possibles et leur critique. Et ce n'est pas là l'effet de notre imperfection, de nos faiblesses. Il semble que, le plus souvent, nous résolvions nos problèmes authentiques dans un geste subit de *reconnaissance* de la solution. Habitude, expérience ? Sans doute, mais qu'est cela ? Le mystère reste entier. Nous semblons capables de repérer des analogies entre une situation nouvelle et une situation connue, et non seulement d'en déduire, par homologie, une solution, mais d'en tirer la certitude que la solution convient (alors que l'analogie ne vaut que dans certaines limites, que nous *sentons* sans être en général en mesure de les *formuler*). Comment procédons-nous ? On ne sait — c'est bien pourquoi il est prématuré de vouloir trancher. Selon l'intuition de chacun, la charge de la preuve semblera revenir au panproblématiste ou au contraire à celui qui entend exclure du champ du problème une aire essentielle. Mais, pour le moment, ni l'un ni l'autre n'est en mesure d'apporter une telle preuve.

La chose est d'autant plus difficile que, comme toute doctrine conséquente, le panproblématisme — en particulier sous sa forme pratique — est à la fois partiellement mystificateur et partiellement autoréalisateur. Il possède, s'il est faux, le pouvoir d'induire en erreur, mais aussi celui de faire advenir une réalité dans laquelle il devient vrai, ou moins erroné. En refusant de croire à l'existence de l'autre du problème, on l'exclut de son interprétation de sa propre existence et par là de cette existence même.

Or, vivre dans un monde où il n'est rien que problèmes ou solutions, n'est-ce pas vivre dans le souci, dans l'enquête et le calcul, dans le soupçon ? N'est-on pas constamment confronté aux problèmes, qu'il s'agit de résoudre, et aux solutions, qu'il faut vérifier, soupeser, dont l'origine et le coût sont à évaluer ? Ne se place-t-on pas sous la coupe du problème, seul capable désormais de nous faire agir, de nous mettre en branle ? On reconnaît là des symptômes familiers : nous sommes tous exposés au panproblématisme ambiant.

Le refuser, ce n'est pas dénier toute vertu à l'attitude « problématique » ou « problématisante » : sur le plan pratique comme sur le plan théorique, il y a place pour un panproblématisme méthodologique. Il nous amène à mettre en question ce à quoi nous avions, par étourderie, paresse, lâcheté ou bêtise, acquiescé. Il est empêchement de penser en rond, il grippe la machine bien huilée des problématiques traditionnelles, à la productivité devenue automatique. Il porte l'étendard de la raison critique, inquiète, nomade. Il conteste l'esprit de soumission, l'écrasement devant la fatalité. Il nous aide à ériger des barrières entre nous et nous-mêmes, entre nous et le drame universel, entre nous et notre détresse, à l'abri desquelles nous (re)prenons nos esprits, nous (re)trouvons notre courage. Il rend possible le détachement : de notre poste d'observateur, nous concevons et jaugeons les moyens qui nous permettront d'éviter le désastre — peut-être.

Si bien que le panproblématisme a lui-même une vertu : celle, pédagogique, de nous inciter à pousser aussi loin que nos moyens, et l'obligation de vérité, nous y autorisent la mise en problème(s) de notre mal-être, la recherche de solutions. Quitte à nous incliner devant notre impuissance. Et quitte à aller parfois jusqu'à admettre notre bien-être.

NOTES

1. Voir par exemple la préface de 1956 à *Realism and the Aim of Science*, Londres, Hutchinson, 1983 ; trad. fr. à paraître chez Hermann.

2. Voir I. Lakatos, *The Methodology of Scientific Research Programmes*, Cambridge University Press, 1978.

3. Voir T. S. Kuhn, *The Structure of Scientific Revolutions*, The University of Chicago Press, 2e éd., 1970 ; trad. fr., *La Structure des révolutions scientifiques,* Paris, Flammarion, 1973.

4. S. Weil, « Notes écrites à Londres, 1943 », *La Connaissance surnaturelle*, Paris, Gallimard, 1950, p. 305.

5. M. Polanyi, *Personal Knowledge*, Londres, Routledge & Kegan Paul, 1958 ; New York, Harper & Row, 1964.

6. H. P. Grice, « Logic and Conversation », *in* P. Cole et J. Morgan (éd.), *Syntax and Semantics 3 : Speech Acts,* New York, Academic Press, 1975.

7. D. Sperber et D. Wilson, *Relevance : Communication and Cognition*, Oxford, Basil Blackwell et Cambridge, Mass., Harvard University Press, 1986.

8. J. Fodor, *Representations*, Cambridge, Mass., Bradford Books/MIT Press, 1981.

9. Voir P. McCorduck, *Machines Who Think*, San Francisco, Freeman, 1979 ; H. Simon et A. Newell, *Human Problem Solving*, Englewood Cliffs, N.J., Prentice Hall, 1972 ; D. Andler, « Les sciences de la cognition », *in* J. Hamburger (éd.), *La Philosophie des sciences aujourd'hui*, Paris, Gauthier-Villars, 1986 ; ou « Le cognitivisme orthodoxe en question », *Cahiers du CREA*, n° 9, École polytechnique, mars 1986.

10. Voir les articles de J.-P. Dupuy, P. Livet, F. Varela et D. Andler dans les *Cahiers du CREA*, nos 7, 8, 9, École polytechnique, 1985-1986. Les ouvrages fondamentaux sur le connexionnisme sont G.E. Hinton et J.A. Anderson, *Parallel Models of Associative Memory*, Hillsdale, N.J., Erlbaum, 1981 ; et D. Rumelhart et J. McClelland, *Parallel Distributed Processing : the Microstructure of Cognition*, Cambridge, Mass., Bradford Books/MIT Press, 1986. Sur l'autopoïèse, voir F. Varela, *Principles of Biological Autonomy*, Amsterdam et New York, North-Holland, 1979 ; trad. fr. à paraître aux Éd. du Seuil.

11. H. Bergson, *La Pensée et le Mouvant*, Paris, PUF, 1934.

12. B. Raphael, *The Thinking Computer*, San Francisco, Freeman, 1976.

13. Erik T. Mueller et Michael G. Dyer, « Daydreaming in Humans and Computers », Los Angeles, IJCAI-85, AAAI, 1985.

14. Noam Chomsky, *Reflections on Language*, New York, Pantheon, 1975 ; trad. fr., Paris, Maspero, 1977. Jerry Fodor, *Representations, op. cit.*, chap. x.

15. Voir D.G. Bobrow et P.S. Hayes (éd.), « Artificial Intelligence — Where Are We ? », *Artificial Intelligence*, 25, 1985 ; et D. Andler, « Les sciences de la cognition », art. cité.

16. Hubert et Stuart Dreyfus, *Mind Over Machine*, New York, The Free Press, 1986.

17. Pierre Livet, « Normes et faits », *Encyclopédie de la philosophie*, vol. I, Paris, PUF (à paraître).

18. Hubert L. Dreyfus, *What Computers Can't Do. A Critique of Artificial Reason*, New York, Harper & Row, 1972 ; 2ᵉ éd., 1979 ; trad. fr., *Intelligence artificielle : mythes et limites*, Paris, Flammarion, 1984.

19. Karl R. Popper, *Objective Knowledge. An Evolutionary Approach*, Oxford, Clarendon Press, 1972 ; 2ᵉ éd., 1979, chap. III et IV ; trad. fr., *La Connaissance objective*, Bruxelles, Complexe, 1978. Id., *Unended Quest. An Intellectual Autobiography*, Fontana Paperbacks, 1976 ; trad. fr., *La Quête inachevée. Autobiographie intellectuelle*, Paris, Calmann-Lévy, 1981.

20. *Objective Knowledge, op. cit.*, chap. IV, n° 7 (p. 166 de l'éd. de 1979).

21. *Ibid.*, chap. III, n° 1 (p. 109).

22. *Ibid.*, chap. IV, n° 7 (p. 167).

23. Voir par exemple Richard C. Lewontin, « Adaptation », *in* Elliott Sober (éd.), *Conceptual Issues in Evolutionary Biology*, Cambridge, Mass., Bradford Books/MIT Press, 1984.

24. Une bonne partie de l'ouvrage collectif cité à la note précédente est consacrée à ces problèmes. Voir notamment les textes de Robert Brandon, Mary Williams, John Maynard Smith.

25. Voir Frank M. Wuketits (éd.), *Concepts and Approaches in Evolutionary Epistemology*, Dordrecht, Reidel, 1984 ; Rupert Riedl, *Biologie der Erkenntnis*, Hambourg et Berlin, Paul Parey Verlag, 1981 ; trad. angl., *Biology of Knowledge*, Chichester et New York, Wiley, 1984.

26. Voir Pierre Livet, « Normes et faits », art. cité.

2. Les éclats de la diversité

Les cinq articles que regroupe cette partie se centrent autour des questions de « sélection/concurrence », « sélection naturelle », « ordre », « organismes » et « comportement ». Un trait commun entre ces questions semble s'imposer au premier coup d'œil : le problème des êtres vivants n'est étranger à aucun d'entre eux. Et pourtant, la biologie constitue moins le centre organisateur de cette section que son centre de dispersion. Dispersion de l'« être vivant » qui, loin de répondre à un concept unique qui en ferait l'objet d'une science bien définie, éclate en fragments traduisant la multiplicité de ses voies d'approche. Dispersion aussi des alliances de la biologie avec d'autres sciences, de la physique à l'économie, aux sciences politiques, à la théorie des systèmes. Alors que la première partie avait pour sujet l'étude critique des grandes opérations d'unification, celle-ci envisage la multiplicité des opérations locales, et la notion d'une unification potentielle des champs scientifiques se dissout de par la singularité des problèmes auxquels ils sont confrontés.

Les champs problématiques que l'on peut regrouper sous le vocable « biologie » ont en propre de jouir d'un statut intermédiaire entre les sciences de la nature « inanimée » et les sciences de ces vivants singuliers que sont les hommes, mais aussi entre les sciences expérimentales et celles qui doivent comprendre sans avoir la liberté de manipuler. La biologie elle-même est partagée, voire distordue, par la possibilité de l'expérimentation et le problème des limites de celle-ci : alors que la bactérie, voire les cellules individuelles, peuvent être étudiées en laboratoire, les techniques d'investigation expérimentale se mettent à poser problème lorsqu'il s'agit d'organismes plus complexes, sans parler de la question de l'évolution qui, par nature, échappe au laboratoire.

Les éclats de la diversité

De par son statut intermédiaire, l'être vivant peut aussi bien être objet de capture que base de départ pour une opération de capture, poser un problème de durcissement ou être à cet égard la référence d'une autre science.

C'est toute l'ambiguïté de cette situation qu'explore l'article traitant de « sélection et concurrence ». La biologie et l'économie ont entretenu des rapports étroits depuis qu'Aristote a fait du corps vivant, organisé et hiérarchisé, la métaphore de la cité politique. Ces rapports ont pris une nouvelle tournure lorsque l'économie a pris pour objet non plus un « corps social » organisé, mais une population d'acteurs liés par des relations de concurrence, alors que la biologie darwinienne définissait le concept de sélection naturelle. En deçà du moment, à la fois critique et prévisible, des relations entre économie et biologie où la théorie darwinienne sera utilisée dans le champ sociopolitique comme garantie de scientificité, on peut se demander qui a influencé qui. La théorie d'Adam Smith et celle de Malthus n'ont-elles pas précédé celle de Darwin, qui lit ces auteurs, et accompli dans le domaine de l'économie politique une opération similaire à celle que Darwin accomplira dans celui des sciences de la vie : la démonstration de ce que l'on peut se passer d'une référence à l'ordre divin pour comprendre ce que le Dieu créateur des espèces et législateur des sociétés était censé fonder.

Peut-on d'autre-part comparer les rapports entre biologie et économie au XIXe siècle à ceux qui prévalent aujourd'hui avec la sociobiologie, qui conçoit de manière explicite le rôle de la sélection naturelle selon le modèle de l'homo œconomicus du néolibéralisme ? Dans ce dernier cas, une double asymétrie joue de manière claire : l'économie apporte les bénéfices de l'apparente plausibilité de la lecture du comportement humain en termes de maximisation d'intérêt ainsi que l'appareil mathématique développé à ce sujet, alors que la biologie apporte son prestige de science de la nature, réputée lecture objective de ce qui est, libérée des idéaux et des contraintes du « devoir-être » dont les sociobiologistes dénoncent le rôle dans les sciences de l'homme. Cette double capture est-elle pertinente pour comprendre, au-delà de la sociobiologie, le darwinisme lui-même ?

C'est cette question que reprend l'article à propos de la « sélection naturelle ». S'affirme ici la nécessité de ne pas réduire une innovation conceptuelle à des « influences », de concevoir l'influence non pas sur le mode passif — Darwin a été influencé par Smith et Malthus au point de créer un concept « lutte pour la vie », qui transpose celui de concurrence économique —, mais sur le mode actif — Darwin a su utiliser des notions qu'il a trouvées chez Malthus, Smith et d'autres, mais il les a inscrites dans une tradition d'analyse différente et, ce faisant, il en a modifié, voire transformé, le sens.

On le voit, la question de la propagation des concepts dans le champ scientifique ne permet en rien de faire l'économie de la différence entre l'œuvre d'un Darwin — et peut-être aussi d'un Adam Smith d'ailleurs — et celle d'un ténor de la sociobiologie. Et peut-être la marque de l'innovation darwinienne est-elle justement qu'elle ne s'est propagée en dehors de la tradition où elle s'inscrivait qu'en perdant les traits que les biologistes ont reconnus comme innovants, reprise qu'elle était par une pensée de l'ordre et du progrès. Et la question est aujourd'hui ouverte de savoir si son utilisation par des biologistes moléculaires comme Monod, qui ont fait de la sélection naturelle non plus seulement la responsable de la « dérive » des espèces, mais aussi la raison d'être en dernière instance de l'ordre qui distingue un vivant d'un système physico-chimique, n'a pas, dans le champ de la biologie, accompli la même opération (Monod, l'un des premiers sociobiologistes : cette question est abordée dans l'article traitant de « complexité » et on se souviendra de la critique de l'«adaptationnisme » dans l'article « Problème »).

Comment comprendre l'« ordre » qui caractérise le vivant ? La société concurrentielle correspond-elle à une situation d'ordre (maximisation de l'intérêt collectif par la maximisation individuelle par chacun de son intérêt) ou à une situation de désordre (affrontement d'acteurs incapables de s'entendre sur autre chose que sur les termes de leur affrontement) ? La première question pose le problème des limites du pouvoir d'organisation du concept darwinien, la seconde implique un jugement de valeur qui marque le passage à une problématique éthico-politique.

C'est le destin de la notion d'ordre que de jouer sur des registres multiples, et d'être au cœur de controverses à propos de l'unification possible de ces registres. Cette notion n'appartient à aucune discipline scientifique en particulier, et elle n'appartient même pas exclusivement au champ scientifique. Elle apparaîtra ici selon un double éclairage : comme révélateur de la diversité des disciplines où elle apparaît, cette notion donne accès à des points de divergence qu'aucune innovation théorique ne suffirait en elle-même à résoudre parce qu'ils portent sur le mode d'intelligibilité et l'anticipation qui donnent sens à de telles innovations ; comme enjeu d'opérations enchevêtrées de capture et de durcissement, cette notion permet de comprendre cette même diversité comme problème posé aux scientifiques et comme instrument de leurs stratégies, et non comme état de fait ou principe d'organisation de la cité scientifique.

La singularité de la question de l'ordre, la circulation qu'elle semble permettre entre jugements « objectifs » (l'« ordre cristallin »), jugements éthico-politiques (le « désordre social ») et jugements pratiques (une cuisine « en ordre »), en ont fait par ailleurs un lieu de débat à propos du caractère objectif de la connaissance scientifique elle-même. L'ordre objectif, celui du cristal par exemple, peut-il être assimilé à un ordre pratique, celui de la cuisine ? Si cette assimilation réussit, c'est-à-dire est reconnue, la représentation des rapports entre savoirs « objectif » et « pratique » pourrait se trouver inversée, et le champ scientifique se retrouverait unifié et renvoyé à un sujet pratique et à la notion d'information, qui traduit tout aussi bien le résultat de l'investigation de ce sujet que la condition de son action.

Si les avatars de la question de l'ordre dans le champ des sciences et de l'épistémologie traduisent le statut très particulier de ce terme dans le langage naturel, les déclinaisons multiples d'« organisme » pourraient sembler constituer un exemple à la fois local et exacerbé du même problème, de rencontre ambiguë entre jugement de connaissance et jugement de valeur. L'organisme pourrait apparaître comme un simple réservoir de métaphores, où se trouve valorisé sur des registres multiples l'énigmatique point de rencontre, doublement créateur de sens, entre la matière, dès lors organisée, et l'univers, dès lors constitué en environnement. Il serait le point spéculatif où les hommes tentent de traduire en termes scientifiques la singularité de leur position, et donc l'héritier symptomatique des réponses qu'apportait la lecture de l'ordre cosmique ou de l'ordre créé par Dieu. L'« organisme » aujourd'hui ne semble plus pouvoir prétendre au statut de « concept scientifique », et les prétentions qui se sont organisées autour de lui semblent se laisser déchiffrer rétrospectivement comme « subjectives », tentatives vaines de conjoindre sens et objectivité.

Et pourtant, la question insiste et le problème persiste. Capture et durcissement tout à la fois, les nouvelles catégories de l'« objet » vivant —

la redéfinition de ce qui était organisme non plus en référence au problème du sens mais dans une perspective de rationalité technique — ne doivent-elles pas une part de leur prestige, de leur puissance de propagation, précisément à la charge de signification de ce qu'elles permettent de nier ? Les jugements de valeur associés à la question de l'organisme étaient-ils le symptôme d'une « opinion » en attente de science, ou le signe d'une question encore à élucider ? De telle sorte que celui qui se résignerait à lire dans le destin de l'« organisme » la vérité de la science comme négation du sens contribuerait, de par sa soi-disant lucidité, à rendre plausible et à propager ce qu'il croit décrire ?

L'article traitant du « comportement » retrouve la même question. Le « comportement » est en quelque sorte l'héritier contemporain de l'énigme de l'organisme, mais, dans ce cas, l'histoire a fait éclater la diversité, a désagrégé les définitions qui se voulaient dures et unitaires. Une science qui se voulait « dure » s'est diversifiée de par les problèmes posés par ce qu'elle avait pour projet de capturer. Parti d'un projet d'« objectivation » — le premier sens de « comportement » est de nier l'âme, le psychisme, l'ensemble des références « intuitives » à l'activité humaine —, l'« objet » par vocation unitaire et opératoire explose en une multiplicité de sens, impuissant à cerner ce que l'on entend par « processus d'interaction entre organisme et environnement ».

Oui, certes, ici, on pourra conclure que la définition précise d'un comportement est relative, relative à un contexte expérimental ou à une institution qui stabilise la finalité et le sens de telle ou telle activité humaine. Mais non pas relative au regard du scientifique, puisque justement celui-ci échoue à imposer une organisation conceptuelle unilatérale à cet étrange objet qu'est l'activité d'un sujet, puisque, dans ce cas, la situation expérimentale ou l'institution sociale apparaissent explicitement comme moyens de création d'un objet. L'éclatement de la notion de « comportement » traduit, au même titre que l'innovation darwinienne, le fait que la propagation des concepts dans le champ scientifique ne peut être réduite à un pur produit de stratégies sociales. Le destin de celles-ci peut traduire la résistance de ce que les scientifiques cherchent à constituer en objet.

Sélection/concurrence

Gènes et capital : même combat

Michel Herland, Michel Gutsatz.

Les textes de ce recueil illustrent les mécanismes de propagation interscientifique par des voies très diverses. Quoi de commun, par exemple, entre « Problème », qui vise à montrer comment un instrument du raisonnement scientifique tend à se répandre de plus en plus quitte à se dénaturer quelque peu, et « Comportement », qui, partant d'un phénomène concret, présente les diverses explications qui lui ont été apportées ? « Sélection/Concurrence » est une étude de cas d'un autre genre. On peut dire que les deux exemples précédents ont leur origine dans une question, très différente dans chaque cas : « Où ça va ? » dans le premier cas et « D'où ça vient ? » dans le second. Pour « Sélection/Concurrence », la question serait plutôt : « Qu'est-ce qui circule (entre deux disciplines données, l'économie et la biologie) ? » Le choix de l'économie est arbitraire et tient uniquement à la personnalité des auteurs, mais, à partir du moment où l'économie était retenue, la biologie ne pouvait manquer de l'être également, car il existe entre elles, très nettement, des influences dans les deux sens qui confèrent à l'exemple considéré un caractère sans doute exceptionnel.

*La conclusion de l'étude dépasse le simple constat, du type : « Oui, la propagation existe, nous l'avons rencontrée qui se promenait entre deux champs particuliers du savoir ! » Notre enquête historique sur les transports d'influence réciproques entre l'économie et la biologie amène à s'interroger sur le rôle d'une telle influence : heuristique ou simple auxiliaire de la propagande * ? Par là nous retrouvons la question épistémologique fondamentale (« Qu'est-ce qui est scientifique ? ») qui court à travers tous les textes du recueil sans qu'il lui soit, en règle générale, répondu explicitement.*

La crise économique génère un « nouveau » discours libéral vantant les mérites de la concurrence. Celle-ci stimulerait l'effort individuel et donc dynamiserait le système économique dans son entier. Un tel

---

* Et ici il faut distinguer entre la propagande scientifique, relevant d'une sociologie de la science, et celle qui poursuit directement des visées politiques et/ou sociales.

discours oppose la concurrence retrouvée à une logique de l'assistance dominée par l'intervention de l'État. Il s'accompagne d'une logique de la sélection, tant au niveau des entreprises que des individus : « ne pas laisser survivre artificiellement les canards boiteux », « permettre la réussite des meilleurs », etc.

Cette logique repose sur l'idée qu'il existe une loi naturelle de la concurrence, définissant par son action même le degré d'aptitude des individus ou des entreprises. C'est la vieille scie du *struggle for life*, de la loi de la concurrence vitale qui animerait à la fois la fournaise de l'économie et l'enfer de la vie sauvage : le progrès serait au prix de ce mouvement destructeur.

Quelle fascination réciproque unit les modes théoriques de l'économie et de la biologie dans des références croisées qui se légitiment mutuellement ? L'histoire de la pensée les unit depuis qu'au XVIIIᵉ siècle le modèle de la circulation du sang ouvre à l'idée d'un gigantesque corps économique et social irrigué par les richesses. Leurs chemins se croisent à nouveau au XIXᵉ siècle lorsque la formule spencérienne de « survie du plus apte », bientôt consacrée par Darwin, valide l'idée d'un progrès par la concurrence.

« Concurrence » et « sélection » deviennent deux mots clés d'un discours à prétention explicative, recouvrant le mécanisme du progrès. Mais, comme tout discours, celui-ci doit être soumis à l'analyse : là, les choses se compliquent. S'agit-il d'un discours scientifique ? ou d'un discours idéologique ? En effet, la circulation des idées peut se faire à deux niveaux, avec des portées radicalement différentes :

1. Entre hommes de science, des concepts sont importés, des analogies avancées : l'évolution ultérieure de la discipline importatrice mesure la fortune de l'emprunt. S'il fait souche, si la conceptualisation propre à la discipline s'en saisit, on peut parler d'analogie créatrice. Très vite, le *nouveau* concept s'autonomise de son milieu d'origine : tel semble être le cas de la fortune de la « lutte pour l'existence » dans sa version malthusienne en biologie. C'est là le domaine du *logos*.

2. La circulation peut aussi se faire au niveau des idées : dans ce cas, nombreux sont les acteurs qui peuvent se saisir de tel ou tel concept — vulgarisateurs, hommes politiques, mais aussi hommes de science, etc. Les chemins qu'il suit alors sont loin des sentiers balisés de la science ; les enjeux les plus divers s'en mêlent, s'emmêlent. Les objectifs des uns ne sont plus ceux des autres : c'est là le domaine du *pathos*.

Nous verrons ainsi successivement que les liens établis entre les deux sciences, économie et biologie, sont, au sein du logos, ténus : les seuls transferts notables furent celui signalé plus haut de Malthus vers Darwin (et Wallace) et celui de l'économie néo-classique vers la sociobiologie. Encore devrons-nous nous garder de poser *ex abrupto* que la théorie malthusienne ressortit au domaine économique au sens traditionnel du terme.

Par contre, il apparaîtra qu'au niveau des idées les emprunts ont été multiples, permanents, lourds de sens et de conséquences. Si sélection et concurrence sont liées dans l'esprit des gens, c'est « grâce » au pathos et non au logos.

« Logos »

Du biologique dans l'économique

Le Corps politique, pris individuellement, peut être considéré comme un corps organisé, vivant, et semblable à celui de l'homme. Le pouvoir souverain représente la tête ; les lois et les coutumes sont le cerveau, principe des nerfs et siège de l'entendement, de la volonté et des sens, dont les juges et magistrats sont les organes ; le commerce, l'industrie et l'agriculture sont la bouche et l'estomac, qui préparent la subsistance commune ; les finances publiques sont le sang, qu'une sage *économie*, en faisant les fonctions du cœur, renvoie distribuer par tout le corps la nourriture et la vie ; les citoyens sont le corps et les membres qui font mouvoir, vivre et travailler la machine, et qu'on ne saurait blesser en aucune partie qu'aussitôt l'impression douloureuse ne s'en porte au cerveau, si l'animal est dans un état de santé [*][1].

---

[*] Le recours à de nombreuses citations est délibéré. Nous avons voulu, autant que faire se peut, placer ce qu'écrivent les auteurs sous le contrôle de nos lecteurs.

Le passage ci-dessus se trouve dans l'article « Économie politique » de l'*Encyclopédie*. Le texte dans son ensemble n'est pas du meilleur Rousseau et il y est, en outre, fort peu question d'économie contrairement à ce que le titre promet. Pourtant, l'extrait qui précède aurait dû suffire à asseoir sa réputation, sinon sa gloire : rarement en effet l'économie politique naissante aura donné d'elle-même un tableau aussi frappant et de son incomplétude et de sa dépendance à l'égard d'une biologie — ou faut-il dire simplement d'une anatomie ? — à laquelle le scalpel du chirurgien a déjà donné quelques certitudes. Et le fait que le passage en question ne soit pas l'œuvre d'un économiste ne fait que renforcer le diagnostic, car c'est évidemment en sa qualité de profane que Rousseau crut devoir en remettre sur les habitudes de la corporation. Si la vision anabolique et proprement fantastique qui apparaît au milieu de la citation ne se trouve pas ordinairement chez les premiers penseurs de l'économie politique, par contre l'image de la circulation du sang est omniprésente et elle contient l'idée que l'argent, de même que le sang, ne doit pas s'arrêter de circuler, faute de quoi il y a danger de mort.

Si l'analogie biologique est donc une pratique banale, à ce stade encore primitif du développement de la pensée économique, il faut se garder de lui accorder sans autre examen une fonction heuristique déterminante. La récurrence de l'image sanguine prouve que les auteurs ont jugé utile de s'appuyer sur elle pour se faire comprendre ; il ne s'ensuit pas nécessairement que la ressemblance soit le ressort du progrès des connaissances à l'âge classique.

Quelle influence la biologie aura-t-elle sur l'économie politique une fois qu'elle sera sortie des limbes ? Tout d'abord, très rapidement, dans la seconde moitié du XVIIIᵉ siècle, les économistes, fort curieusement, vont se mettre à oublier la monnaie au sens où ils ne croiront plus qu'elle est l'élément essentiel dont il dépend que l'équilibre soit ou non atteint : que la monnaie puisse être thésaurisée, que l'interruption de la circulation ait de graves conséquences sur la production, ce sont là des questions qui n'intéressent plus les économistes. Conformément à la théorie de la monnaie-voile (qui ne modifie en rien ce qu'elle habille), Adam Smith et, plus nettement encore, Jean-Baptiste Say affirmeront que « les produits s'échangent contre les produits ». Après les « classiques » (première moitié du XIXᵉ), les « néo-classiques » reprendront cette antienne, et il faudra attendre le XXᵉ siècle et la révolution macro-économique pour que soit retrouvée une conception plus saine du rôle de la monnaie. Dans ces conditions, l'image de la circulation va disparaître elle aussi, ce qu'elle véhicule étant devenu hors de saison. Par ailleurs, si la mutation repérée par Foucault du raisonnement analogique en raisonnement scientifique a une quelconque réalité, elle a été vécue également par les économistes du XIXᵉ siècle et, de fait, les importations de la biologie dans la théorie économique vont disparaître d'une manière générale, même si quelques cas exceptionnels subsistent [2].

Une autre bizarrerie se présente ici. Au moment où la biologie est sortie de l'horizon des économistes, Alfred Marshall, qui est la figure majeure de son époque en économie politique, conclut l'introduction de son cours (1890) par une déclaration aux termes de laquelle « l'économie est une science de la vie (...) voisine de la biologie, plutôt que de la mécanique [3] ». Plus surprenant encore, dans un article publié en 1898, il écrivit que, si le raisonnement économique dérivait au commencement de la « physique statique », son avenir ne se trouvait pas dans la dynamique, « qu'il y avait de meilleures analogies à trouver dans la biologie que dans la physique ». Là, quel que fût le prestige de Marshall, sa prédiction ne s'est pas réalisée et l'économie n'a pas opéré de retour vers le biologique, sinon de manière extrêmement marginale.

L'affirmation de l'économie politique comme une discipline autonome peut être située, en France, pendant la période physiocratique (XVIIIᵉ siècle), les physiocrates étant d'ailleurs les premiers à porter l'étiquette d'« économistes ». Cela va coïncider avec *l'abandon de la problématique de la circulation au profit d'une problématique de la concurrence* qui demeurera le lot commun des économistes quelles que soient les nuances, parfois très importantes, qu'ils y apporteront. Leur conviction repose sur la conviction qu'il suffit en règle générale de laisser jouer librement les intérêts particuliers pour garantir l'intérêt commun. Liberté, concurrence et optimum sont logiquement liés : la concurrence est en même temps la traduction économique de la liberté et le moyen de parvenir à l'optimum. On reconnaît ici l'allégorie smithienne de la « main invisible », mais le raisonnement se trouvait déjà intégralement par exemple chez un Turgot :

> Il est impossible que, dans le commerce abandonné à lui-même, l'intérêt particulier ne concoure pas avec l'intérêt général (...) La liberté générale d'acheter et de vendre est donc le seul moyen d'assurer, d'un côté, au vendeur, un prix capable d'encourager la production ; de l'autre, au consommateur, la meilleure marchandise au plus bas prix [4].

Les économistes qui viendront ensuite se conformeront à ce point de vue, y compris ceux qui ont une sensibilité socialiste (John Stuart Mill, Friedrich List, Léon Walras, etc.) ou ceux qui chargent l'État d'une mission de régulation au niveau macro-économique (le courant keynésien). Les exceptions qu'ils reconnaissent — comme la nationalisation ou le contrôle public des monopoles naturels, la protection des industries naissantes, etc. — ne font que confirmer la règle. Et Keynes, pour sa part, a suffisamment proclamé sa foi libérale pour que ne subsiste pas le moindre doute [5].

Il serait facile — mais fastidieux — de prouver que le principe de la concurrence est bien le noyau dur autour duquel s'organise toute la pensée économique. Cela est explicite par exemple chez Stuart Mill qui souligne dans son traité de 1848 que « l'économie politique ne peut prétendre posséder le caractère d'une science qu'à travers le principe de concurrence ». On ne peut pas être économiste si l'on ne croit pas à la concurrence et il est symptomatique de voir quelqu'un comme Proudhon, un pourfendeur de l'ordre établi qui se pique en même temps d'être économiste, défendre simultanément la thèse selon laquelle, dans la société de son temps, la concurrence « reste une guerre civile » et l'idée que « la liberté du commerce est nécessaire au développement économique » parce que « la concurrence, dans son expression supérieure, est l'engrenage au moyen duquel les travailleurs se servent réciproquement d'excitation et de soutien [6] ».

De l'économique dans le biologique

a. Malthus et Darwin

Après l'influence exercée par la biologie sur l'économie politique archaïque, il faut bien en venir à la rétroaction de l'économie sur la biologie. L'exemple le plus célèbre à cet égard, analysé par une vaste littérature [7], est bien évidemment celui de l'apport de Malthus à Darwin. Pour reprendre une formule heureuse de Stephen Jay Gould [8], on présente souvent l'influence de Malthus sous une forme « eurékaïste » en se fondant sur le compte rendu que Darwin fait de la chose dans son *Autobiographie* :

> En octobre 1838, quinze mois après le début de mes recherches, je lus pour me distraire *Sur la Population* de Malthus. Des observations répétées avaient déjà attiré mon attention sur la lutte pour l'existence que mènent partout les plantes et les animaux. J'éprouvais soudain la certitude que dans ces conditions les variations favorables auraient tendance à se maintenir et les défavorables à disparaître. D'où la formation de nouvelles espèces [9].

Il s'agit là d'un texte écrit trente ans après l'épisode en question. Les *Carnets* de Darwin, lesquels sont écrits au fur et à mesure de l'avancement de sa recherche, démentent cette « découverte [10] » : la théorie de la sélection naturelle fut conçue comme un puzzle dont les derniers éléments lui vinrent à la lecture de nombreux auteurs non biologistes. Ses catalyseurs tout au long des semaines qui précédèrent la lecture de Malthus furent Auguste Comte, Adam Smith et Adolphe Quételet :

> Il lut un long compte rendu du (...) *Cours de philosophie positive* [de Comte]. Il fut surtout frappé par l'insistance de Comte sur le fait qu'une théorie devait être prophétique et au moins potentiellement quantitative. Il se tourna ensuite vers le livre de Dugald Stewart *On the Life and Writings of Adam Smith*, et s'imprégna de la conviction de l'économiste écossais qui croyait fondamentale-

ment que les études sur la structure sociale globale doivent commencer par l'analyse des actions spontanées des individus (...). Puis, en quête de quantification, il lut une longue analyse de l'ouvrage du plus célèbre statisticien d'alors, le Belge Adolphe Quételet. Dans ce compte rendu, il trouva (...) cette affirmation vigoureuse de Malthus : la population s'accroît de façon géométrique et les ressources alimentaires seulement de façon arithmétique, ce qui provoque une lutte intense pour la vie [11].

La conception écossaise de la société, telle que Stewart et Smith l'illustrent, est déterminante pour la formation de la pensée darwinienne : il n'est nul besoin d'un coordonnateur suprême pour assurer le fonctionnement social. L'équilibre et l'ordre social sont le fruit de la concurrence entre individus : on conçoit aisément alors que Darwin ait pu trouver là une source d'inspiration majeure, l'équilibre et l'ordre de la nature étant conçus comme le fruit de la lutte pour l'existence des individus entre eux.

De même, on comprend mieux la place occupée par l'idée de lutte pour la vie si l'on se réfère au contexte philosophico-religieux de l'époque. Celle-ci voit s'opposer deux conceptions de la nature, l'une fixiste, l'autre transformiste. On entend par transformisme une conception de l'histoire naturelle qui intégrait la possibilité de « transmutation des espèces » : il y a ainsi multiplication des variétés, laquelle poursuit (parachève) l'œuvre initiée par Dieu. Le principe de fixité quant à lui veut que toute la création ait été faite au début : des enjeux religieux fondamentaux sont à l'œuvre ici. Paley, qui influencera Darwin, considère, dans le droit-fil de l'optimisme du XVIIIᵉ siècle, la nature comme un ensemble équilibré dont l'harmonie est à l'image de Dieu. Il tente d'intégrer à ce cadre le principe de population malthusien : celui-ci y devient un moyen de rééquilibrage périodique de l'harmonie naturelle. Loin d'être un mécanisme de changement, il est un moyen de défense de *statu quo*. La douleur, la mort, la disparition des espèces et la misère sont des procédures d'ajustement en vue de rétablir l'harmonie de la nature. Darwin trouvera ainsi chez Paley la notion d'adaptation et chez Malthus celle de lutte, en retenant contre ce dernier que chaque adaptation doit être bénéfique : « La sélection naturelle agit uniquement par et pour le bien de chacun. » La lutte explique et produit l'adaptation.

La différence essentielle entre Darwin et ses prédécesseurs tient dans le fait que le processus évolutif devient pour lui créateur de nouvelles espèces, ce qui est en totale contradiction avec le principe de fixité : le retard pris par Darwin pour publier *l'Origine des espèces* tient à la conscience qu'il avait de la position résolument areligieuse de ses thèses. Dans un contexte victorien dominé par l'idée de lutte, de dépassement des autres, etc., ce n'est pas l'idée que le conflit et la lutte existent et ont un rôle important à jouer dans la nature qui choquait, mais plutôt qu'ils jouent un rôle créateur. Darwin, prenant exemple sur Smith, conçoit une nature sans dessein : dès lors, il va utiliser le concept de lutte pour la vie comme moteur de la sélection naturelle et donc lui donner une place centrale qu'il était loin d'avoir auparavant.

On voit là très précisément ce qui sépare Malthus de Smith et ce que Darwin a trouvé chez chacun d'entre eux. Smith considère une société dont l'harmonie dépend du seul jeu des intérêts individuels. Le libre-échange et la compétition entre les individus en sont l'expression dans le domaine économique. A cette conception fondamentalement optimiste, Malthus apporte un correctif pessimiste de taille : les mécanismes économiques sont inséparables de l'existence du principe de population.

C'est là une conception très personnelle de Malthus dans un monde d'économistes où ce que nous appellerions les aspects extra-économiques ne sont guère de mise. On pourrait même penser dans un premier temps que le principe de population ne relève pas de l'économique au sens dominant du terme au XIXᵉ siècle, et donc dénier à la biologie un quelconque emprunt à l'économie. Ce sont là fausses querelles dans la mesure où, ce qui importe, c'est ce que Darwin a perçu du discours malthusien et de sa relation au discours smithien : on peut penser que c'est l'aspect perturbateur de l'harmonie smithienne développé par Malthus qui attire Darwin. L'influence de Malthus se joue sur la place du concept de lutte pour la vie dans la perspective d'ensemble qui est celle de l'économiste. La lutte pour la vie est devenue une force essentielle de l'équilibre économique et démographique : il s'agit d'un des freins positifs les plus importants à la croissance de la population, ce qui lui permet de détruire l'idée d'une nature essentiellement harmonieuse.

Malthus apporte à Darwin un élément supplémentaire que ses

prédécesseurs n'avaient pas perçu. Contrairement à ceux-ci, lesquels ne concevaient qu'une compétition entre espèces cherchant à maintenir leur place sur une terre où l'espace vital est limité (sur le mode prédateur/proie), Malthus envisage une lutte entre les individus d'une même espèce, ce qui ne peut se concevoir sans une conception claire de la notion de population. Ainsi Darwin, notant que c'est entre les membres d'une même espèce qu'il y a des variations, pourra-t-il faire de la survie individuelle le moteur de l'évolution, la survie de l'espèce n'étant que le constat de cette évolution.

b. Sociobiologie et économie néoclassique

L'évolution de la société correspond au paradigme darwinien dans sa forme la plus individualiste. Il n'y a rien là qui requière une explication différente. L'économie de la nature est concurrentielle de part en part. Comprendre cette économie, et son fonctionnement, c'est mettre en évidence les raisons sous-jacentes des phénomènes sociaux. Ce sont les moyens permettant à un organisme d'obtenir un avantage aux dépens d'un autre. Aucune indication d'une charité vraie ne vient amender notre vision de la société, dès lors que nous nous sommes défaits de toute sentimentalité. Ce qui passe pour coopération s'avère mélange d'opportunisme et d'exploitation (...).
Égratignez un « altruiste » et vous verrez le sang d'un « hypocrite » [12].

Depuis le milieu des années 1970, le concept darwinien de sélection naturelle a subi un déplacement du fait des sociobiologistes. Dans sa conception traditionnelle, la sélection naturelle est interprétée comme mise en œuvre du principe de reproduction différentielle : « La sélection favorisera tout avantage reproductif, inscrit dans le génotype d'un ou plusieurs individus, qui assurerait, à chaque génération, la survie d'un descendant de plus que les autres génotypes [13]. » Il s'agit là d'un principe local de changement historique, permettant de définir un avantage relatif persistant qui résulte des conditions du milieu ambiant. On peut interpréter ce principe comme étant un principe de minimum agissant statistiquement, et foncièrement indéterminé. Les travaux des sociobiologistes vont bouleverser cette conception en substituant à ce principe de minimum un *principe de maximum*. Leur critique s'est en effet dirigée vers la notion de sélection individuelle, caractéristique de la conception traditionnelle. A celle-ci, les sociobiologistes opposent une théorie de la sélection de groupe (ou de parentèle) où la reproduction différentielle des *gènes* prend la place de la reproduction différentielle des individus.

L'organisme devient sujet décidant de la direction du changement, la sélection étant l'instrument dont il use pour se perfectionner. L'avantage reproductif devient le principal ressort du comportement social de l'homme comme des animaux, revêtant la forme d'une stricte analyse coût-avantage, où le coût est la reproduction des gènes d'autrui, l'avantage la reproduction de ses propres gènes et de ses consanguins.

« Cette formule toute simple engendre, à elle seule, une logique puissante, globale, du comportement humain, fondée sur le principe de l'individualisme utilitariste [14]. » C'est parce que, pour la sociobiologie, la sélection porte sur les gènes qu'elle prend pour objet les comportements (sociaux avant tout). On change donc radicalement d'échelle par rapport à la conception darwinienne. Et, pour en arriver là, la sociobiologie se tourne vers l'extérieur de la biologie. Tout individu chercherait à maximiser le nombre de descendants variables : la littérature sociobiologique, pour formuler ses thèses, fait appel à une terminologie d'origine économique, où l'on retrouve le cadre conceptuel néo-classique.

> Pour une saison de reproduction donnée, on peut définir l'investissement parental total d'un individu comme étant la somme des investissements dans chacun des rejetons produits pendant cette saison, et on fait l'hypothèse que la sélection aura favorisé l'investissement parental apportant l'avantage reproductif net maximal [15].

C'est à un véritable système de marché, où chaque individu cherche à maximiser le rôle de force directrice de l'évolution en faisant de la sélection naturelle le moyen de sa politique, que nous convient les sociobiologistes. Wilson nous présente ainsi à l'aide du vocabulaire du calcul économique le frai des saumons :

Étant donné un effort de reproduction kj à un âge quelconque, J, il y correspondra un profit, mesurable au nombre de rejetons produits. Il y correspondra également un coût, mesurable à la diminution des probabilités de survie, entre l'âge J et les âges suivants. Ce coût se compose de l'investissement d'énergie et de temps, et de la réduction du potentiel de reproduction aux âges suivants, due au ralentissement de la croissance, lui-même dû à l'effet de kj. A quelles conditions une fonction de profit donnera-t-elle une courbe concave, favorable à la semelparité ? Si la femelle du saumon ne pondait qu'un œuf ou deux, l'effort de reproduction — représentant principalement la longue nage pour remonter le courant — serait fort élevé. La ponte de centaines d'œufs supplémentaires ne demande qu'un faible excédent d'effort de reproduction [16].

En fait, il s'avère que les sociobiologistes en viennent à décréter que sont adaptatifs des actes produisant un avantage différentiel pour l'individu comme ceux qui n'en produisent pas : la sélection se ramène au profit individuel net instantané. L'événement, c'est donc l'optimalité faisant surface entre sociobiologie et économie en 1975 : l'animal est traité comme un *homo œconomicus* qui lirait chaque matin le *Wall Street Journal*.

On trouvera une preuve supplémentaire de la proximité existant entre la sociobiologie et une certaine science économique contemporaine dans un article de Gary Becker publié un an après le livre *la Sociobiologie*, d'E. Wilson. Becker s'est spécialisé, avec ses disciples de l'École de Chicago, dans l'application du raisonnement économique néoclassique à des domaines qui ne sont pas considérés habituellement comme relevant de la compétence des économistes (choix du conjoint ou du nombre d'enfants, fixation des peines réservées aux délinquants, etc.). Dans cet article, il commence par saluer la tentative des sociobiologistes qui rejoint à l'évidence ses propres préoccupations, puis il fait appel à la « théorie économique de l'altruisme » pour conforter l'analyse des sociobiologistes : l'altruisme d'un individu n'est pas seulement « justifié » par le souci de transmettre des gènes indirectement en favorisant la survie d'autres individus de la même espèce, il est également susceptible d'accroître les chances d'une transmission directe de ses gènes (dans la mesure où il réduit l'agressivité des congénères envers soi) [17].

En sens inverse, l'influence qu'a pu exercer la biologie depuis Darwin sur l'économie est beaucoup plus limitée ; il y a bien quelques cas particuliers, mais il s'agit de timides tentatives qui ne sauraient se comparer avec l'opération réalisée par la sociobiologie. Dans *le Capital*, parlant de la révolution industrielle, Marx propose d'appliquer la méthode darwinienne à l'histoire des techniques, mais ne va pas plus loin que le simple vœu.

> Darwin a attiré l'attention sur l'histoire de la technologie naturelle, c'est-à-dire sur la formation des organes des plantes et des animaux considérés comme moyens de production pour leur vie. L'histoire des organes productifs de l'homme social, base matérielle de toute organisation sociale, ne serait-elle pas digne de semblables recherches [18] ?

Après la Seconde Guerre mondiale, un auteur américain, A. Alchian, a tenté de construire une théorie de la firme sur ce qu'il a appelé l'« analyse des aptitudes » *(viability analysis)*. L'existence d'un profit positif est le signe que l'entreprise est apte à survivre, qu'elle est sélectionnée par son environnement, et, poursuivant le jeu des analogies, l'auteur assimile l'innovation technique ou stratégique à une mutation biologique et l'imitation d'une entreprise par une autre à l'hérédité (au risque de cautionner la thèse de l'hérédité des caractères acquis ?). Force est de constater la stérilité de cette démarche : il ne suffit pas de plaquer des concepts biologiques sur la réalité économique pour obtenir une théorie fournissant des prévisions originales. La même chose vaudrait pour la prétendue « théorie du cycle de vie » appliquée à l'entreprise ou au produit. Plus près de nous, en France, René Passet s'est attaché à faire le lien entre *l'Économique et le Vivant*, selon le titre d'un de ses livres. Mais le professeur Passet se méfie des analogies : il considère, d'une part, que la science économique souffre de s'enfermer dans la perspective étroite du marché et qu'il lui manque la dimension écologique où se situent des enjeux parmi les plus importants de notre époque ; il ajoute, d'autre part, que la science du vivant a particulièrement développé le concept d'organisation — ainsi que l'avait déjà remarqué Piaget — et une approche adéquate à cet objet particulier, à savoir la méthode systémique. Dès lors, « il ne s'agit pas, écrit René Passet, de projeter le vivant comme modèle de l'organisation sociale, mais de rechercher les principes d'organisation permettant à un système — le vivant parmi les autres — de se reproduire et d'évoluer en maintenant sa cohérence dans un environnement mouvant [19] ». Cette démarche s'inscrit donc dans le même sens que le fameux rapport Forrester-Meadows entrepris à la demande du Club de Rome et qui constitue une application de la dynamique des systèmes à ce que l'on pourrait appeler l'« écolonomie » planétaire. Les chercheurs qui procèdent ainsi se situent dans un au-delà des disciplines traditionnelles comme l'économie ou la biologie et travaillent à construire un métadomaine scientifique où il ne saurait être question de les suivre.

En définitive, la seule influence directe et incontestable que nous ayons repérée est celle qui s'est exercée de l'économie vers la biologie, deux fois à un siècle d'intervalle. Mais nous ne nous sommes intéressés qu'aux origines des idées des biologistes ou des économistes, présentant ces cheminements hors de toute justification de ces emprunts. Il est exclu que nous considérions le travail du savant comme hors du siècle : les penseurs ne sauraient être dissociés de leur contexte social. L'utilisation faite par Darwin d'un modèle fondé sur l'individualisme et la compétition rend « inconcevable » l'idée que l'origine des espèces « aurait pu être écrite par n'importe quel Français ou Allemand, ou par un Anglais d'une autre génération [20] ». Ces éléments culturels communs à une certaine catégorie sociale (les scientifiques professionnels) à une époque donnée en un lieu donné facilitent la transmission de concepts d'une discipline à une autre. Il n'y a donc pas lieu de s'étonner, comme le firent Marx et Engels, du fait que Darwin « retrouve chez les bêtes et les végétaux sa société anglaise [21] ». Il ne s'agit pas là de « transfert » pur et simple, mais d'imprégnation, d'autant plus que la circulation des modèles était couramment admise entre science sociale et sciences de la nature au XIXe siècle. Ce qui nous paraît beaucoup plus intéressant, c'est la rupture par rapport au modèle religieux dominant qu'instaure Darwin : le fait qu'il ait longuement hésité à publier son livre l'atteste.

L'ouvrage de Darwin est une des premières manifestations de l'autonomisation de la Science : l'économie politique classique s'avérait être porteuse d'un modèle ne nécessitant aucun régulateur extérieur au système.

La naissance de la sociobiologie relève d'un phénomène culturel analogue. La fin des années soixante-dix a vu se développer aux États-Unis (puis, depuis le début des années quatre-vingt en Europe) un contexte culturel nouveau de valorisation de l'entreprise et de l'initiative individuelle. Trop rapidement baptisé de « fin des idéologies » par ceux-là mêmes qui avaient intérêt à en masquer les origines. Ce contexte tend à faire de l'individu l'« entrepreneur de sa propre vie » comme à instituer une démarcation beaucoup plus floue entre travail salarié, consommation, loisirs, etc. La notion de capital se diffuse dans les domaines extra-économiques comme la culture. Dans le même ordre d'idées on « constate » la disparition des classes sociales. Ce nouveau contexte culturel, qui trouve ses fondements dans la conception « néolibérale » de la société, imprègne de ses schémas et modèles diverses sciences à travers les penseurs eux-mêmes. A cela s'ajoutent des effets stratégiques indéniables. A la fin du XIXe siècle, la controverse entre biométriciens et mendéliens en Angleterre « fut alimentée par des intérêts conflictuels dans le domaine de la répartition des récompenses, des droits et des privilèges au sein de la société [22] ». On oublie trop souvent certains aspects matériels de la recherche scientifique, en particulier qu'elle coûte de l'argent, et qu'il importe de trouver des sources de financement. Ainsi le mouvement de professionnalisation de la science que connut la Grande-Bretagne victorienne, par autonomisation vis-à-vis de l'Église, mouvement dont nous avons décelé les prémices chez Darwin, eut-il pour conséquence un impérialisme culturel certain : « Pour obtenir les ressources et le soutien social désirés, il fallait que fût reconnue et prônée l'applicabilité de la démarche scientifique à toute une série de problèmes sociaux [23]. »

La démarche sociobiologique contemporaine ne procède-t-elle pas du même principe ? Les sociobiologistes ont visiblement une stratégie académique qui emprunte à la toute-puissance du capital les instruments pour envahir la totalité des sciences du vivant, de l'éthologie à la sociologie : nature, homme, société doivent procéder d'un même modèle « naturaliste ».

« Pathos »

Certains savants ont bien de la chance : ils peuvent demeurer dans leur tour d'ivoire et, si d'aventure ils souhaitent intervenir dans le champ politique, cela ne concerne que leur personne et ne met pas en cause leur compétence scientifique. Les économistes et les biologistes sont dans une situation bien moins confortable, car ils s'intéressent de trop près à l'homme. Dès lors, ils sont toujours tentés de prendre partie *ab experto* dans les grands débats d'idées et, ce faisant, ils compromettent obligatoirement plus qu'eux-mêmes : c'est leur savoir qui est atteint, dans la mesure où il se révèle fluctuant au gré des opinions de ceux qui le brandissent. Il est bien sûr périlleux d'aborder ces questions dans un ouvrage à prétention scientifique, car, si l'objectivité est déniée aux protagonistes du combat idéologique ou politique, elle n'est pas reconnue non plus aux chercheurs qui prennent le combat lui-même comme objet d'étude. Conscients de la difficulté, nous tenterons malgré tout de montrer comment les thèmes de la concurrence et de la sélection s'enchevêtrent dans les discours idéologiques, au service de l'ordre établi. Il existe toutefois une différence d'ordre qualitatif qui, sans être absolue, conduit à opposer un libéralisme actif et triomphant du xixᵉ siècle au libéralisme passif et presque honteux de la crise contemporaine, tous les deux ayant leur pendant biologique, les darwinistes sociaux au xixᵉ siècle et les sociobiologistes aujourd'hui.

Du côté des économistes, au xixᵉ siècle, l'exemple français mérite d'être examiné, d'une part parce qu'il est peu connu, d'autre part parce qu'il est particulièrement significatif. L'ignorance est due à l'absence d'une figure majeure : à l'exception de Jean-Baptiste Say, les économistes de la période n'ont apporté aucun élément théorique remarquable. Say est à part : il se situe au début de la période et ne se range pas parmi les membres de l'école libérale, même s'il fut leur père spirituel. Pour le reste, la survie de cette école pendant à peu près un siècle sans que Say ait un successeur capable d'entraîner des disciples et d'assurer la cohésion de la troupe est bien remarquable. Car la cohésion a été sans faille, ce qui a permis de barrer l'accès à la profession — c'est-à-dire aux quelques postes disponibles pour des économistes — à des personnalités extrêmement brillantes qui ont produit, elles, une œuvre novatrice : on pense évidemment à Cournot et à Walras. La première condition pour faire partie de l'école, c'est d'être un défenseur de la « liberté du commerce », c'est-à-dire du libre-échange, puisque la Révolution avait supprimé les obstacles intérieurs. Il fallait d'ailleurs un certain courage pour être libre-échangiste dans la France du XIXᵉ siècle, mais là n'est pas le plus important pour ce qui nous intéresse ici. La liberté et la concurrence sont des moyens de parvenir à l'efficacité, mais elles ne sont rien sans la *propriété*, non seulement parce que « la propriété est la mesure de la liberté », comme l'écrivait déjà le très physiocrate Mercier de la Rivière, mais encore parce que la propriété est elle-même un facteur d'efficacité.

> Lorsque les fruits sont à tous et que la Terre n'est à personne, la terre ne produit que des bruyères et des forêts, ainsi qu'on le voit au pays des Esquimaux ; si vous voulez manquer de tout, comme ces sauvages, vous n'avez qu'à nommer imposteur le premier qui enclora son champ [24].

Passons sur la naïveté de J.-B. Say qui ne pense pas un instant que la simplicité du mode de vie des Esquimaux ne résulte pas nécessairement de l'absence de la propriété individuelle, mais que, plus probablement, la pénurie matérielle et l'absence de propriété résultent toutes deux de conditions climatiques très particulières qui sont défavorables à l'agriculture : l'important est que l'argumentation de Say soit devenue classique.

De la naturalisation de la propriété, on passe facilement à la naturalisation de la hiérarchie des fortunes ou, plus généralement, comme dans le texte suivant de T. Fix, de la hiérarchie sociale, qui devient juste puisque naturelle.

> Il est inutile de prouver que la différence des conditions tient avant tout à la distribution et au classement des travaux. La superposition des couches sociales se fait en vertu de cette distribution. Les travaux faciles qui exigent une faible intelligence et une grande

185

force musculaire seront toujours exécutés par des hommes qui restent en dehors du cercle de certaines jouissances (...) La loi de la production le veut ainsi et cette loi est certainement ce qu'il y a de plus conforme à la raison et à la justice [25].

On croirait presque entendre Herbert Spencer qui rangeait parmi « les décrets d'une prévoyante providence, la pauvreté des incapables, le jeûne des oisifs et le rejet des faibles par les forts [26] ». Pourtant, les libéraux se révèlent moins brutaux que cela. Le sort des défavorisés les émeut et ils sont en quête de moyens pour l'améliorer. Bien que la plupart d'entre eux considèrent que le principe de population soit réfuté par les faits, ils reprennent la condamnation que Malthus avait prononcée contre les lois en faveur des pauvres *(poor-laws)*. Favorables à la charité privée, ils redoutent que la prise en charge de l'assistance aux pauvres par l'État encourage ceux-ci à se multiplier tandis que les particuliers sont censés savoir mieux où il convient de borner leur générosité. Ils mettent en garde contre la « charité imprudente », celle qui va trop loin et, fort logiquement pour des libéraux, ils craignent que l'État se montre plus facilement « imprudent » que les agents privés.

La prudence va mieux au mariage qu'à la charité et il faut reconnaître que certains économises-idéologues de l'école libérale furent plus audacieux que Malthus sur ce point, en ne se contentant pas de prôner les mariages tardifs et en se déclarant favorables aux mariages précoces, à condition qu'ils fussent « prudemment conduits », quitte à « empêcher les enfants de naître », comme l'écrivit un J. Garnier [27] dans une formule d'autant plus audacieuse que la propagande néo-malthusienne ne se développa en France qu'à partir de 1869 *. D'un autre côté, il est vrai que la fécondité avait déjà commencé, spontanément, son mouvement descendant.

Les pratiques malthusiennes n'étaient censées atteindre qu'un freinage quantitatif de la population. Mais, à l'évidence, une classe particulière était visée : celle dont le taux de reproduction est le plus élevé, en l'occurrence la classe ouvrière. Malthus lui-même fut explicite

---

* Le néo-malthusianisme est né dans les années 1820 en Angleterre. La brochure de Fernand Colney, *La Grève des ventres*, date de 1908. Ajoutons que, parmi les économistes anglais, Stuart Mill s'était également déclaré favorable à la limitation volontaire des naissances.

sur ce point. En effet, au premier plan, il plaçait cette « infinie variété » de la nature qui a pour conséquence l'existence d'inégalités : « Ces aspérités et inégalités, ces parties inférieures qui soutiennent les supérieures (...) contribuent à la symétrie, à la grâce et à l'harmonie de l'ensemble [28]. »

Mais la baisse des rendements agricoles comme la rareté de la terre entraîne une nécessaire régulation de l'expansion démographique sous la forme de freins actifs (mort, famine, guerres...) ou préventifs (régulation des naissances). Les formes de régulation ainsi exposées *s'appliquent toutes essentiellement aux pauvres (« the lowest orders of society ») parce qu'ils sont les plus prolifiques*. Il y a donc un ajustement quantitatif et qualitatif, puisque tous ne sont pas également concernés. Chacun, et plus particulièrement s'il est pauvre, doit améliorer ses chances de survie grâce à la prévoyance, la continence, etc.

Les économistes du début du xixᵉ siècle vont traduire cela en : il est nécessaire de limiter le nombre des pauvres en empêchant la survie artificielle que leur procure l'arsenal juridique sur l'assistance. Il s'agit de ne pas interférer avec le jeu cruel de la nature : « Lorsque la Nature se charge de gouverner et de punir, ce serait une ambition bien folle et bien déplacée de prétendre nous mettre à sa place et prendre sur nous tout l'odieux de l'exécution [29]. »

De toute évidence, le point de départ de Malthus, comme il l'annonce lui-même dans la Préface à la deuxième édition du *Principe*, est le problème de la pauvreté : il lui fallait « expliquer l'échec constant des efforts effectués par les classes les plus élevées pour secourir les classes pauvres ». Ce qui fit le succès du malthusianisme, c'est qu'il permettait de justifier la pauvreté et la misère tout en faisant porter sur les pauvres la raison d'être de leur misérable existence.

Il importe d'en revenir au texte de Malthus lui-même sur ce point essentiel de l'utilisation politique qui sera faite du principe de population : il est impossible de disculper Malthus de visées politiques dans sa rédaction. Nous avons vu que les problèmes de la pauvreté et du « vice » furent son point de départ. A l'arrivée, nous trouvons la politique :

La cause principale et permanente de la pauvreté n'a que peu ou pas de rapports directs avec la forme du gouvernement ou l'inégale division de la propriété ; les riches n'ont pas le pouvoir de fournir aux pauvres du travail et du pain : en conséquence, les pauvres n'ont nul droit à les demander. Telles sont les importantes vérités qui découlent du principe de population : et, si elles étaient clairement expliquées, (...) les classes inférieures du peuple (...) donneraient moins d'attention aux pamphlets séditieux et incendiaires : car elles auraient appris combien les salaires et les moyens d'entretenir une famille dépendent peu d'une révolution [30].

Ainsi le principe de population joue-t-il un double rôle pour les économistes de la période (voir en particulier Chalmers, Senior, Sadler : il permet de justifier la pauvreté et, grâce aux freins préventifs qui doivent permettre d'améliorer l'état général des pauvres (s'ils sont moins nombreux, ils auront plus à se partager), on peut limiter leur nombre et par conséquent limiter l'importance d'une population jugée dangereuse. Toute forme d'aide étatique (comme les *poor-laws*) ne permettant que de maintenir à un niveau artificiellement élevé le nombre de celle-ci doit donc être abolie.

L'ouvrage de Darwin offrit une nouvelle source d'inspiration à la fois aux économistes et aux possédants que l'importance croissante de la classe ouvrière et la question sociale non résolue inquiétaient. Les économistes y virent du pain bénit en une période de contestation de leur science, en particulier par les socialistes. Ils étaient en peine d'élaborer, sous l'influence de J.S. Mill, une conception de l'économie dans laquelle ils renvoyaient la justification des postulats à d'autres sciences (psychologie, biologie, etc.) qui étaient censées les avoir démontrés. La théorie de Darwin vint à point pour les conforter dans cette démarche : la concurrence, cible des penseurs socialistes, se voyait ainsi confirmer le statut d'une vérité scientifique. On conçoit aisément que Darwin ait été pour les économistes, avant tout, le théoricien de la lutte pour la vie.

Par ailleurs, dans la mesure où la conception darwinienne s'appliquait à l'histoire de l'humanité, il apparut nécessaire de comprendre comment la sélection naturelle opérait dans les sociétés humaines contemporaines. De fait, concevoir le darwinisme comme une théorie de l'histoire mène directement à la notion de *darwinisme social* : le modèle et les concepts darwiniens (lutte pour l'existence, sélection naturelle...) s'appliqueraient au fonctionnement de la société. Toutefois, deux visions de ce dernier peuvent être décelées chez les darwinistes sociaux, correspondant à leurs visions de l'ordre du monde.

Pour les *darwinistes sociaux libéraux*, d'une part (tels Spencer en Angleterre ou Clémence Royer en France), la sélection opérant au niveau des individus était un argument majeur en faveur du laisser-faire et du refus d'intervention de l'État : toute intervention du type « loi sur les pauvres » ne pouvait qu'aller à l'encontre de la sélection naturelle, puisqu'elle favorisait la survie des moins aptes (en l'occurrence, on l'aura deviné, les pauvres). Le retour à une « libre » lutte pour la vie fera « naître la race divine qui gouvernera la terre avec justice, dans la joie et dans la paix », dira Clémence Royer [31]. Il s'agit là d'une vision conservatrice du monde et de la société. Les mêmes lois régissent la nature, l'économie et la société : elles assurent l'harmonie globale dans le respect d'un ordre national intangible.

Les *darwinistes sociaux interventionnistes*, d'autre part, fonderont leur action sur les travaux eugénistes de Francis Galton. Celui-ci, en 1869, dans son ouvrage *Hereditary Genius*, avança que les caractéristiques d'un enfant dépendaient étroitement de celles de ses parents et que l'intelligence suivait une loi de Gauss :

> L'analogie montre clairement qu'il existe une capacité mentale moyenne relativement constante parmi les habitants des îles Britanniques, et que les déviations par rapport à cette moyenne — en haut vers le génie, en bas vers l'imbécillité — doivent suivre la loi qui gouverne toutes les déviations aux vraies moyennes [32].

Il s'agit donc de se substituer à la nature et d'instaurer une « sélection méthodique » afin d'éliminer les « dysgéniques ». C'est là l'objet de l'eugénisme, « étude (...) des actions sous contrôle social qui permettent d'améliorer les qualités raciales physiques ou mentales des générations futures [33] ». Des classes entières sont dénoncées « scientifiquement » comme « indésirables » : les miséreux, les débiles, les criminels, etc. Il faut donc les empêcher de se reproduire, par le jeu de l'immigration, par la contraception (voire la stérilisation, laquelle serait volontaire « tant que les préjugés populaires à son égard n'auront pas disparu », disait Léonard Darwin en 1926), par la détention au sein de prisons avec ségrégation sexuelle renforcée, ou même en les isolant au sein de véritables monastères créés à cet effet (proposition de l'économiste F.Y. Edgeworth en 1881).

On doit noter que tout un courant de pensée conçut l'eugénisme comme inséparable d'une vision socialiste de l'organisation sociale. Ainsi Karl Pearson, le grand statisticien, arguant que la lutte pour la vie ne s'appliquait plus à l'individu mais au groupe, avançait que la lutte entre les groupes était le seul moteur de l'efficacité sociale. La compétition interindividuelle prônée par les libéraux ne pouvait qu'affaiblir un pays, tout comme la volonté des entrepreneurs capitalistes de se procurer une main-d'œuvre abondante à bon marché ne pouvait qu'aller à l'encontre de la sélection naturelle en favorisant la reproduction des moins aptes. Vacher de Lapouge, quant à lui, avançait :

> Le sélectionnisme, en tant que doctrine pratique, consiste à corriger les conséquences fâcheuses de la sélection naturelle et à multiplier les types admis comme les plus beaux et les meilleurs. Il a beaucoup d'analogie dans son but avec le socialisme, qui consiste à corriger les conséquences naturelles de l'évolution économique, d'après un idéal déterminé de perfection sociale [34].

L'eugénisme est le moyen de défense d'une classe que la « prolifération » des ouvriers inquiète. Il s'agit d'un « système de croyances et de pratiques qui, tout en étant présenté comme une description objective de la nature et une politique en accord avec la nature, reflétait des intérêts sociaux [35] » : ceux de la nouvelle classe moyenne professionnelle. Celle-ci, regroupant professeurs, médecins, avocats, etc., recherchant un moyen de reproduction (autre que l'argent ou le nom, apanages des autres classes dominantes), le trouva dans le mérite et dans la connaissance. « La vraie loi de la lutte pour l'existence est celle de la lutte pour la descendance », dira Vachier de Lapouge.

Il fallait s'assurer que ses propres enfants puissent appartenir à la même classe moyenne, et pour cela faire de l'intelligence, de la connaissance scientifique et du mérite les critères socialement reconnus de l'excellence. La hiérarchie sociale peut alors se reconstruire autour de la capacité intellectuelle : tous ceux qui ne la possèdent pas sont donc au bas de l'échelle et, dans une vision frileuse de l'avenir, doivent

190

être contenus (voire éliminés) pour ne pas concurrencer les membres de la classe moyenne. Discours déjà tenu par Malthus lui-même : « On observe généralement que c'est dans les classes moyennes que l'on trouve le plus d'aptitudes au travail, à la vertu et à l'épanouissement de toutes les sortes de talent. Mais il est évident que tout le monde ne peut pas faire partie des classes moyennes [36]. »

Le darwinisme social sous sa forme libérale est donc le pendant social du modèle économique concurrentiel : dans un univers atomisé, les individus sont en compétition et seuls les plus aptes survivent. A l'inverse, sous sa forme interventionniste, il apparaîtra à une période largement dominée par la montée des impérialismes : il s'agit de maximiser l'efficacité du groupe dans une ère de lutte exacerbée entre les nations. Les moyens de cette efficacité sont l'eugénisme et une organisation socialo-réformiste de la société dans laquelle le changement est obtenu graduellement dans l'harmonie et en dehors de tout conflit de classes. Il reste bien évidemment que, toujours, la menace (révolutionnaire) vient des pauvres : pour Pearson, « ces êtres émaciés, aussi faibles paraissent-ils, ont la force de briser la vitre d'un demi-pouce qui les sépare des armes dont ils ont besoin [37] ».

La sociobiologie, quant à elle, déjà contestable quand elle s'intéresse au comportement des animaux, l'est encore davantage quand elle prend l'homme comme objet d'étude. Les sociobiologistes pensent que l'agressivité est au fond de la nature humaine et qu'elle sera déclenchée par la concurrence pour l'appropriation des ressources rares. Et, comme la finalité ultime est toujours celle des gènes qui « souhaitent » maximiser leur taux de reproduction, la concurrence la plus vive se manifestera à propos des femmes (puisque ce sont les génotypes mâles qui se battent) :

> Une compétition acharnée entre les groupes peut éclater au sujet de n'importe quelle ressource dès lors qu'elle est rare et que sa possession a un effet sur le succès reproducteur — terre, animaux, métaux, etc. —, mais souvent elle paraît éclater au sujet des femmes, et, même quand celles-ci ne paraissent pas être l'enjeu de la bataille, les combattants reconnaissent souvent qu'elles le sont indirectement [38].

On a du mal à se convaincre que la Seconde Guerre mondiale, par exemple, puisse avoir une explication aussi simple ! Or, la sociobiologie réserve bien d'autres surprises de ce type. Ainsi, puisque l'agressivité est une constante de la nature humaine, puisque la concurrence des génotypes implique l'égoïsme des individus, il est clair que l'altruisme n'existe pas (sauf à le supposer réciproque). La possibilité théorique de l'homosexualité est expliquée de cette manière-là. L'homosexualité constitue en effet une énigme pour une théorie qui prétend expliquer les comportements et l'évolution par les gènes, car les homosexuels sont censés ne pas se reproduire, et donc le « gène de l'homosexualité » aurait dû être éliminé dans le cours de l'évolution. Il n'en a rien été, répondent les sociobiologistes, parce que les homosexuels se dévouent à leurs proches par le sang (frères, neveux, etc.) qui possèdent de nombreux gènes en commun avec eux : en aidant leurs proches, ils permettent également la reproduction de leurs propres gènes ; l'altruisme est bien réciproque. L'ennui est qu'il n'y a pas le moindre commencement de preuve en faveur de cette théorie. Comme l'a écrit Samuelson, prix Nobel d'économie en 1970, dans le style à la fois humoristique et familier des magazines américains : « Pour survivre dans la jungle des intellectuels, les sociobiologistes feraient bien d'y aller doucement sur les questions de race et de sexe. »

La sociobiologie humaine n'est pas plus rigoureuse dans sa méthode que le darwinisme social ; il existe cependant une différence importante entre leurs conclusions. La sociobiologie ne débouche pas sur une recommandation positive — ne serait-ce que de laisser jouer la concurrence librement —, mais sur l'acceptation passive de la société telle qu'elle est. Du moins est-ce de cette façon que son message est généralement perçu. Quoi de plus naturel en effet qu'une organisation sociale résultant de l'application de règles génétiques ? Sans doute n'est-ce pas un hasard si le succès médiatique de la sociobiologie et sa récupération idéologique ont eu lieu pendant la phase actuelle de récession longue des vieux pays industriels : au moment où les politiques économiques interventionnistes, l'État-providence et plus généralement la « régulation keynéso-fordiste » sont en crise, l'idée qu'il était urgent de ne rien faire était susceptible, en effet, de recueillir une certaine audience.

Le succès de la « nouvelle économie » s'explique de la même manière.

Les nouveaux économistes se réclament simultanément des maîtres de l'École de Chicago — Friedman, le monétariste, prix Nobel 1976, et Becker, dont il a été question plus haut —, d'une part, et de Hayek, prix Nobel 1974, président de la société internationale du Mont-Pèlerin qui regroupe les intellectuels libéraux ultras, d'autre part. Sur le fond, ils n'ont de « nouveau » que le nom, car leurs recommandations rappellent étrangement celles des libéraux du XIXᵉ siècle et se résument dans le slogan : « A bas l'État et vive la propriété ! » Par essence, l'intervention de l'État est inefficace : les entreprises publiques sont fatalement mal gérées, l'assurance-chômage est responsable... du chômage, etc. Le grand principe est de laisser ou de remettre à l'initiative privée tout ce qu'elle peut mieux faire que l'État, c'est-à-dire pratiquement tout. A l'instar des libéraux du XIXᵉ siècle, les nouveaux économistes conseillent par exemple de substituer la charité à l'assistance publique : ils sont persuadés que les agents privés sont mieux à même que des fonctionnaires de s'assurer qu'il est fait bon usage des fonds distribués ou, ce qui revient à peu près au même, qu'il ne sera pas distribué plus de fonds qu'il n'en faut.

Les nouveaux économistes nous intéressent davantage par les points où ils adoptent des positions différentes de celles des anciens libéraux. En ce qui concerne la démographie, l'opposition est plus apparente que réelle : au XIXᵉ siècle, craignant que les pauvres se reproduisent trop vite, les « économistes » demandaient la suppression de toutes les mesures sociales en faveur des défavorisés ; aujourd'hui, craignant plutôt la chute de la fécondité et l'afflux des immigrants du « Sud », les nouveaux économistes ou leurs amis recommandent parfois une politique renforcée en faveur de la natalité, quitte à oublier un instant leurs convictions libérales [39].

Du côté de la concurrence, la différence est plus profonde et révélatrice du contraste entre les deux époques. Reprenant la thèse de Hayek, les nouveaux économistes rejettent le modèle de concurrence « pure et parfaite » comme irréaliste et impraticable. Dès lors, au lieu de prôner une politique de la concurrence, ils ont construit toute une argumentation nouvelle fondée sur de nombreuses études visant à démontrer que les prétendues imperfections de la concurrence (monopoles, oligopoles, cartel, exclusivité, prix imposé, etc.) sont en fait optimales pour les consommateurs et qu'il n'y a pas lieu d'y changer quoi que ce soit. Seules les restrictions légales à la concurrence sont condamnées : selon le mot de l'Américain Demsetz, rapporté par Henri Lepage qui est le grand vulgarisateur de la nouvelle économie en France, « le vrai pouvoir de monopole est bien plus grand là où l'État intervient que là où règne encore la loi du marché [40] ». La conclusion est à retenir : mis à part l'État, la bête noire, la situation qui s'établit spontanément est optimale : « Tout est pour le mieux dans le meilleur des mondes possibles. » C'est exactement la morale de la fable sociobiologique. Tout ce qui est réel est naturel et tout ce qui est naturel est rationnel. Le terme de « panglossianisme » forgé par Lewontin pour caractériser la sociobiologie convient également fort bien à la nouvelle économie.

Quelques coups de sonde à travers l'histoire de deux disciplines sont sans doute insuffisants pour étayer des conclusions générales. Il ressort quand même de ce qui précède que les transferts théoriques se font toujours à partir de la science constituée vers la science se faisant. De même que l'économie, à la fin du XIXᵉ siècle, empruntera à la mécanique rationnelle et se mathématisera, de même Darwin et les sociobiologistes après lui emprunteront — avec des fortunes diverses — au corpus des économistes censés détenir un savoir établi. Dans l'intervention, il y a souvent une part d'imitation ; c'est une des voies du progrès scientifique, avec ses succès et ses impasses.

Par contre, tous — et les hommes de science sont souvent au cœur du débat — se retrouvent pour jongler avec les emprunts, extrapoler des lois locales à l'univers tout entier, quand il s'agit d'enjeux politiques. Le débat actuel n'est pas de savoir si la « sélection des meilleurs » est ce qui convient le mieux au système socio-économique, ni de mesurer le rôle nécessaire de l'État, mais bien d'affirmer un idéal politique et social.

NOTES

1. J.-J. Rousseau, *Discours sur l'économie politique* (1755), repris in *Écrits politiques*, Paris, UGE, coll. « 10-18 », 1972, p. 36 ; une description semblable se trouve déjà dans le *Léviathan.*

2. Ce constat ne confirme pas entièrement la thèse de Foucault, car les importations en provenance de la mécanique ne cesseront pas pour autant. Cf. M. Gutsatz, *Physique, Économie, Mathématiques : de l'économie politique à la science économique. Essai sur la constitution d'une science (1776-1910)*, Doctorat d'État, Université d'Aix-Marseille II, 1985.

3. A. Marshall, *Principes d'économie politique*, 4e éd., 1898 ; trad. fr. de la 4e éd., Paris, Giard et Brière, 1906, p. 11.

4. A. Turgot, *Éloge de Vincent de Gournay*, 1759 ; repris in *Écrits économiques*, Paris, Calmann-Lévy, 1970, p. 87-88.

5. J. M. Keynes, *Théorie générale de l'emploi, de l'intérêt et de la monnaie*, 1936 ; trad. fr., Paris, Payot, 1968, p. 392. Pour un commentaire plus détaillé de la position de cet auteur, cf. M. Herland, *Keynes*, Paris, UGE, coll. « 10-18 », 1981, chap.VII.

6. P.-J. Proudhon, *Philosophie de la misère*, 1846 ; Antony, Groupe Fresnes-Antony de la Fédération anarchiste, 1983, vol. II, p. 23 et 60.

7. B. Gale, « Darwin and the Concept of a Struggle for Existence : Study in the Extrascientific Origins of Scientific Ideas », *ISIS*, vol. LXIII, 1972, p. 321-344.

P. Vorzimmer, « Darwin, Malthus and the Theory of Natural Selection », *Journal of the History of Ideas*, vol. XXX, n° 4, 1969, p. 527-542.

G. Sarton, « Darwin's Conception of the Theory of Natural Selection », *ISIS*, vol. XXVI, 1936, p. 336-340.

J.-L. Serre, « De Malthus à Darwin : évolution ou révolution du concept de lutte pour la vie ? », in *Malthus hier et aujourd'hui*, Congrès international de démographie historique, Paris, Éd. du CNRS, 1984, p. 473-484.

R. M. Young, « Malthus and the Evolutionists : The Common Contex of Biological and Social Theory », *Past and Present*, vol. XLIII, mai 1969, p. 109-141.

S. Herbert, « Darwin, Malthus and Selection », *Journal of the History of Biology*, vol. IV, n° 1, printemps 1971, p. 209-217.

A. Sandow, « Social Factors in the Origin of Darwinism », *Quarterly Review of Biology*, vol. XIII, 1938, p. 315-326.

8. S. J. Gould, « La voie moyenne de Darwin », *Le Pouce du panda*, Paris, Grasset, 1982 (trad. fr. de *The Panda's Thumb. More Reflexions in Natural History*, New York, Norton, 1980).

9. Francis Darwin (éd.), *Life and Letters of Charles Darwin*, 2 vol., New York, D. Appleton, 1897, t. I, p. 120.

10. S. S. Schweber, « The Origin of the Origin Revisited », *Journal of the History of Biology*, 1977.

11. S. J. Gould, *Le Pouce du panda, op. cit.*, p. 73.

12. M. T. Ghiselin, *The Economy of Nature and the Evolution of Sex*, Berkeley, University of California Press, 1974, p. 247.

13. M. Sahlins, *The Use and Abuse of Biology. An Anthropological Critic of Sociobiology*, Ann Arbor, University of Michigan Press, 1976 ; trad. fr., *Critique de la sociobiologie, aspects anthropologiques*, Paris, Gallimard, 1980, p. 133.

14. *Ibid.*, p. 55.

15. R. L. Trivers, « Parental Investment and Sexual Selection », *in* P. Campbell (éd.), *Sexual Selection and the Descent of Man, 1871-1971*, Chicago, Aldine, 1972, p. 139.

16. E. O. Wilson, *Sociobiology : The New Synthesis*, Cambridge, Mass., Harvard University Press, 1975, p. 97 ; trad. fr., *La Sociobiologie*, Éd. du Rocher, Monaco, 1987.

17. G. Becker, « Altruism, Egoism and Genetic Fitness », *Journal of Economic Literature*, 1976, n° 3.

18. K. Marx, *Le Capital*, Livre I, 1867 ; in *Œuvres, I, Économie*, Paris, Gallimard, coll. « Bibliothèque de la Pléiade », 1965, p. 915.

19. R. Passet, *L'Économique et le Vivant*, Paris, Petite Bibliothèque Payot, 1979, p. 210.

20. C. C. Gillispie, « Comment on Freeman », *Current Anthropology*, vol. XV, 1974.

21. Lettre de Marx à Engels, 18 juin 1862.

22. S. Shapin, « L'histoire sociale des sciences est-elle possible ? », in *Les Scientifiques et leurs Alliés*, textes choisis par M. Callon et B. Latour, Paris, Pandore, 1985, p. 224.

23. *Ibid.*, p. 201.

24. J.-B. Say, *Cours complet d'économie politique pratique*, 1828-1829 ; cité in *Textes choisis*, Paris, Dalloz, 1953, p. 184.

25. T. Fix, « La situation des classes ouvrières », *Journal des économistes*, X, 1844, p. 11.

26. P. A. Samuelson, « Social Darwinism », *Newsweek*, 7 juillet 1975.

27. J. Garnier, *Éléments de l'économie politique*, Paris, Guillaumin, 1846, p. 336-337.

28. T. Malthus, *Essai sur le principe de population*, 1re éd., Paris, INED, 1980, p. 161.

29. *Ibid.*, 2e éd., 1803.

30. *Ibid.*, p. 376.

31. C. Royer, *Origine de l'homme et des sociétés*, Paris, Guillaumon et Masson, 1870, p. 587.

32. F. Galton, *Hereditary Genius*, Londres, Macmillan, 1869, p. 32.

33. F. Galton, « Testament portant création d'une chaire d'Eugénisme à l'Université de Londres », *in* K. Pearson, *The Life, Letters and Labours of Francis Galton*, vol. III A, *Correlation, Personnal Identification and Eugenics*, Cambridge University Press, 1914-1930, p. 225.

34. F. Vacher de Lapouge, *L'Aryen, son rôle social*, Paris, Albert Fontemoing, 1899, p. 504.

35. D. Mackenzie, *Statistics in Britain, 1865-1930. The Social Construction of Scientific Knowledge*, Édimbourg, Edinburgh University Press, 1981, p. 25.

36. T. Malthus, *Essai sur le principe de population, op. cit.*, 2e éd., livre IV, chap. XI, p. 370.

37. K. Pearson, « Anarchy », *The Cambridge Review*, 1881, vol. II, p. 269.

38. D. Symons, *The Evolution of Human Sexuality*, Oxford University Press, 1979 ; cité *in* R. Lewontin, S. Rose et L. Kamin, *Nous ne sommes pas programmés. Génétique, hérédité, idéologie*, Paris, La Découverte, 1985, p. 313.

39. Cf. la contribution de Chaunu dans l'ouvrage collectif *La Liberté à refaire* (Hachette, coll. « Pluriel », 1984) où les nouveaux économistes sont présents en force. Pour une analyse de ce livre, voir M. Herland, « Images du libéralisme moderne à travers quelques livres récents », *L'Europe en formation*, novembre-décembre 1985.

40. H. Lepage, *Demain le libéralisme*, Paris, Hachette, coll. « Pluriel », p. 308.

Sélection naturelle

Passerelles conceptuelles entre l'ordre immobile et l'incertain

Michel Veuille.

> *Darwin fut encensé à sa mort comme un héros national de la vieille Angleterre, dont il symbolisait la conscience sans doute plus que Victoria ou Disraeli : savant, il était le père d'une théorie révolutionnaire, mais il était aussi le penseur de la « sélection naturelle », dont on a vu que l'économie politique croyait y reconnaître sa vision du monde.*
>
> *Où est la révolution darwinienne ? Si l'on en croit les manuels de biologie, la théorie de Darwin est d'abord scientifique, et n'avait pour mobile initial que de régler un obscur problème de classification chez les pinsons des Galapagos. D'autres diront que Darwin a simplement emprunté aux théories sociales un modèle plausible dans le monde vivant : l'évocation de la « lutte pour l'existence » de Malthus n'est-elle pas un aveu ?*
>
> *Entre deux explications également simplistes — inductivisme bien-pensant ou amalgame idéologisant —, l'épistémologie n'a heureusement pas à choisir, car toutes deux commettent l'erreur de considérer Darwin pour lui-même, sans voir dans quelles traditions d'analyses il s'insérait en toute conscience. Bien avant que fût dévoilée l'évolution des espèces le terrain de l'économie naturelle était miné : la nature participait du plan divin qui, de la création du monde à celle de l'homme, situait la société dans l'ordre universel.*
>
> *Tissant sa théorie à partir d'un matériau préexistant, Darwin devait sans cesse effleurer les cordes conduisant de l'ordre évolutif à l'ordre historique. Il n'y a pas de meilleur exemple de résonance entre deux domaines distincts et pourtant liés dans l'esprit des hommes. Le paradoxe n'est-il pas que Darwin sut recomposer l'ensemble des totalisations tout en menant à bien sa tâche de biologiste ?*

1. D'Erewhon à Kantsaywhere (prologue)

Il n'y a pas d'interdit au développement ultime de la conscience mécanique dans le fait que les machines ne possèdent guère

198

aujourd'hui de conscience. Un mollusque n'a pas beaucoup de conscience. Réfléchissez aux progrès extraordinaires accomplis par les machines durant ces quelques centaines d'années, et notez avec quelle lenteur le règne animal ou végétal progresse (...), qui peut dire si la machine à vapeur n'a pas quelque forme de conscience ? Où commence la conscience et où finit-elle ? Qui peut tracer la limite [1] ?

Ces délires à l'allure savante sont ceux des docteurs en « Hypothétique » enseignant dans les « Collèges de Déraison » du pays d'Erewhon. Erewhon est une contrée fictive, comme son nom le cache à peine (*nowhere*, nulle part), une utopie sortie de l'imagination de Samuel Butler, romancier satirique de l'Angleterre victorienne. Ces savants parodiques — visant en réalité Darwin — rendent leur société démente en l'assaillant de spéculations doctorales.

Les Erewhoniens, poursuit le conte, finirent par croire que c'est l'humanité qui deviendrait un jour le parasite des machines. Et, quand les professeurs commencèrent à classifier leurs compatriotes en chevaux-vapeur et selon le nombre de manivelles qu'ils pouvaient actionner, la panique s'empara du pays, déclenchant une guerre civile où les machines furent exterminées jusqu'à la dernière lessiveuse...

Comme toute histoire absurde, celle-ci contient un atome d'angoisse. La machine n'est pas seulement fascinante en ce qu'elle renvoie l'image d'une identité physique, récemment octroyée par la science. Jusqu'ici l'être le plus parfait d'une création divine et définitive, l'homme voit son nouveau corps-machine l'exposer à n'être que l'avatar fugace d'une histoire matérielle et sans but pouvant perfectionner ses machines à l'infini. L'ouverture vers l'incertain est plus vertigineuse que l'éternité, ultime transcendance qui confine à l'absurde.

Le rire de Butler était cependant dérisoire face à une mécanisation du monde qui englobait la société et l'État, car il y avait plus inhumain que les sornettes de ses savants imaginaires : les plans de ceux de ses contemporains se proposant de remédier à l'imperfection alléguée du corps humain.

Le surlendemain de Noël 1910, sir Francis Galton, fondateur de l'« Eugénique » — science de l'amélioration de la race humaine —, auteur d'ouvrages fondateurs en statistiques, psychologie différentielle, criminologie, etc. (voir « Corrélation »), commençait dans un moment de bonne humeur et malgré ses quatre-vingt-cinq ans à écrire son premier roman : un conte avec « histoires d'amour d'une irréalité absurde », écrit dans la tradition des utopies anglaises, et destiné à illustrer la vie future dans un État consacré à l'amélioration héréditaire de l'élite.

Il devait mourir trois semaines plus tard, sans l'achever, et les premiers feuillets allaient en être détruits par des héritiers pressés de faire disparaître les traces de la dernière incartade du vieil académicien quand le professeur Karl Pearson, fidèle d'entre les fidèles, parvint à en sauver les fragments maltraités pour les livrer au monde. Voici la trame de l'histoire :

« Un professeur en statistiques vitales, après certaines aventures, atteint le pays de Kantsaywhere ; il est homme de talent et rencontre une jeune *lady* de ce pays qui se prépare à passer son Examen d'Honneur pour entrer au Collège d'Eugénique. » Pour accéder à la main de miss Augusta Allfancy, il lui faudra obtenir pour lui-même un certificat d'*Ancestral Efficiency*, car « la propagation de l'inadapté (*unfit*) est vue par les habitants de Kantsaywhee comme un crime d'État [2] ».

En lieu et place des histoires d'amour promises, le romancier-statisticien avait détaillé sur des pages — mensurations à l'appui — les interminables tests anthropométriques que devaient subir ses héros pour entrer au *College of Marriages*. Les épisodes galants étaient des soirées organisées par l'État entre jeunes filles de vingt-deux ans et jeunes gens de trente ans, où l'on déplaçait d'autorité les convives toutes les trente minutes dans l'espoir que les coups de foudre finissent par atteindre ce cheptel sélectionné depuis des générations. Dans ces soirées, nous dit Galton...

... les deux sexes sont égaux à eux-mêmes, les femmes sont profondément féminines, et je pourrais ajouter mammaliennes, et les hommes sont extrêmement virils. Il n'y a pas à entendre de petits propos frivoles ou scandaleux dans leurs conversations, mais on parle abondamment de l'histoire des familles ou des perspectives des générations futures. Ces sujets occupent presque autant de place dans leurs propos que les questions athlétiques dans une grande école, ou les performances des chevaux dans un cercle hippique.

Ce morceau perdu de la littérature futuriste devait s'achever pour nos héros sur un dénouement heureux, autant que statistiquement souhaitable. Et, s'il est dit que « des colonies sont établies où les très inférieurs sont ségrégés dans des conditions peu onéreuses, mais où ils doivent travailler dur et vivre en célibataires », on apprend qu'ils reviendront avec l'âge vivre auprès du « bien-aimé Collège » qui a dessiné leur destin. Car les habitants de Kantsaywhere, ayant l'impression que tous les êtres que la terre a portés les environnent et les observent, s'en remettent au grand ensemble de leur communauté qui leur paraît une formidable conscience.

Butler avait sans doute tort de croire que l'on pouvait combattre la folie d'une époque par le rire. Galton, dans son apparent fantasme, ouvrait toute grande la porte du XXᵉ siècle, puisqu'il sera un jour l'inspirateur direct de l'examen conjugal, de la stérilisation des malades mentaux, voire indirectement de l'État totalitaire et des camps de concentration.

2. La création en désordre

Certains pensent que la contribution du darwinisme à la conscience sociale se limite à transposer de l'homme à la nature une métaphore du progrès par la concurrence. En réalité, le darwinisme traumatise une époque en livrant les lois du monde à l'enchère des programmes de remise en ordre du siècle. De conscience il est question avec les machines de Butler ; de conscience il est question avec l'État de Galton ; l'identité de l'homme fait problème et le sens de l'existence se cherche. Car la théorie de la « transformation des espèces par voie de sélection naturelle » n'est pas un simple récit ; c'est une découverte. Elle ne se substitue pas au texte de la Genèse, qui au reste ne préoccupait pas la société outre mesure. Le darwinisme est d'abord subversion de la science, et l'oblige à renégocier avec la société un *modus vivendi* délicat mis au point depuis deux siècles. Les véritables dépouilles qu'arbore le darwinisme triomphant sont les termes de « lutte pour l'existence », d'« évolution », d'« adaptation », toutes notions prédarwiniennes, représentations statiques ou dynamiques de l'ordre biologique et humain par lesquelles la société s'était jusqu'alors accommodée de la science par des débats houleux dans les générations précédentes. Il suffira à Darwin de les agencer en une configuration nouvelle pour les transfigurer au point que, après lui, tous seront persuadés que c'est lui qui a créé ces termes. Comment produire l'image d'un désordre créateur avec plusieurs modèles de l'ordre ? Comment peut-on jouer avec plusieurs horloges du temps, cyclique ou linéaire, pour ouvrir le futur à une création sans bornes ? C'est la clé de la révolution darwinienne en biologie et le point de départ d'une relation désormais problématique de la société à la nature.

3. Économie de la nature et lutte pour l'existence

C'est dans les *Aménités académiques*, écrites par le grand naturaliste du XVIIIᵉ siècle Charles Linné et ses élèves, qu'apparaît pour la première fois dans la littérature scientifique une réflexion d'envergure sur l'ordre naturel. Depuis le Moyen Age, les animaux et les plantes non nécessaires à l'homme étaient considérés comme des êtres dégénérés, partiels, illustrant dans la tradition des bestiaires différents points de la morale divine. L'inventaire systématique des faunes et des flores par les naturalistes va bouleverser cette conception. La relation de la nature à Dieu s'est transformée dans l'esprit des hommes. Depuis la révolution copernicienne, la terre n'est plus censée être au centre du monde, et l'homme est devenu un humble observateur interrogeant la nature pour comprendre les causes et les lois de son équilibre, accédant par là même à l'intelligence du plan divin. En répertoriant les espèces vivantes, les naturalistes reprennent la tâche assignée par Dieu à Adam : nommer les êtres. Mais ce monde est aussi l'héritier de Newton. Il s'agit, dira Linné, de « regarder avec étonnement la machine de cet univers qu'a produite et créée la main de l'artiste infini ». L'objet du naturaliste n'est pas seulement de répertorier les espèces, mais aussi d'expliquer leur cohabitation, d'où cette « économie de la nature » qui fait l'objet des *Aménités académiques*, et où il faut comprendre « économie », non comme une référence métaphorique à la société des hommes, mais dans son sens premier (*oiko-nomos*, loi du foyer), qui l'éloigne à peine de la métaphysique aristotélicienne pour ne la rapprocher que par son nom de notre moderne écologie (*oiko-logos*). Et Linné de noter ce paradoxe :

> Supposons une plante d'une durée d'un an munie d'une seule fleur et de deux graines seulement : la première année, elle donnerait deux fœtus, la seconde quatre, la troisième huit, et, au bout de vingt ans, il existerait 91 296 individus. Que doit-on dire de ce qui a pu s'accomplir en l'espace de six millénaires [3] ?

Cet argument était connu de tous les naturalistes (qui savaient aussi que le chiffre exact après vingt ans était de plus d'un million). Il revient à dire que la croissance des espèces devrait être exponentielle, bien qu'à l'évidence elle ne le soit pas, puisque les faunes et les flores restent approximativement de même effectif. La réponse de Linné à ce paradoxe restera longtemps une idée-force de l'histoire naturelle : ce qui interdit la croissance effrénée des animaux et des plantes, ce sont les carnages entre espèces :

> Si nous remontons aux intentions pour lesquelles il a plu au Souverain Créateur d'ordonner la nature de telle sorte que certains animaux ne soient créés que pour massacrer horriblement les autres, nous croyons comprendre que son soin providentiel vise à ce qu'ils trouvent non seulement leur subsistance, mais qu'ils contribuent de plus à préserver une juste proportion entre toutes les espèces et empêcher ainsi qu'elles ne se multiplient plus qu'il ne faut au détriment des hommes et des animaux.

Ainsi se trouve expliquée une cruauté sauvage où l'intention divine n'était pas de prime abord évidente : le monde est ordonné en son mouvement, et la diversité des espèces s'explique en ce que chacune renvoie aux autres dans la *propagation*, la *conservation* et la *destruction*, qui sont les principes de l'économie naturelle.

Pour Linné, en effet, il ne saurait être question de douter du parfait ordonnancement du monde. Le vulgaire, certes, pourrait douter de Dieu face à un carnage « où il ne remarquerait rien d'autre que la lutte de tous contre tous ». La tâche du naturaliste est de l'instruire, de lui révéler la « police de la nature », le gouvernement par lequel chaque espèce contribue à la machine du monde.

L'argument mathématique de Linné n'est autre que celui dont Malthus fera le « principe de population », et qui ne semblera nouveau à ses contemporains que par son matérialisme effrayant : Malthus l'appliquera à l'homme, fera disparaître Dieu, et baptisera le tout « lutte pour l'existence ».

Mais cela restera un principe conservateur, et l'on pourrait s'interroger : par quel aveuglement a-t-on pu vouloir prouver l'implacable stabilité des lois de la nature au moyen d'un modèle qui sera à la base des idées darwiniennes ? Mais ce serait confondre la « lutte pour l'existence », prémice de Darwin, avec sa théorie propre, la « sélection naturelle », qui repose sur l'idée de variation. Pourvu que l'on admette que les différents individus d'une espèce sont interchangeables, le principe de population mène bien à la stabilité. Il n'est que de s'en remettre à la « dynamique des populations », secteur de l'écologie contemporaine qui étudie les variations d'effectif des populations naturelles en transcrivant sous forme d'équations différentielles les intuitions ci-dessus. A la stabilité mène l'équation de Lotka-Volterra (1925) qui décrit la coadaptation d'une proie et d'un prédateur, d'un hôte et de son parasite, ou d'un agent pathogène et de sa victime ; à la stabilité mène l'équation de la « lutte pour la vie » de Gause (1934) qui décrit la compétition de deux espèces occupant des niches écologiques semblables ; il en va de même des « stratégies démographiques » (dites encore « sélection-r » et « sélection-K ») de MacArthur et Wilson (1967) relatives au mode de régulation des effectifs auquel les espèces sont adaptées.

L'écologiste May a certes récemment montré que ces modèles ne conduisaient à la stabilité que pour des valeurs choisies des coefficients, et que d'autres valeurs pouvaient conduire au « chaos » (voir « Ordres »). Mais le chaos n'est pas l'évolution, car il ne modifie en rien la nature des espèces. Il ne fait que marquer la limite du rêve malthusien de l'écologie moderne d'une modélisation mathématique de l'éternel retour à l'équilibre naturel par la compétition entre espèces.

4. L'évolution

Plus paradoxal à notre intuition moderne est le fait que l'on puisse admettre la transformation des espèces sans remettre fondamentalement en cause cette idée de l'ordre.

La doctrine de Lamarck explique la marche ascendante de la « composition » des êtres par une tendance spontanée de la matière à réagir aux besoins nés de nouvelles circonstances. Les changements du milieu jouent un rôle accessoire dans ce qui est avant tout l'irrésistible progrès du sentiment intérieur. Il n'y a guère chez Lamarck de considération des relations espèce-milieu, et la diversité des facteurs naturels — par exemple, eaux vives, eaux stagnantes, eaux marines — n'occasionne que des discontinuités fortuites — les espèces — dans la continuité idéale des êtres le long des « grandes masses » de l'organisation. C'est pourquoi il restera un conservateur attaché aux principes de l'économie naturelle quand sa *Philosophie zoologique* devra évoquer le maintien des équilibres vitaux. « La multiplication des petites espèces d'animaux est si considérable et les renouvellements de leurs générations sont si prompts que les petites espèces rendraient le globe inhabitable si la nature n'avait mis un terme à leur prodigieuse multiplication [4]. »

Cette peinture d'une nature organisée où les « grandes » espèces dévorent les « petites » diffère des réseaux trophiques de notre écologie moderne en ce qu'il n'y est pas question de budgets énergétiques, mais seulement de maintien de l'ordre par décimation des effectifs des plus prolifiques.

Ainsi, par ces sages précautions, tout se maintient dans l'ordre établi ; les changements et les renouvellements qui s'observent dans cet ordre sont maintenus dans des bornes qu'ils ne sauraient dépasser ; *les races des corps vivants subsistent toutes, malgré leurs variations* ; les progrès accomplis dans le perfectionnement de l'organisation ne se perdent point ; tout ce qui paraît désordre, renversement, anomalie, rentre sans cesse dans l'ordre général et même y concourt ; et partout la volonté du Sublime Auteur de la

Nature et de tout ce qui existe est invariablement exécutée [*souligné par nous*].

Que l'idée de progrès soit conçue au début du XIXᵉ siècle comme antinomique du désordre, il suffirait d'évoquer Auguste Comte pour le démontrer ; mais le positiviste le plus conséquent à cet égard sera Herbert Spencer, ingénieur et philosophe, qui s'inspirera de la biologie de Lamarck et de von Baer pour renouveler le sens d'un mot ancien auquel il attachera désormais son nom : l'« évolution ».

Le mot d'« évolution » signifie « développement », « déploiement » de propriétés préexistantes mais insoupçonnables dont la séquence d'apparition se déroule avec le temps (on parle ainsi de l'évolution d'une maladie ou d'un problème). Le terme apparaît dans le vocabulaire des naturalistes et des médecins du XVIIᵉ siècle avec la découverte presque simultanée des spermatozoïdes chez le mâle et des corps jaunes ovariens chez la femelle. Deux tendances s'affrontent alors sur la question de l'origine de l'embryon, engendrant une dispute de plus d'un siècle à laquelle nombre de philosophes du siècle des Lumières participeront (Leibniz, Diderot, Maupertuis, etc.).

Les « évolutionnistes » estiment qu'un seul des deux produits sexuels parentaux (spermatozoïde *ou* ovule) contient l'essence de la génération suivante, l'autre n'ayant selon le cas qu'un rôle stimulateur ou nourricier. Ainsi, le développement d'un être pourrait n'être que l'« évolution » (déploiement) des propriétés d'un « animalcule » ; et, cet être contenant lui-même les « animalcules » des générations suivantes, la nature ne serait que l'ouverture d'un infiniment petit existant depuis la création, et dont l'histoire serait la révélation par vagues successives.

Les « épigénistes » au contraire ne croient pas à l'infiniment petit, mais à une nature composée de formes élémentaires ayant des propriétés d'attraction, de sensation, etc., pouvant se combiner lors de la formation d'un être. Les deux parents concourent à la « génération », engendrant une combinatoire étendue de formes vivantes. C'est l'idée que défendra notamment Maupertuis, et qui influencera le XIXᵉ siècle jusque dans les conceptions de Spencer, Haeckel ou Darwin sur l'hérédité.

A l'époque où écrivait Spencer, on était désormais convaincu que les deux parents contribuaient à la formation de l'œuf, mais surtout l'embryologiste von Baer avait démontré que le développement des vertébrés passait par des stades embryonnaires homologues. L'« évolution » telle que la concevra Spencer sera une conception du temps, tant historique qu'embryologique, où les formes se différencient de l'état le plus *homogène* à l'état le plus *hétérogène*, comme dans la série qui va des poissons aux reptiles, puis conduit aux oiseaux et aux mammifères. C'est pourquoi, plus tard, lorsque Darwin publiera *l'Origine des espèces* et que Spencer, croyant y voir l'illustration biologique de son principe d'évolution, proposera de rebaptiser la sélection naturelle « *survival of the fittest* », cette formule qui se veut une correction du darwinisme pourrait se comprendre comme « stabilité du plus harmonieux » autant que par « survie du plus apte » qui en est la traduction littérale.

Il reste qu'avant Darwin, l'évolution est une constatation empirique dont on voudrait imaginer le principe matériel. Elle s'impose à Lamarck « par la force des choses » ; Spencer allègue l'existence d'une loi physique de la « conservation de la force » rendant stable l'hétérogène, qu'il s'agisse des planètes, de la vie ou de la société, mais dont le principe imaginaire demeure métaphysique.

5. L'adaptation

Telle n'était pas la problématique de Darwin, dont l'objet n'était pas d'imaginer une loi permettant de réécrire *a posteriori* l'histoire de l'univers, mais simplement d'expliquer la diversité des faunes mondiales dont son voyage autour du monde lui avait permis de mesurer l'étendue. L'adaptation des faunes sous tous les climats était contradictoire avec le dogme propagé par Linné selon lequel toutes les espèces s'étaient disséminées à partir d'un lieu unique : celui où avait échoué l'arche de Noé.

L'idée d'adaptation est par excellence un concept qui entrera en contradiction avec les dogmes théologiques à l'ombre desquels il s'était développé.

C'est avec *l'Existence de Dieu démontrée par les merveilles de la nature,* publiée par Nieuwentijt au début du XVIIIe siècle, que s'ouvre une tradition naturaliste tendant à démontrer la toute-puissance du Créateur par l'étonnante organisation des créatures qu'il a produites.

Elle se poursuivra en France avec le *Spectacle de la nature* de l'abbé Pluche, et déterminera le goût du public cultivé pour le parfum de paradis terrestre émanant des œuvres des grands naturalistes tels que Buffon, Lacépède et plus tard Fabre.

La recherche de la preuve de Dieu culminera avec la *Théologie naturelle* de l'Anglais William Paley, la seule œuvre de théologie détaillant avec un bonheur égal les pièces masticatrices des insectes et l'agencement des tendons autour d'une rotule. L'argument de Paley est celui du *design* : si, au lieu de buter sur les pierres d'un chemin, dit-il en substance, nous butions sur des horloges, nous ne pourrions nous empêcher d'évoquer l'horloger qui les a produites. Or, l'adaptation extrême du corps des animaux à ses diveses fonctions en fait une machine inouïe, qui de plus est capable de se reproduire. N'est-ce pas la preuve de l'existence de leur *designer*, d'une intelligence qui nous dépasse ?

L'idée d'adaptation est à l'origine un moyen de lutter contre le matérialisme envahissant du siècle par les évidences scientifiques de la démonstration. Familier des œuvres de Paley par ses premières études théologiques, Darwin les reconsidérera dans ses notes personnelles et ses livres : si l'on admet que nulle adaptation n'est parfaite, il aura été possible aux animaux et aux plantes d'essaimer dans toutes les parties du globe en réalisant peu à peu les adaptations actuelles des faunes et des flores.

Le mot d'adaptation désignait jusqu'alors un état : le fait d'*être adapté* ; il désigne désormais un processus en perpétuel inachèvement : le fait de *s'adapter*. La clé de ce changement de sens réside dans l'idée de variation transmissible.

Quand Darwin reprend à son compte la formule de « survie du plus apte » pour désigner la sélection naturelle, nous y voyons aujourd'hui une figure tautologique, comme l'ont répété depuis un siècle les critiques de Darwin, puisque le plus apte est par définition celui qui survit. Mais il n'y a circularité que parce que nous voyons désormais irrémédiablement le monde avec les yeux de Darwin. Dans la conception ancienne du *design*, cette formule eût été un non-sens, puisque, chaque être étant adapté par intention divine, il ne pouvait y avoir de « plus » ou de « moins » apte. Cette petite formule, toute évidente qu'elle soit sous ses dehors de vérité de La Palice, désenchante le monde. L'idée d'une variation dans l'aptitude est la subtilité la plus vertigineuse, et finalement fatale, qui pouvait être appliquée à l'ancien concept d'adaptation.

6. La lutte pour l'existence

Darwin est l'exemple rare d'un savant qui s'est accordé vingt-deux ans de réflexion solitaire sur une découverte. Bien avant de publier *l'Origine des espèces* en 1859, sa carrière scientifique est faite : ses souvenirs de naturaliste autour du monde, sa théorie sur l'origine des atolls, sa monographie sur la classification des balanes — petit groupe de crustacés dont il est le spécialiste — ont établi sa réputation. Membre de la *Royal Society*, il se retire à la campagne pour méditer son problème biogéographique, et se livrera à la lecture et à la documentation en noircissant ses *notebooks* de réflexions.

Les philosophes et historiens des sciences ont mis à profit cette extraordinaire source d'informations pour comprendre pas à pas comment s'élabore la pensée d'un savant conduit vers une découverte révolutionnaire.

De cette enquête extrêmement minutieuse, il ressort finalement un moment décisif qui voit la pensée de Darwin cristalliser en une théorie complète à partir d'éléments épars collectés dans les mois précédents : c'est lorsque, de son propre aveu, il lit l'*Essai sur la population* de Malthus « pour se distraire » en 1838.

Jusqu'alors, Darwin avait reconnu que la nature pouvait transformer les espèces à la manière dont l'agriculteur sélectionne ses semences, mais il ne comprenait pas quel facteur naturel pouvait opérer un tel choix. Il conçoit alors que la « lutte pour l'existence » réalise spontanément ce tri des variations. On sait que Wallace, naturaliste qui imagina indépendamment une théorie similaire à celle de Darwin, et là encore pour résoudre un problème biogéographique, se référera aussi à Malthus.

Sans doute Darwin ne lisait-il pas vraiment Malthus pour se distraire, car on sait d'après ses carnets que, depuis quelques semaines, il s'intéressait aussi à Adam Smith et Quételet, c'est-à-dire aux quelques lectures de l'époque sur les populations et les statistiques cherchant à formaliser sous forme de loi le fonctionnement des communautés.

L'argument mathématique fourni par le principe de population est qu'il naît plus d'êtres qu'il ne peut s'en reproduire, ouvrant la possibilité d'une sélection naturelle. La thèse de Darwin ne se comprend entièrement qu'à condition d'en distinguer deux éléments clés.

En premier lieu, il considère les effets de la lutte pour l'existence au sein des espèces, et non plus entre elles. Les interactions entre espèces mènent bien à la stabilité comme le reconnaissait l'économie naturelle ; mais les autres espèces deviennent alors un facteur du milieu commun aux membres d'une même espèce en compétition pour la propagation. Alors qu'une conception encore vague de la notion d'espèce avait conduit Lamarck à poser simplement que « les races des corps vivants subsistent toutes malgré leurs variations », Darwin arrive à la conclusion opposée par une définition plus rigoureuse de l'espèce qui lui fait reconnaître la nature *intraspécifique* de la variation, donc de la compétition.

En second lieu, il faut comprendre que « lutte pour l'existence » et « sélection naturelle » sont pour Darwin deux concepts distincts dont le premier n'est que la condition de possibilité de l'autre. Ainsi, un couple de saumons peut pondre à chaque génération des millions d'œufs dont deux seulement en moyenne, dans une population à l'équilibre démographique, les remplaceront à la génération suivante pour donner des adultes féconds. Le gaspillage de potentiel reproductif est considérable, et la lutte pour l'existence entre alevins est intense. Mais il n'y aura sélection naturelle que si cette lutte pour l'existence à des effets différenciateurs selon le génotype des alevins. Or, il n'y a aucune raison de penser que le taux d'évolution des saumons soit plus important que, par exemple, celui de ces albatros dont chaque couple couve un œuf unique tous les trois ans.

La lutte pour l'existence n'a d'effets transformateurs sur les espèces qu'en fonction d'un autre facteur, la variation. Or, si la thèse darwinienne repose sur le postulat de la variation, elle prédit paradoxalement l'absence de différences spectaculaires dans l'aptitude des individus à l'échelle d'une génération. La sélection ne peut agir que si l'organisme reste à tout moment dans une relation étroite d'adéquation à son milieu naturel ; elle se borne à « traquer la moindre variation » avantageuse dans des espèces bien établies et donc peu perfectibles. Insistant tout au long de sa vie sur le caractère *graduel* de l'évolution, Darwin la conçoit comme un phénomène d'une lenteur extrême.

> Nous ne voyons rien (*écrit-il*) de ces lents changements en progression avant que l'empreinte du temps ait marqué des âges d'une durée extrême, d'où notre vision si imparfaite des ères géologiques passées, qui sait seulement que les formes vivantes sont aujourd'hui différentes de ce qu'elles furent [5].

Malthus apporte donc à Darwin un élément essentiel de sa théorie, mais Darwin n'est pas contenu dans Malthus. Pour comprendre à quel point celui-là dépasse son inspirateur, il faut retracer la logique des deux démarches.

Malthus est avant tout un politique, et c'est un conservateur. Et, puisque l'on n'est conservateur que par rapport à une époque précise, il faut ajouter que Malthus écrit au début du XIXe siècle, lorsque le développement du capitalisme agraire a dépeuplé les campagnes anglaises et gorge les villes d'un prolétariat vivant dans la misère à l'ombre de la première révolution industrielle. La thèse de Malthus est que les ressources ne s'accroissent pas au même rythme que la population. Partager les biens existants par charité publique n'est d'aucune utilité. Il faut laisser à chacun le bien dont il dispose et se borner à limiter la reproduction des indigents pour leur éviter de propager leur misère. Sinon, des mécanismes régulateurs beaucoup plus draconiens — épidémies, famines — pourraient se mettre spontanément en action pour ramener la population à son effectif souhaitable.

En un sens, Malthus est bien un auteur prédarwinien en ce qu'il considère la compétition entre membres d'une même espèce — l'humanité ; mais il est aussi resté un auteur profondément ancré dans le XVIIIe siècle en ce qu'à l'instar de l'économie naturelle de Linné il semble considérer les riches et les pauvres comme des catégories distinctes par essence dont il n'est pas question de discuter le statut, des espèces pourrait-on dire, condamnées à cohabiter dans leur opposition.

Mais Darwin lira le texte malthusien avec les œillères d'un naturaliste considérant la question du surpeuplement et de la reproduction dans l'espèce *Homo sapiens,* et c'est ce qui lui permet de transposer immédiatement le modèle aux animaux et aux plantes, non pas dans le cadre interspécifique familier à l'économie naturelle, mais dans un cadre intraspécifique. En ce sens, la thèse populaire selon laquelle Darwin aurait cédé à des préjugés de classe en lisant Malthus est injuste, puisque c'est précisément un moment où il en fait abstraction. On peut en revanche s'interroger sur la clairvoyance de ses critiques qui oublient que le schéma darwinien va mener à l'homogénéisation adaptative des espèces, une conclusion sans aucun rapport, conscient ou inconscient, avec le désir de Malthus de légitimer le maintien des distinctions de classe. Darwin reste étranger à l'espace politique dans lequel évolue son inspirateur, car sa pensée est bornée par ses préoccupations de biogéographe. Plutôt que d'« emprunter » un concept à Malthus, il le lit de travers, l'oriente vers des cibles nouvelles et se l'approprie au point que, désormais, l'expression de « lutte pour l'existence » appartiendra à la biologie.

7. Darwinisme et société : Quel est l'itinéraire des idées ?

Darwin est sans doute le premier auteur à ne plus considérer les voies de la nature et de la société comme deux reflets complémentaires d'un même ordre du monde. Les vingt ans qu'il mettra à publier sa découverte sont d'ailleurs attribués par les historiens à sa prudence à exposer des idées dont les enjeux considérables seront immédiatement perçus par tous : c'est un évêque voulant combattre le darwinisme qui popularisera la formule selon laquelle « l'homme descend du singe », et non Darwin, trop circonspect pour oser parler de l'homme dans *l'Origine des espèces*...

Avec lui change la fonction sociale du biologiste, qui n'a plus à se réclamer *a priori* des intentions édifiantes de son discours. Il n'est plus serviteur de Dieu, mais de la nature, et se contente de révéler la toute-puissance de ses lois. Nul message céleste n'est désormais à découvrir dans la contemplation des êtres vivants : « La bonté de la main droite qui aide le cerf, commente Thomas Huxley, et la méchanceté de la main gauche qui encourage le loup se neutraliseront l'une l'autre : et la course de la nature n'apparaîtra ni morale, ni immorale, mais a-morale [6]. »

Désormais, la société est nue et livrée à elle-même : son « évolution » succède à celle des animaux et en même temps l'en émancipe. Ses règles morales seront celles qu'elle se donnera. Dans une société de conflits de classes, rien ne protège désormais les hommes des autres hommes que le consensus politique et social. Si l'identité de l'homme se cherche, comme nous l'avons vu en prologue, si les théories sociales foisonnent, c'est donc bien en un sens à cause de Darwin. Mais ce n'est pas le contenu explicite du discours qui entre en jeu, ce sont ses omissions : le darwinisme a jeté à la trappe le lien autrefois entretenu par les naturalistes entre l'ordre de la nature et l'ordre social. Cette rupture fait du darwinisme, discours exclusif sur l'ordre naturel, un discours implicite sur le pouvoir s'agissant de l'ordre humain.

Ce qui flatte au premier chef la société bourgeoise, ce n'est pas le contenu métaphorique que l'on pourrait tracer entre l'« évolution » des espèces et l'idée de « progrès » qui anime le capitalisme industriel et la classe ouvrière quand apparaît le darwinisme en 1859. C'est le fait qu'il s'agisse d'une théorie scientifique avec ses apparences de vérité pure, qui symbolise à ce titre les nouvelles sources de pouvoir de l'homme sur la nature, sur l'industrie, et sur le progrès humain, dans lequel se reconnaissent tant le bourgeois radical que le socialiste.

Contrairement à une idée simpliste mais bien établie, la théorie de la sélection naturelle n'est pas un simple déguisement métaphorique de l'idée de concurrence que Darwin aurait transposée de la société à la nature pour ensuite la livrer à nouveau à la société. Quand, vingt ans auparavant, il s'inspirait de Malthus en croyant y trouver un modèle mathématique adéquat, ce dernier n'avait pas la réputation d'un idéologue vantant le progrès irrésistible issu de la compétition industrielle.

Le caractère fondamental des idées darwiniennes est de vouloir se situer d'abord par rapport aux conceptions idéalistes des naturalistes du XVIIIᵉ siècle, et de chercher à s'en distinguer par un refus constant du providentialisme. La « sélection naturelle » est bien un *concept scientifique* et c'est en tant que telle, parce qu'elle constitue un *nouveau modèle matérialiste de l'ordre*, que les théoriciens sociaux tenteront de l'emprunter pour l'appliquer à la société.

8. Darwinisme social et eugénisme

Le premier avatar de la rupture darwinienne sera le « darwinisme social », pour reprendre le terme méprisant par lequel la gauche désignera des théoriciens du « laisser-faire » tels que Spencer, Bagehot et Sumner, et dont le premier jouissait à l'époque d'un important crédit. Il serait pourtant illusoire de croire qu'il existe une relation réelle entre le darwinisme et le darwinisme social, car Darwin sera aussi peu spencérien que Spencer sera peu darwinien. On l'a vu, c'est Spencer qui le premier a lancé le mot d'« évolution » dans son acception moderne ; toute sa vie, il s'intéressera au « progrès, sa loi et sa cause ». Darwin, au contraire, n'utilisera guère dans ses écrits le mot connoté d'« évolution » : la transformation des espèces n'est pas dans sa théorie un *principe* mais une simple *conséquence* de la sélection naturelle. Par ailleurs, celle-ci porte sur des unités précises : l'individu — le mortel... — et ne peut être facilement transposée à des unités d'ordre supérieur ou inférieur (société, langage, cosmos). A l'inverse, le principe spencérien d'instabilité de l'homogène et de stabilité de l'hétérogène veut s'appliquer à tout de façon entremêlée. Sa vie durant, Spencer bataillera contre le concept de sélection, jugé « inefficient », et notamment dans les années 1890 contre le néodarwinien Weismann. C'est que ce dernier veut ruiner l'idée d'« hérédité des caractères acquis », qui est pour Spencer la base même du progrès : la survie du plus apte, sanctionnant la stabilité du plus hétérogène, s'applique à des individus vivants et non à des types génétiques : c'est par excellence la vision bourgeoise du corps, où le fruit de l'activité industrieuse de chacun sera transmis aux héritiers. C'est à cette vertu essentielle du corps que s'attache Spencer, et elle fera de lui un « théoricien bourgeois » des plus inattendus, puisque, autant elle l'amènera à défendre le libre arbitre de l'individu face à l'État, autant elle le conduira à mettre en cause le système de l'héritage, qui entrave l'expression des vertus intrinsèques de l'être.

L'eugénisme est, parmi les théories du naturalisme social, l'exact contraire du darwinisme social. Si le premier faisait toute confiance à l'aptitude individuelle pour le progrès général, l'autre estime que la sélection naturelle est devenue une nuisance dans la civilisation. Rappelons que la sélection naturelle est par définition la propagation du plus prolifique ; or, l'eugénisme s'inquiète de ce que les plus prolifiques soient souvent les classes inférieures, les ignorants, les immigrants, etc. Il n'aura de cesse de s'opposer au « laisser-faire » en matière de reproduction humaine ou d'immigration de main-d'œuvre déqualifiée. Même s'il polémiqua rageusement contre le darwinisme social — notamment avec Pearson — au nom du darwinisme, il ne sera cependant pas plus fidèle à Darwin que son adversaire.

C'est qu'il admet qu'il existe des différences *génétiques* entre êtres humains en matière de potentiel reproductif, thèse, on l'a vue, contraire au gradualisme. Néanmoins, de nombreux généticiens comme Fisher la propageront sans voir qu'elle va à l'encontre de leurs respectables formules mathématiques. Ce n'est que dans les années 1970 que Jacquard signalera la contradiction, en notant simultanément qu'aucune donnée crédible n'existe qui pourrait étayer cette opinion.

9. Marx, Engels et le cas Malthus

L'ambiguïté qui a sans doute fait le plus de tort à Darwin est sa référence appuyée à Malthus. N'est-ce pas elle qu'évoquent Marx et Engels dans leur correspondance lorsqu'ils s'amusent de ce que le biologiste « retrouve sa société anglaise » chez les plantes et les animaux ? Même si l'on sait que Marx, contrairement à Engels, ne s'intéressait pas vraiment à Darwin et n'y voyait pas un véritable savant, ce verdict peut paraître étrange, car il ne pensait pas non plus que Malthus eût jamais produit une idée originale (« ce plagiaire modèle, s'exclame-t-il dans *le Capital,* sa carrière entière est un monstrueux plagiat »).

Ce serait se méprendre que de confondre le refus marxiste du « malthusianisme » de Darwin avec quelque forme d'idéalisme « petit-bourgeois » rétif à l'idée de lutte pour l'existence. Ce dernier, Engels le stigmatisera dans son *Anti-Dühring* en ironisant de ce que Herr Dühring « nous dit que la pauvre nature est obligée de maintenir sans cesse l'ordre dans le monde objectif ». Sur ce plan, il défendra au contraire la thèse de Darwin :

> Si grande que soit la gaffe de Darwin à accepter si naïvement et sans réfléchir la théorie malthusienne, n'importe qui peut voir pourtant du premier coup d'œil qu'il n'est pas besoin de lunettes malthusiennes pour percevoir la lutte pour l'existence dans la nature — la contradiction entre les innombrables germes que la nature produit si généreusement et le petit nombre de ceux qui peuvent atteindre un jour la maturité ; une contradiction qui en fait, pour la plus grande part, trouve sa solution dans une lutte pour l'existence qui est souvent d'une cruauté extrême. Et, de même que la loi des salaires reste valide bien après que les arguments malthusiens sur lesquels Ricardo se basait se sont volatilisés, de même la lutte pour l'existence peut avoir lieu dans la nature, sans même quelque explication malthusienne [7].

Ce court passage nous livre les raisons du scepticisme d'Engels et de Marx : ce n'est pas Darwin qui est visé, ni même le vieux Malthus dont personne ne se soucie, mais les adversaires directs des théoriciens communistes : Ricardo et sa loi des salaires, et plus tard Lassalle, dont la « loi de fer » des salaires, d'inspiration malthusienne, est la cible de leur pamphlet *l'Idéologie allemande*. L'idéologie, pour Marx et Engels, c'est la tromperie à prétentions scientifiques qui voudrait légitimer les rapports de production présents en masquant l'exploitation de la force de travail du salarié. Si le darwinisme est suspect, ce n'est pas parce qu'il n'est pas scientifique, mais au contraire parce qu'il l'est, au moins aux yeux d'Engels, et donne à Malthus un regain de respectabilité posthume qui, par effet « idéologique », appuie les positions de l'économie politique sur le terrain principal de leur combat. La position d'Engels sur Darwin, telle qu'elle s'exprime notamment dans le manuscrit d'Engels pour une *Dialectique de la nature*, est donc avant tout politique et ne saurait s'interpréter comme un refus de Malthus appelant au retour du providentialisme en biologie.

10. Conclusion

Si la révolution darwinienne est l'un des plus remarquables exemples d'interaction entre pensée biologique et pensée sociale, la « propagation » des concepts n'est pas à chercher là où l'on croit.

Darwin n'*introduit* pas l'idée d'une nature à l'image de la société. C'est parce qu'elle lui préexiste que le darwinisme intervient nécessairement dans l'arène sociale. Il n'est pas non plus un idéologue du progrès. Quant au malthusianisme, il ne constitue pas sous la forme empruntée par Darwin l'« idéologie bourgeoise » telle que la dépeint l'imagerie militante : le principe de population ne peut devenir darwinien qu'à ne pas remarquer le message de classe qui s'y exprime.

Ses concepts de base, Darwin les reçoit de l'héritage des naturalistes du XVIIIᵉ siècle, les multiples rouages faussés et désormais inefficients de la machinerie de la nature du « Grand Horloger » du siècle des Lumières. Il écarte des idées (centres de création, déluges, âge de six mille ans attribué à la terre par les Écritures) et en conserve d'autres (lutte des êtres, adapatation) pour se les réapproprier si bien qu'elles en deviennent méconnaissables.

Il n'y a pas de métaphore sociale chez Darwin, et il ne retiendra de Malthus que sa seule loi mathématique de croissance des populations.

S'il n'y a guère de propagation des concepts dans le sens société-biologie, il n'y en a pas non plus dans le sens biologie-société, car, s'il y a bien concept au départ, s'il y a bien propagation, il n'y a pas de concept à l'arrivée. Répétons-le, le darwinisme n'est pas une idéologie du progrès, car l'« évolution » n'y a pas le statut d'une catégorie explicative. La « lutte pour l'existence » n'est pas quant à elle proprement darwinienne, et tenait place dans les théories que le darwinisme a anéanties. Le seul darwinisme est dans l'idée de « sélection naturelle ». Elle repose sur le postulat d'une variation presque insensible dans l'aptitude, d'un changement graduel au sein d'espèces globalement homogènes, et nécessite une distinction rigoureuse entre la lutte pour l'existence — quotidien de la vie individuelle — et la sélection des caractères transmissibles, lente œuvre du temps. Rien de ce qui *caractérise* le darwinisme ne se retrouvera dans quelque forme de biologisme social.

Les éclats de la diversité

NOTES

1. S. Butler, *Erewhon* (1872), Londres, Fifield, 11ᵉ éd., 1908.
2. K. Pearson, *The Life, Letters, and Labours of Francis Galton,* vol. III, A, *Correlation, Personal Identification and Eugenics,* Cambridge University Press, 1914-1930, « Francis Galton's Utopia », p. 411-425.
3. C. Linné, *L'Équilibre de la nature* (1744-1752), traduit par B. Jasmin, introduction et notes de C. Limoges, Paris, Vrin, 1972.
4. J.-B. Monet, dit Lamarck, *Philosophie zoologique,* Paris, Dentu, 1809.
5. C. R. Darwin, *The Origin of Species.* Londres, Murray, 1859 ; trad. fr. de J.-J. Moulinié, *L'Origine des espèces,* réimpression d'après les 5ᵉ et 6ᵉ éditions avec le chapitre additionnel, Marabout, 1973.
6. T. Huxley, *Evolution and Ethics, and Other Essays* (1894), New York, Appleton, 1898.
7. F. Engels, *Anti-Dühring* (1878), Paris, Éd. Sociales, 1973.

Ordre

Isabelle Stengers, Francis Bailly.

Le thème de l'ordre a pour premières singularités son caractère profondément équivoque et son ubiquité exceptionnelle.

Équivoque : « ordre » se retrouve aussi bien du côté des problèmes posés aux sciences que de leurs solutions, et, dans le premier cas, le « problème » peut aussi bien signifier « obstacle à surmonter » que « problème à résoudre ». Ainsi, l'idée que la physique moderne s'est constituée à partir de la destruction du cosmos aristotélicien, ou que la théorie darwinienne de l'évolution supposait la disparition de l'ordre divin justifiant et expliquant la diversité des espèces, désigne ces types d'ordre comme obstacle. Par contre, l'« ordre » singulier qui caractérise l'organisme vivant est un problème insistant depuis Aristote jusqu'à nous. Et l'ordre cristallin idéal, régularité d'une maille élémentaire indéfiniment répétée, renvoie, lui, à un ensemble d'observations expérimentales que les physiciens ont pu interpréter et, par la suite, expliquer en termes d'interactions.

Ubiquité : la notion d'ordre n'est étrangère à aucun champ scientifique, où elle peut figurer à l'un des trois titres que nous venons de citer (obstacle vaincu à l'origine de la discipline, problème à résoudre, résultat). Sa signification peut à l'occasion se modifier : ainsi, à l'origine, les corrélations sont un instrument pour caractériser l'ordre des organismes vivants, alors que par la suite elles serviront à caractériser des relations statistiques au sein d'une population conçue comme essentiellement désordonnée. Mais surtout les usages de la notion d'ordre transgressent la distinction entre « être » et « devoir être », entre « fait », « norme » et « éthique ». L'ordre cosmique aristotélicien ou l'ordre créé par Dieu permettaient de rassembler et de régler ces usages les uns par rapport aux autres. Ils sont aujourd'hui l'enjeu d'opérations de capture et de durcissement multiples et entrecroisées. Le cas type est bien sûr celui de la sociobiologie, où le problème de l'« ordre » rencontre les questions traitées dans « Sélection/Concurrence », « Comportement », « Normes » et « Complexité ».

L'équivoque et l'ubiquité de la notion d'ordre font de cette notion la cible privilégiée d'une réflexion critique, mais aussi le lieu instable où se nouent et se dénouent les relations entre champs scientifiques : problèmes insistants et résultats inattendus ne cessent en effet de se relancer dans une dynamique sans doute dangereuse mais aussi féconde. Ainsi, on trouvera d'ores et déjà des notions récentes comme celles de chaos déterministe ou d'ordre loin de l'équilibre utilisées à titre d'argument dans « Loi et causalité », « Calcul » et « Complexité ».

La notion d'ordre est de celles qu'une épistémologie normative rêverait sans nul doute de faire disparaître des champs scientifiques, alors qu'elle est aussi celle où tout à la fois se rêve et se réfléchit de manière productive les relations entre nos savoirs, nos attentes et nos anticipations, nos questions et nos modes d'intelligibilité.

On ne tentera pas ici de généalogie du « concept d'ordre ». Le mot « ordre » est de ces mots que nous « savons » comment utiliser sans pour autant être capables de dresser la liste de tous ses emplois légitimes. La notion même de « cosmos » renvoie à l'idée d'un univers ordonné, caractérisé par une harmonie stable, au sein duquel la question de la place des hommes peut être posée. Aussi loin que remonte notre mémoire culturelle, ordre cosmique, ordre de la nature, ordre humain et social, ces trois registres sont pensés ensemble, que ce soit pour nier l'un ou l'autre, pour les assimiler, pour les opposer, pour les hiérarchiser.

Différents langages scientifiques recourent eux aussi à la notion d'ordre. Permettent-ils pour autant de donner une réponse bien définie à cette question : « Qu'est-ce que l'ordre ? » En d'autres termes, les sciences ont-elles les moyens d'intervenir ici dans le langage naturel, d'y distinguer les sens scientifiques ou vulgaires, comme cela peut être fait, par exemple, pour les notions de masse, d'énergie, de race ?

En fait, depuis les mathématiques jusqu'à la biologie, comme aussi bien sûr dans les sciences de la société, la diversité des usages de la notion d'ordre rend difficile l'idée d'une unité, ou même d'un fil conducteur qui permettrait de caractériser l'« ordre » au sens scientifique par opposition au sens vulgaire. Cette notion apparaît comme essentiellement multivoque, changeant de signification selon le problème, et même peut-être selon les intentions de ses utilisateurs. Ne faut-il pas, alors, considérer qu'il ne s'agit que d'un mot résidu, souvenir, sans doute, d'ambitions révolues, signe, peut-être, d'opérations idéologiques, d'opérations de capture de problèmes qui n'ont pas de sens scientifique ? Le mot « ordre » ne se désignerait-il pas comme la première victime d'une opération de purification des langages scientifiques ?

Cependant, s'il est possible d'éliminer un *mode d'explication,* que l'on jugera faux ou illusoire, il n'en va pas de même d'un *problème.* Les problèmes sont rarement éliminés, le plus souvent reformulés. Ainsi, la notion, explicative, de cause finale a pu être éliminée, à l'origine de la science moderne, mais la finalité comme problème subsiste en biologie, à travers différentes transformations. La manière dont un problème se pose est toujours susceptible de se transformer, de subir, selon les contextes où il sera travaillé, des différenciations. Car la vérité d'un problème n'est pas avérée par la possibilité d'y répondre de manière univoque, mais par son insistance, par ses puissances de métamorphose.

Nous pensons que la notion d'ordre désigne un tel type de problème, posé tant par le savoir qui nous agit, la « cartographie » qui nous est transmise en même temps que la langue naturelle, que par les définitions datables et attribuables qui relèvent de l'initiative de telle ou telle discipline scientifique.

Ce n'est donc pas à titre de produit des démarches scientifiques que l'ordre peut nous intéresser, mais à titre de *question.* On ne tentera pas ici de définir, à partir de telles démarches, ce qu'est « vraiment » l'ordre, ou le désordre, mais de montrer en quel sens différentes disciplines reprennent et précisent différents aspects de cette notion au détriment d'autres, tout aussi légitimes. Les sciences, ici n'auront pas position d'autorité au sens où elles devraient nous dire ce qu'est l'« ordre ». Elles ne disposent pas, en la matière, de moyens plausibles pour régir ou redéfinir le langage naturel. Elles permettent au contraire de l'enrichir, elles amènent à préciser des distinctions, à multiplier des sens, à défaire des amalgames. Dans certains cas, la mise en œuvre scientifique de notions qui appartiennent au langage naturel a des effets de focalisation : c'est le cas pour la « force » ou pour l'« énergie » : le sens « vulgaire » se différencie alors nettement du sens « scientifique ». Dans le cas de l'ordre, cette mise en œuvre a plutôt l'effet d'un prisme qui décompose et distingue.

Ordre, intelligibilité, anticipation

Si la notion d'ordre ne peut être focalisée par une définition scientifique, c'est sans doute parce qu'elle est inséparable de la manière dont différents savoirs posent leur problème et traitent leurs objets, de la manière dont ils définissent leur domaine d'*intelligibilité*.

Que la notion d'ordre soit pensée dans les mythes, ou par les sciences dites modernes, elle se présente comme distincte mais inséparable de celle d'intelligibilité. L'intelligibilité comme l'ordre se présentent tous deux comme une *réduction d'arbitraire*. L'intelligibilité vise la réduction de l'arbitraire des *systèmes interprétatifs*, la définition du mode de compréhension adéquat d'un phénomène. L'ordre, lui, vise une réduction de l'arbitraire de la *description* : telle situation traduit une singularité parmi un ensemble de situations analogues possibles.

Une suite de nombres, les raies qui constituent un spectre d'absorption ou d'émission, la séquence des lettres qui constituent une phrase, le corps vivant, les différentes espèces vivantes ou les différents éléments chimiques connus posent problème, permettent de parler d'« ordre » en ce qu'ils s'accompagnent de l'idée d'autres possibles, assemblage quelconque d'organes, séquence quelconque de raies, de nombres ou de lettres, réunion de vivants individuels parmi lesquels ne pourraient être définis de genres ou d'espèces.

Au problème posé par une situation d'ordre repérée et caractérisée peuvent répondre plusieurs discours qui en explicitent l'intelligibilité. Ainsi, l'ordre du corps vivant pourra être interprété et rendu intelligible en termes de causes formelles et finales, de projet de l'ingénieur divin, ou grâce à l'information génétique. D'Aristote à Jacques Monod, il est d'ailleurs remarquable, nous y reviendrons, que persistent, à travers les différents systèmes interprétatifs, non seulement la question de cet ordre, mais aussi certaines de ses caractérisations. Par contre, une question comme celle de la classification des espèces s'est, elle, révélée plus instable : l'évidence d'un ordre signifiant a été détruite et sont désormais hétérodoxes ceux qui cherchent une définition plus intrinsèque que l'impossibilité de croisement entre deux membres d'une espèce différente [1]. Une situation d'ordre peut par ailleurs être reconnue tout en étant inintelligible : ce fut le cas des raies d'émission et d'absorption lumineuses associées aux différents corps chimiques avant la construction du modèle de l'atome de Bohr. C'est encore le cas de telle périodicité d'émission galactique, ou de telle écriture non déchiffrée. Une situation donnée peut également permettre plusieurs discours d'intelligibilité distincts, et à chacun peut correspondre une distribution différente des termes « ordre » et « désordre ». Comme on le verra, le cristal, qui s'impose comme la figure même d'un ordre régulier puisque les atomes qui le composent répètent de manière identique un motif bien défini dans l'espace, peut aussi, si l'on change la définition de ses composants (on prend, au lieu des atomes, les modes collectifs de vibration, ou phonons), apparaître comme un état « désordonné », dont les composants sont indépendants les uns des autres. De même, l'état d'équilibre thermodynamique qui, interprété statistiquement, s'identifie à un état de désordre, a servi, par ses propriétés de stabilité et sa résistance aux perturbations, de référence à des conceptions de l'ordre biologique ou social *. Enfin, plusieurs intelligibilités possibles rivalisent aujourd'hui à propos d'une situation comme la turbulence, sans qu'aucune ne soit assurée d'en produire la théorie satisfaisante. Toutes concluent que ce qui se présente phénoménologiquement comme désordre dans la turbulence (inhomogène, instable, peu contrôlable) ne s'apparente en rien avec le « désordre » de l'état gazeux, mais elles diffèrent quant à la description de ce « non-désordre ».

Ordre et intelligibilité ne coexistent donc pas de manière statique. La longévité de la notion d'ordre vivant interprété comme « organisation en vue de » (de la cause finale au programme génétique produit par la sélection) est un cas particulier. De manière générale, repérage d'une situation d'ordre et interprétation entretiennent un rapport dynamique, voire conflictuel. Ainsi, le problème suscité par les raies d'émission et d'absorption provoque une interprétation, la première mécanique quantique due à Bohr, qui bouleverse nos notions de ce qu'est

---

* D'où l'usage très répandu du « principe de Le Chatelier », qui caractérise la stabilité des systèmes thermodynamiques à l'équilibre. Toute référence à ce principe dans un texte traitant de physiologie, de psychologie ou de sociologie signale que l'« ordre » ainsi caractérisé s'inspire de ce que, en thermodynamique, on caractérise comme désordre.

l'intelligibilité (dans une nature qui, autrefois, ne « faisait pas de saut », les électrons « sautent » d'une orbite stationnaire à une autre) ; inversement, l'interprétation darwinienne bouleverse l'ordre, traditionnellement accepté comme stable, voire finalisé, des espèces.

Les rapports entre ordre et intelligibilité ne sont pas propres aux sciences modernes, même si c'est à partir de ces sciences, de par le caractère dynamique qu'elles impriment à ces rapports, que nous apprenons à les distinguer. L'intelligibilité mythique met, elle, en jeu des places d'objets — mutuels repérages dans les significations — qu'elle justifie sur la base d'arguments analogiques ou de référenciation interne. Un monde compris sur fond de mythes peut apparaître comme parfaitement intelligible et en même temps présenter un ordre parfaitement adéquat à cette intelligibilité. Mais cet ordre est symbolique, à usage d'organisation et d'échanges sociaux, alors que l'ordre visé par les sciences a pour vocation d'être subordonné aux caractères mêmes de l'objet.

Cependant, la notion d'ordre ne peut s'interpréter de manière binaire : ordre symbolique/ordre objectif. Car la définition même de ce qu'est un objet est relative à une *anticipation*. Le mode d'anticipation peut faire la différence entre le « mythique » et le « symbolique », mais il marque tout aussi bien l'organisation du champ des savoirs scientifiques eux-mêmes. Un mathématicien, un physicien, un biologiste, un sociologue, par exemple, auront des définitions différentes de ce qu'est, de ce qu'implique, de ce qu'exige un « ordre », et tant l'interprétation que le contrôle expérimental seront soumis dans ces différents champs à des contraintes et à des impératifs divergents.

Ainsi, un ordre de type mathématique suppose à la fois la plus haute liberté et la plus rigoureuse contrainte. Le mathématicien se donne ses objets, mais il ne peut se permettre la moindre liberté, la moindre approximation par rapport aux lois qui donnent leur sens à de tels objets. Il ne pourra en général comprendre « de quel droit » un physicien se permet de simplifier ses équations, de supprimer tel terme qu'il juge « négligeable » et qui empêcherait de les résoudre. C'est que le physicien, lui, s'adresse à un objet qu'il ne crée pas, même s'il intervient dans sa production. Il cherche d'abord, non à caractériser de manière complète et rigoureuse les « lois » d'un objet bien défini, en termes d'interactions ou de processus, mais à comprendre ces interactions et ces processus de telle sorte qu'ils soient susceptibles d'engendrer les comportements qu'il observe ou pourrait observer effectivement. Enfin, le biologiste ne s'adresse pas au vivant comme à un système physico-chimique qui se trouverait être baptisé « vivant ». Il a à comprendre *comment* son objet peut être vivant, c'est-à-dire, d'une manière ou d'une autre, fonctionner comme un « tout » capable de survivre et de se reproduire. Il ne cherche pas à définir ses constituants, mais ses parties. Tout et parties supposent l'idée d'un fonctionnement global qui est ce qu'il s'agit d'expliquer. La question n'est pas d'abord de savoir de quelles interactions les constituants sont susceptibles, mais comment, dans les conditions très spécifiques du corps vivant, ils peuvent fonctionner comme parties, et comment, le cas échéant, la fonction du tout peut être assurée *malgré* une certaine indétermination fonctionnelle des parties : c'est le problème des régulations et autres mécanismes de défense du vivant.

La situation se complique encore lorsqu'il s'agit des lectures de l'ordre social. Ici, anticipation, intelligibilité, repérage de l'ordre sont imbriqués au point que l'idée même d'une « science sociale » peut être associée à l'effacement de la figure de Dieu comme fondement et garant de l'ordre *politique* et *moral*. Et cet effacement même ne suffit certes pas à régler le problème de l'articulation entre description et jugement. Le système des castes ou une société fondée sur le travail des esclaves pourront-ils être décrits comme des formes d'ordre social, ou bien jugés comme des formes de désordre, situés dans le cadre d'un ordre moral spécifique à une société ou condamnés comme immoraux ? Ici, c'est l'anticipation scientifique elle-même, la possibilité de définir la société comme un objet, que ce soit sur le mode du système ou du tout, qui pose un problème qu'aucun « résultat scientifique » ne peut en lui-même être susceptible de résoudre.

Opérations

Nous venons de décrire une situation essentiellement statique, une distribution abstraite des anticipations qui peut éclairer les controverses, les enjeux, les conflits à propos des différentes lectures de telle ou telle

225

forme d'ordre, de la plausibilité ou de la légitimité de tel ou tel système interprétatif. Mais cette distribution ne fonde aucun droit *a priori*. Lectures, plausibilité, légitimité sont à la fois le problème et le résultat d'opérations concrètes qui ne cessent de modifier le champ des savoirs, c'est-à-dire aussi de transformer l'identité professionnelle de ceux à qui est reconnue, par rapport à une question, la possibilité de « bien poser le problème ».

Certaines de ces opérations sont explicites, au sens où elles traduisent une question officiellement reconnue. Ainsi, la biologie constitue le domaine par excellence où coexistent et tentent de s'articuler deux notions distinctes de l'ordre qui mettent l'ordre du vivant en communication avec la physique et la chimie d'une part, et avec la technique et certains discours sur la société de l'autre.

Défini à partir de la physique et de la chimie, l'ordre du vivant devrait être celui d'un *système* physico-chimique, certes très particulier, mais susceptible néanmoins du même type de lecture que tout autre système : un ordre dont l'intelligibilité devrait renvoyer à des interactions, des processus (diffusion...), des événements (réactions chimiques...). Pourtant, la démarche du biochimiste n'est pas tout à fait celle du chimiste, car la question du *rôle que jouent* les constituants qu'il identifie dans l'organisation singulière dont il étudie les modalités de fonctionnement est pour lui un fil d'Ariane indispensable dans l'exploration des processus enchevêtrés auxquels il a affaire. Les opérations de la biochimie sont interprétables en termes physico-chimiques, mais elles impliquent, de manière plus ou moins implicite, des questions et des discriminations qui n'auraient pas de sens pour un système physico-chimique. En ce sens, et c'est ce que rappelait Jacques Monod [2] en parlant de « compatibilité » de l'ordre du vivant par rapport à l'intelligibilité physico-chimique, la lecture du vivant en termes de système permet de reformuler mais non d'éliminer la spécificité de l'anticipation du biologiste.

A l'autre extrême du point de vue de l'« ordre du savoir », mais parfois de la bouche même du biochimiste, cette spécificité est explicitée sur un mode technico-politique, en termes de moyens, de fins, et de répartition des tâches et des fonctions. La notion d'ordre hiérarchique fonctionnel est familière à chacun. Elle désigne tant l'être vivant comme totalité que la cité conçue sous le mode de la division du travail et des responsabilités. Discours sur le vivant et sur l'ordre politique sont en communication étroite depuis l'Antiquité. Cela, au point que nos langages sont surchargés de métaphores biologiques à propos du politique (la « tête de l'État », les « organes » de décision) et de métaphores technico-politiques à propos du corps (usine chimique, division du travail, information, programme, contrôle, répression, messages et messagers). Il est tout aussi facile de dénoncer une conception sociopolitique sous-jacente à certaines descriptions du vivant, que de parler de biologisme à propos d'un ordre social caractérisé comme harmonieuse division des tâches. Par contre, il est dangereux de se contenter d'expliquer cet état de choses en termes d'impérialisme indu de disciplines scientifiques et de tenter de mettre sur pied des « polices des frontières » : à l'intérieur même des frontières, le terrain est déjà, et bien avant que la notion de telles frontières ait été produite, miné.

On peut expliquer (partiellement) la facilité avec laquelle certaines interprétations, apparemment innovantes, de l'ordre du vivant ont été acceptées par la fidélité qu'elles manifestent à cet héritage traditionnel et par la possibilité qu'elles impliquent de le mettre en harmonie avec l'approche physico-chimique du vivant. Ce fut la raison de l'optimisme des premiers biologistes moléculaires : la construction de l'organisme individuel comme simple expression du programme génétique permet une représentation d'un vivant intégralement explicable en termes de mécanismes physico-chimiques, alors que l'existence de ces mécanismes renvoie elle-même à une rationalité technique, moyens pour une fin qui est de se reproduire. Par contre, la découverte du caractère hautement compliqué de l'ADN tend de nos jours à brouiller son rôle de clef de l'organisation, et à inscrire l'ordre biologique dans une perspective qui n'est plus celle de la sélection pour se reproduire, mais de la sélection pour évoluer. L'ADN ne ressemble pas, a-t-on découvert, à ce que la rationalité technique nous présenterait comme un programme performant, mais ce défaut de ressemblance est rendu intelligible par son interprétation en termes de « machine à évoluer ». Nouvelle rationalité de type technique, certes, mais qui rompt plus ou moins explicitement avec les idéaux politico-biologiques hérités d'Aristote. La fin qui le rend intelligible n'est plus tant l'individu, sa survie, sa reproduction, que la possibilité d'une évolution innovante des espèces.

En ce qui concerne l'« ordre » du vivant, les différentes approches ne peuvent, selon l'intelligibilité darwinienne acceptée aujourd'hui par les biologistes, être mutuellement exclusives, quels que soient par ailleurs les développements qu'elles seront appelées à subir. Contrairement à l'intelligibilité vitaliste, qui peut faire appel à une causalité spécifique, le mode d'interprétation darwinien impose en effet de comprendre, d'une manière ou d'une autre, l'ordre vivant à la fois comme système et comme tout, comme *produit* par des interactions et des processus de nature physico-chimique, comme *capable* d'une évolution que n'explique aucune finalité préexistante et comme *soumis* à un impératif organisationnel qui est celui de la survie et de la reproduction.

On retrouve la même tension en écologie : entre une notion de « tout » qui accentue les adaptations mutuelles entre populations, la complémentarité harmonieuse entre leurs besoins et leurs intérêts pourtant divergents, et une description de la dynamique évolutive des populations en interaction. L'ordre naturel a longtemps été le lieu de choix de tous les transferts de modèles. L'écosystème a été assimilé à un système physico-chimique, à un système économique, à un organisme, à une société. Ces différentes assimilations fonctionnaient sans heurts : dans tous les cas, il s'agissait d'expliciter une même conception de l'écosystème comme équilibre harmonieux, d'éclairer la manière dont chaque population spécifique stabilise, par son existence ou par son activité, toutes les autres, et dont l'ensemble est capable d'amortir les petites perturbations et de se conserver semblable à lui-même pendant des périodes longues. L'écosystème « naturel », non bouleversé par des catastrophes ou par l'exploitation humaine, traduisait donc un « ordre » de la nature, stable et permanent, dont la charge sémantique et symbolique suffisait à neutraliser les divergences potentielles entre modes d'intelligibilité.

Aujourd'hui, la notion d'ordre autour de laquelle convergeaient ces différentes interprétations est progressivement reconnue comme partiale, traduction d'un idéal présupposé, d'un idéal que ni la puissance de la nature, ni celle de l'évolution sélective ne sont susceptibles de garantir. L'idée d'un ordre naturellement stable des écosystèmes a été mise à l'épreuve tant des études de terrain précises que de tentatives de modélisation mathématique du problème de l'évolution de populations en interaction. Interdépendance des populations au sein d'un écosystème et stabilité ont cessé d'entretenir des relations univoques. L'idée d'une autorégulation, d'une capacité intrinsèque des écosystèmes à retrouver leur état optimal, tend à faire place aux idées de micro — et de macro — « catastrophes écologiques » comme facteurs d'une évolution qui ne serait plus définie par un optimum quelconque. Alors que les penseurs du social se sont souvent référés à l'ordre naturel comme exemple de ce que devraient être les sociétés humaines, cet ordre n'a plus de sens clair dans le savoir contemporain.

Dès lors que l'on s'adresse à une notion d'ordre social, ou humain, la situation se complique encore. En effet, comme nous l'avons déjà indiqué, ce n'est pas seulement la plausibilité et la fécondité des opérations de transferts incessants, mais leur légitimité même qui est en cause.

Il faut donc, à cet égard, proposer une distinction majeure entre deux usages de la notion d'ordre, et donc deux modes d'intelligibilité des rapports humains et sociaux. Lorsque les rapports humains sont reconnus comme constitués autour de la parole et de l'échange symbolique, ceux-ci sont définis par le fait qu'ils échappent à tout ordre naturel, quel qu'il soit. Dans ce cas, par exemple, la notion d'égalité entre les hommes n'a rien à voir avec ce que la psychologie ou la génétique peuvent nous apprendre. L'égalité ne se réfère pas à un fait positif mais à un choix politico-éthique. Lorsque, au contraire, l'approche se veut « réaliste », la référence à l'ordre trouve sa garantie et son autorité dans la plus proche ressemblance avec les sciences de la nature.

Dans le premier cas, l'ordre ne vise pas à caractériser un objet ; son problème est celui de la *relation*, relation qui n'est pas imposée, ici par une loi d'objet, quelle qu'elle soit, puisque au contraire c'est elle qui s'imprime comme signification dans l'objectal. En conséquence, l'ordre ne peut viser à expliciter la réduction d'un arbitraire, mais à produire la levée d'une indétermination. Contrairement à la réduction de l'arbitraire dans les phénomènes naturels, qui est censée se dessiner sur fond de neutralité, la levée de l'indétermination des rapports relationnels appelle, implicitement ou explicitement, une qualification, et donc, ouverte ou cachée, une éthique. Coopération, ajustements, liberté... on aura un *bon* sens, qu'on désignerait comme ordre relationnel ; hostilité, contradiction, asservissement, et ce sera un *mauvais* sens : on parlera d'un désordre ; et ce, dans un mouvement doublement référencié : bon ou mauvais pour... (à qui, vers quoi cela s'adresse) ; bon ou mauvais *selon* (ce coup d'éclat qui décide que *valeur* il y a, et qui la confère).

Cette approche de la notion d'ordre social comme levée d'indétermination n'a pas vocation d'être antiscientifique, quoiqu'elle ait été souvent présentée et prise comme telle. Elle correspond bien sûr à un clivage, à une irréductibilité. Mais ce clivage peut lui-même être, sinon expliqué, du moins pensé et non postulé : ce dont témoignent entre autres les tentatives de penser l'homme comme « animal éthique », « faiseur de lois », par des biologistes évolutionnistes comme Waddington [3] et Bateson [4]. Remarquons réciproquement que la notion d'un ordre symbolique autonome n'exclut pas la possibilité d'une objectivation qui laisse implicite, ou nie, la dimension éthique de l'« ordre social » pour n'affirmer que le clivage entre « nature » et « culture ». Ce dont témoigne le projet structuraliste. Il est significatif à cet égard que ce soit au mode d'intelligibilité mathématique qu'aient eu recours les structuralistes pour tenter de définir les contraintes auxquelles est soumis l'ordre symbolique.

Dans le second cas, le problème n'est pas d'articulation avec les sciences de la nature, mais de reproduction de leur mode de visée.

Cette visée peut être purement descriptive ou classificatoire : il s'agit alors d'expliciter les conventions, les normes et les règles d'une société, les modes de reproduction de leurs cohérences, et de tenter de maintenir une position parfaitement neutre par rapport aux contenus des différents « ordres » décrits. Dans certains cas, cette « neutralité » peut avoir en elle-même une vocation critique : mise en lumière des fonctions politiques, économiques ou sociales de règles qui, au sein d'une société, peuvent être pensées comme « morales », « auto-évidentes », ou d'origine transcendante. Elle peut aboutir à montrer que celui qui, au sein d'une société, est défini comme un individu « normal », avec ses habitudes, ses anticipations, ses comportements « rationnels », ne désigne pas l'homme en général, mais l'homme tel qu'il est « modélisé », c'est-à-dire discipliné par les pratiques sociales [5].

Mais la visée peut être également explicative. Il s'agit alors, comme le physicien, le chimiste ou le biologiste, de formaliser une « loi d'objet », en l'occurrence de l'objet social, à partir d'une hypothèse d'intelligibilité. En ce cas, implicitement ou explicitement, par la sélection de ses questions ou par le modèle qu'elle construit, la démarche d'investigation rapporte la notion d'ordre à une contrainte intrinsèque « neutre ». Cette contrainte peut définir la totalité (une société ne survivrait pas si...) ou les individus qui la composent (les hommes sont ainsi faits que...), de toute façon, elle fonde une discipline dont le projet pourra être d'inscrire l'ordre social dans l'« ordre des choses ».

Cette discipline peut, le cas échéant, avouer le fait qu'elle se fonde sur un modèle abstrait, idéal : c'est le cas par exemple de l'économie rationnelle, qui se fonde sur un *homo œconomicus* fait pour permettre de calculer un « optimum » dont le principe est la concurrence parfaite. Les économistes savent que ni leur idéal ni l'équilibre optimal qu'ils en déduisent ne sont de ce monde : l'acteur effectif est mal informé, sujet à des effets de mode et d'entraînements, des « ententes » illicites font obstacle à la concurrence, etc. Mais l'idéal permet d'identifier, d'évaluer, voire de dénoncer les défauts, l'écart à l'idéal. Ces défauts seront-ils dénoncés comme « désordres » ? En ce cas, l'optimum définit bien un intérêt collectif qu'un ordre social adéquat devrait maximaliser. Mais, d'un autre point de vue, on peut dire que ces défauts traduisent de manière négative ce qui fait qu'une société n'est pas assimilable à une collection désordonnée d'acteurs calculant chacun pour soi, et dénoncer l'optimum économique comme un « désordre social ». En tout état de cause, l'opération décisive porte ici sur l'*intelligibilité,* sur un mode de définition des acteurs et de leurs rapports qui permette la mathématisation. Ce que devrait être l'ordre économique peut ainsi échapper aux questions politiques et sociales et devenir relatif à un problème mathématique.

Dans d'autres cas, la représentation du sujet et de ses possibilités d'interaction se donne comme réaliste. C'est le cas notamment de la sociobiologie : les conceptions de l'« ordre social » qu'elle produit ne se donnent pas comme le produit d'une abstraction. La rationalité des acteurs affrontés par le marché économique était présupposée, celle des comportements interprétés par la sociobiologie renvoie à la sélection naturelle qui est leur raison d'être. L'abstraction n'est plus le fait d'une démarche scientifique sélective, elle est légitimée par une évolution sélective dont l'homme de science ne ferait que retrouver les effets dans le mode d'intelligibilité qu'il propose comme adéquat à la compréhension des comportements individuels.

Plusieurs systèmes d'intelligibilité sont par ailleurs en compétition pour interpréter la réduction de l'arbitraire qui coïnciderait avec l'« ordre social ». Ainsi, selon que l'approche définit l'ordre comme déterminé par une contrainte globale ou par les interactions entre individus maximisant leur intérêt chacun pour son propre compte, une même notion descriptive comme celle de hiérarchie sera comprise différemment. Selon le premier mode d'intelligibilité, l'ordre hiérarchique aura par exemple pour fonction de réguler l'agressivité entre les membres d'un groupe, elle sera donc déductible du « tout » comme tel. Selon le second, la hiérarchie pourra être le produit de la lutte entre les individus, de leur recherche individuelle du maximum d'avantages pour le minimum de risques. La sociobiologie est née de la contre-interprétation de comportements animaux « altruistes » qui semblaient faire passer l'intérêt du groupe avant celui de l'individu : elle s'est attachée à retraduire ces comportements de manière à montrer leur raison « égoïste », la maximalisation des chances, non que l'individu survive, mais que ses « gènes », qu'il partage avec ses parents, ses frères, ses sœurs, ses cousins, etc., soient transmis à la génération suivante.

La notion de l'ordre comme tout n'est évidemment pas, elle non plus, dénuée d'implications politiques. Elle peut servir de fondement à la répression de comportements minoritaires (« la » société se défend contre les anormaux, les homosexuels, les pacifistes, etc.). Plus implicitement, elle rend invisibles les tensions et les contradictions au profit de la solidarité postulée. Ainsi, la définition (en sociologie américaine) de l'entreprise comme entité stable, « résistant aux perturbations » (définition qui se réfère à la stabilité des systèmes thermodynamiques), permet de faire la différence entre l'ordre organisationnel propre de l'entreprise, y compris l'esprit de « groupe » qui intègre ses membres d'une part, et les facteurs de désordre qui lui sont extrinsèques d'autre part (idéologies politiques qui persuadent les ouvriers qu'ils sont exploités, syndicats qui ne se conforment pas au rôle d'un « syndicat maison », etc.). Le fonctionnement harmonieux de l'entreprise est devenu la norme à partir de laquelle le sens et la fonction des comportements individuels se trouvent distribués de manière « scientifique », neutre [6].

Il est remarquable que le modèle de l'économie rationnelle réussisse à articuler deux conceptions en général contradictoires des interactions entre individus : elle représente chaque individu en concurrence avec tous les autres, agissant chacun pour soi, mais elle montre aussi comment ces comportements individuels assurent la maximalisation d'une fonction globale qui les intègre. C'est cette articulation entre local et global que réalise le système des prix, ou le marché, et qui permet de caractériser l'état optimal, l'ordre économique, comme correspondant à la fois à une maximalisation du profit individuel et de la richesse collective. L'*homo œconomicus* est fait pour articuler de manière harmonieuse le local et le global, c'est là la source du prestige qui permet de parler à son sujet de comportement « rationnel ». Il faut souligner pourtant les paradoxales limites de cette rationalité. Il faut que le local reste local. L'*homo œconomicus* doit être privé de facultés que, *a priori*, nous pourrions juger rationnelles mais qui pointent vers une rationalité sociale, et non strictement individuelle. Il ne peut, par exemple, spéculer sur les choix que d'autres feront ou bien être influencé dans sa propre échelle de choix par le choix des autres. L'*homo œconomicus* n'est la garantie de la relation harmonieuse entre local et global que parce qu'il calcule ses intérêts de manière aveugle et bornée, que parce qu'il est censé ignorer les jeux possibles et la diversité des stratégies qu'ouvre le problème du passage du local au global.

Nous venons d'esquisser quelques traits de ce qui n'est plus le paysage apaisé des anticipations et des modes d'intelligibilité par rapport auxquels prennent sens différentes notions de l'ordre, mais le théâtre des opérations dont il est un enjeu. La singularité de la question de l'ordre et des questions qu'elle articule tient aux transitions brutales qu'elle ménage entre le cognitif et le normatif. Avec la notion de « programme génétique » comme secret de l'ordre du vivant, on peut se croire dans le cognitif, dans la difficile négociation entre le vivant objet de la biochimie et le vivant organisme finalisé. Bien sûr, ce qu'on peut appeler le cognitif suppose en lui-même les rapports de forces entre disciplines scientifiques, mais avec la sociobiologie, c'est tout à la fois l'autorité de l'objectivité scientifique et le prestige du politique que tentent de capturer ceux qui décrivent le vivant programmé. De même, la question de l'« ordre naturel » n'est jamais absente du problème politique de la gestion de l'environnement. De même, bien sûr, les différents modèles d'« ordres sociaux » permettent à différentes disciplines de se constituer en sources d'expertise scientifique en matière politique, économique et sociale.

Que de telles opérations s'articulent autour de la notion d'ordre n'a rien pour étonner. Nous avons dit que, dans le cas de cette notion d'ordre, la mise en œuvre scientifique ne focalise pas, mais décompose et crée des distinctions. L'ambivalence de la question : « Comment " doit-on " comprendre telle ou telle chose ? », où entrent en communication intelligibilité et normativité, n'est pas dans ce cas annulée par l'approche scientifique, mais bien exacerbée sur de multiples registres : professionnels, philosophiques, politiques, éthiques. C'est à cette multiplicité de registres que la question de l'ordre sert de révélateur et d'amplificateur. C'est aussi pourquoi cette question ne peut être éliminée comme idéologie répétitive venant surcharger l'avancée des sciences, mais doit être reconnue dans son histoire insistante. Les sciences, ici, ont enrichi le langage naturel, au même titre que la philosophie politique ou la théologie, mais n'ont pas, et ne pouvaient pas, purifier ce langage, pas plus que le baron de Münchhausen ne peut s'élever dans les airs en tirant sur ses lacets.

Le désordre entropique

Nous avons laissé jusqu'ici les sciences physiques en dehors du théâtre des opérations, comme réservoir neutre de ressources analogiques. Mais la physique ne se borne pas à repérer et à caractériser des situations ordonnées. Elle a également produit une théorie qui a vocation générale, une théorie de la *croissance spontanée du désordre*. Et, comme c'est normal de par sa vocation de généralité, cette théorie a fait l'objet de controverses. L'entropie permet-elle vraiment de définir un « désordre », celui-ci, et l'« ordre » qui lui correspond, ne sont-ils pas déterminés par des jugements pratiques, et donc, en ce sens, artefacts ?

La loi de croissance de l'entropie a pour objet l'évolution de la distribution spatiale et énergétique des éléments qui composent un système isolé. Première difficulté : il est évident que la caractérisation de toute distribution dépend de ce que nous savons des éléments, et des définitions que nous retenons comme pertinentes. Nous pouvons ignorer une distinction (par exemple entre deux corps chimiquement semblables, mais qui sont en fait des isotopes), ou choisir de la négliger.

Néanmoins, une connaissance « objective » survit à cette relativité à nos informations et à nos techniques, c'est celle qui concerne l'*évolution* de la distribution. Quels que soient les jugements et les distinctions qui interviennent dans la définition de l'état initial d'un système, son état final (si ses rapports avec le milieu, ou un quelconque démon de Maxwell ne l'empêchent pas de l'atteindre) correspond à un *oubli* des différences initiales, à une distribution qui ne dépend plus que des valeurs globales (température, pression, etc.) qui caractérisent ce système dans son ensemble. La signification « objective » de la croissance de l'entropie serait donc la différence qu'il établit entre un ensemble d'états particuliers, transitoires — les états initiaux tels que nous les décrivons — et un état final prévisible et stable.

L'assimilation de cette évolution « objective » avec une transition vers le « désordre » dépend évidemment de ce qui, des différents sens du désordre qui coexistent dans la langue naturelle, est retenu. En effet, l'état final a certains caractères de ce que nous appelons désordre en ce qu'il s'agit d'un état dont les propriétés sont stables par rapport à l'activité microscopique. Par exemple, les molécules d'un gaz à l'équilibre thermique ne cessent de se heurter et de changer de vitesses, mais, à l'équilibre, les effets de cette foule de collisions se compensent mutuellement et la distribution moyenne des vitesses ne se modifie plus. C'est le sens de « battre un jeu de cartes » : si un jeu a été convenablement battu, continuer de le battre ne modifiera pas la propriété qualitative que constitue le caractère imprévisible de l'issue du jeu suivant. L'état d'équilibre illustre donc *cette* notion de l'état désordonné : une situation produite par des actions non coordonnées, qui doit ses propriétés à ce caractère non coordonné, et que les actions en question ne sont plus susceptibles de modifier de manière qualitative.

L'ordre, ici, trouve donc une définition purement relative : il est ce que détruit l'évolution spontanée du système, il est l'écart initial et transitoire par rapport à l'état d'équilibre. Cette absence de toute caractérisation positive a laissé le champ libre à l'idée que la seule définition positive possible de la notion d'ordre devait renvoyer à la subjectivité humaine. Ainsi, on pourra dire qu'une cuisine où un grand nombre de personnes ont déplacé des ustensiles sans jamais les ranger est « en désordre » : elle ne répond plus au projet, au mode d'utilisation d'aucun usager particulier. Par contre, une cuisine « apparemment » en désordre peut être, *pour son propriétaire,* parfaitement en ordre. De même, un jeu de cartes soigneusement préparé par un tricheur habile pourra avoir les apparences du désordre, car son ordre ne peut être découvert que par rapport à telle ou telle donne (éventuellement machinée). Le jeu de cartes sera dit « en désordre » s'il ne répond aux projets manipulatoires d'aucun tricheur.

L'analogie est claire avec la théorie de l'information. Un message doué de sens, porteur *pour nous* d'un contenu d'information, est transmis par des voies de communication plus ou moins bruyantes, et perd progressivement son sens. Le fait que le message initial ait été porteur de sens, corresponde à un « ordre », ne caractérise pas objectivement la séquence de signes mais renvoie à celui qui sait lire. Le message final, lui, n'est plus normalement lisible par personne. Au sein de la combinatoire de toutes les séquences possibles, il se peut que rien ne distingue les messages initiaux et finaux, qu'ils soient caractérisés par les mêmes fréquences moyennes de signes. Il semble donc que seule une valeur extrinsèque distingue le message « ordonné » du message « brouillé ».

Mais le rapport proposé entre ordre et désordre physiques et théorie de l'information suppose en fait ce qu'il prétend fonder : à savoir que, de la même manière que rien, sinon la valeur extrinsèque, ne distingue un message correct d'un message brouillé, rien ne distingue intrinsèquement ce que les physiciens pensent sous les espèces de l'ordre de ce qu'ils appellent désordre. Or, le *mode d'intelligibilité* physique de la croissance entropique assigne un sens intrinsèque, quoique très limité, aux notions d'ordre et de désordre. Il ne postule pas le caractère « ordonné » d'une situation à partir d'un jugement extrinsèque, mais à partir des processus qui rendent prévisible sa disparition observable. Bien évidemment, la préparation de certains systèmes physiques, comme par exemple celle d'un faisceau de particules allant toutes dans la même direction, peut se référer à un projet humain, c'est-à-dire être caractérisée par une valeur extrinsèque, une possibilité d'utilisation. Néanmoins, le faisceau en question peut être caractérisé *de manière intrinsèque* par la direction de ses particules, et c'est cette caractérisation qui permet, *par elle-même,* de comprendre comment et pourquoi cet « ordre » initial est voué à disparaître : le moindre défaut de parallélisme dans la direction d'une seule particule provoquera des collisions qui entraîneront la perte progressive de tout parallélisme. Le faisceau cohérent n'est pas seulement ordonné parce que, pouvant l'utiliser, nous décidons de le définir comme tel, mais parce que les mécanismes d'interaction entre composants, ici les collisions, permettent de définir une différence objective entre la situation qu'ils vouent à la disparition et celle qu'ils entraîneront et ne modifieront plus (ici, une population de particules dont chacune va dans n'importe quelle direction). Au contraire, le « brouillage » d'un texte porteur de sens n'est pas différent de l'« évolution » d'une séquence arbitraire de signes.

L'« ordre » que nous venons de définir a certes un sens intrinsèque, mais un sens extrêmement pauvre, qui le définit comme situation essentiellement éphémère. Il s'agit d'une situation *de facto*, qui résulte d'une préparation particulière, *hétéronome*. Ainsi, la cohérence d'un faisceau de particules peut être imposée par un phénomène naturel — explosion — ou par un dispositif technique, mais ce mode de production est hétérogène par rapport aux collisions entre particules qui feront disparaître la cohérence produite.

Cependant, l'ordre au sens d'écart par rapport au désordre entropique est loin d'être le seul type d'ordre défini par la physique. L'ordre physique peut également correspondre à une structuration interne qui n'est pas imposée aux constituants mais est produite par eux.

Nouveaux ordres et désordres physiques

Jusqu'à très récemment, l'ordre physique « intrinsèque » par excellence était le cristal. Il est très difficile de surévaluer le nombre des références à l'« ordre cristallin », qu'il s'agisse de créer un contraste négatif entre cet ordre répétitif, symétrique, parfaitement prévisible et une autre forme d'ordre, vivante ou sociale, ou au contraire d'en faire un idéal. Mais, comme nous allons le voir, l'ordre cristallin n'est plus aujourd'hui qu'un cas particulier d'ordre physique parmi d'autres, de même que le désordre « entropique » n'est plus qu'une forme particulière de désordre. Ce qui signifie que le paysage problématique que nous venons d'esquisser est en passe de se transformer très rapidement : les

nouveaux sens pris par « ordre » et par « désordre » en physique
permettent de prévoir des opérations inédites entre sciences de la nature
et sciences sociales.

Ainsi, d'ores et déjà, la possibilité de structurations spontanées loin
de l'équilibre a été utilisée pour défendre des modèles d'autogestion
sociale, ou de structuration non autoritaire de l'activité économique. La
turbulence conçue comme désordre avait servi de métaphore à la
panique destructrice et incontrôlable ; conçue comme régime de fonctionnement singulier hautement corrélé, dont l'apparent désordre
traduit en fait les résonances fortes entre les différentes régions d'un
système, elle peut devenir métaphore de la « société de communication » ; conçue comme « chaos déterministe », elle peut devenir instrument d'une « lecture de la crise », et peut-être de sa réduction à un
phénomène naturel « normal » et prévisible. De la même manière que,
au XIXe siècle, la définition de la stabilité propre aux états d'équilibre
thermodynamique avait fécondé, pour le meilleur et pour le pire, de
nouvelles représentations de l'ordre biologique et de l'ordre social, il est
inévitable que les communications qui préexistent déjà, dans notre
langage, entre crise et renouvellement, entre chaos et production
d'ordre, entre activité individuelle et cohérence collective, se trouvent
activées par de nouvelles opérations.

Que cette activation soit parfaitement prévisible ne signifie pas pour
autant qu'elle soit parfaitement dénuée d'intérêt ou *a priori* condamna-
ble comme idéologique. En effet, qu'une intelligibilité de type physico-
mathématique se découvre susceptible de rendre compte d'ordres et de
désordres qui pouvaient lui sembler étrangers est en soi un événement
dont les conséquences doivent être mesurées dans tous les champs où,
directement ou indirectement, les anciennes notions d'ordre et de
désordre physiques ont été partie prenante : modification simultanée de
la définition de ce dont est capable le mode d'intelligibilité physique et
de ce dont sont capables des systèmes définis par leurs interactions. Par
contre, ne se trouve pas modifiée la question du sens et de la légitimité
de ce mode d'intelligibilité lui-même. C'est sur ce point que devrait se
discuter la discrimination entre l'inévitable prolifération d'analogies et
de rapports de ressemblance et l'éventuelle modification effective des
distributions problématiques.

Le cristal est stable : il répond à la définition que nous avons donnée du « désordre » (stabilité d'un état par rapport aux mécanismes d'interaction entre ses constituants). Une caractéristique propre du cristal parfait est la possibilité de dissocier la description du processus de cristallisation, l'interprétation physique de la stabilité de l'état final, et la description économique de cet état. La première est très complexe puisqu'elle implique des notions comme le point critique, où le cristal précipite d'un seul coup, ou la sursaturation d'un milieu qui « prendra » si un germe ou une impureté démarre le processus. La seconde permet de déduire l'arrangement géométrique à partir des forces d'interaction entre composants, et de définir le cristal parfait comme l'état minimisant l'énergie potentielle définie par ces forces. La troisième (chronologiquement la première) peut être purement géométrique et négliger toute propriété physique des composants au profit de leur configuration spatiale produite par la répétition d'une même maille élémentaire.

Comme on l'a déjà souligné, il est remarquable que, considéré d'un autre point de vue, le cristal puisse apparaître comme un état désordonné. Il ne s'agit plus alors de le définir en termes d'entités situées ici ou là, mais en termes de *comportements collectifs* (vibrations) dont il est susceptible. Ces « modes collectifs » sont décrits par ce que les physiciens appellent des phonons, et le cristal parfait devient alors une population désordonnée de phonons, correspondant non au minimum mais au maximum d'incohérence.

Si le cristal permet une définition de l'ordre physique qui n'oppose pas « création d'ordre » et « comportement des constituants en interaction », qui ne lie pas l'ordre à l'intervention d'une causalité hétérogène (préparation initiale du système) vouée à une destruction spontanée, il se définit encore comme antagoniste à l'activité chaotique de ses constituants : l'ordre cristallin se comprend à partir des forces d'interaction entre constituants, et est donc détruit si leur énergie cinétique leur permet d'échapper aux interactions qui les piègent. Au contraire, les processus de structuration spontanés loin de l'équilibre se produisent à partir de seuils critiques caractérisant l'intensité (la vitesse, la fréquence) des processus dont le système est le siège. Cette fois, l'ordre ne peut plus être interprété par la domination des forces d'interaction par rapport aux mouvements chaotiques qui détruiraient toute structure, mais apparaît engendré par ce comportement chaotique lui-même[7].

L'ordre loin de l'équilibre appartient à une classe de problèmes dont l'étude, au cours de ces dernières années, a mené à l'irruption à l'intérieur de la physique de nouvelles catégories de phénomènes, dont le trait commun est de produire leurs propres coordonnées spatiales et temporelles, d'imposer un passage effectif d'un niveau de description où les grandeurs caractéristiques sont d'ordre microscopique (des milliards d'événements par seconde, des portées d'interaction comptées en angströms [10^{-8} cm]) à un autre, qui caractérise un comportement collectif macroscopique, en termes de secondes ou de centimètres. Il faut donc reconnaître à ces phénomènes (par exemple une « horloge chimique », un système caractérisé par une concentration chimique variant au cours du temps avec une période bien définie d'ordre macroscopique) la capacité de jalonner un champ qui, sans eux, ne serait pas repérable en tant que tel. Au contraire, le cristal est défini de manière intrinsèque par sa seule maille élémentaire, le nombre de ces mailles, c'est-à-dire sa taille, résultant de l'histoire contingente de sa cristallisation.

L'analyse mathématique fait correspondre à cette « émergence » d'un niveau de description caractérisé par des coordonnées intrinsèques une « singularité » qui peut être prise comme « centre organisateur » du domaine qu'elle repère et qui devient descriptible, y compris dans sa globalité, à partir de ses propriétés de singularité. Des mathématiciens comme Albert Lautman[8] avaient depuis longtemps souligné l'ordre quasi intrinsèque que peut engendrer une « singularité de fonction ». Cette puissance d'engendrement est l'instrument qui, aujourd'hui, permet d'approcher des processus collectifs tels que transitions de phase, changements de régime, structuration hydrodynamique, etc., c'est-à-dire l'émergence de processus qui se désignent en eux-mêmes comme objets « séparables », imposant leurs propres catégories, au sein d'un univers dont ils dépendent mais auquel ils ne ressemblent pas. Ce que l'on peut ainsi appeler l'« ordre par singularité de repérage » (et on peut renvoyer également à la théorie mathématique des catastrophes qui caractérise les formes en tant que telles par rapport à ce qu'elle définit comme indifférencié) appartient non seulement à la description, non seulement à l'intelligibilité, mais aussi aux *conditions de possibilité* selon lesquelles description et intelligibilité peuvent se correspondre dans une représentation signifiante.

Parallèlement, la notion de désordre s'est, elle aussi, compliquée. On parle aujourd'hui de « chaos déterministe ». Un livre récent annonce au grand public l'*Ordre dans le chaos* [9]. Il s'agit de ce qu'il faut appeler, non une invention, mais une découverte en mathématiques, dont le premier acteur est l'ordinateur : la découverte de ce que des équations non linéaires, qui sont parfaitement définies, déterminées et ne font intervenir aucun élément statistique ou probabiliste, peuvent engendrer un comportement imprévisible.

L'ordre, ici, fait donc référence à la compréhension abstraite du phénomène, aux lois qui le gouvernent et dont la simplicité formelle est parfois stupéfiante lorsqu'on la compare au degré de complication que nécessiterait une description exhaustive des comportements qu'elles engendrent.

L'un des modèles initiaux qui ont donné lieu à cette découverte concernait les phénomènes météorologiques, représentés par des équations hautement simplifiées. La simulation à l'ordinateur a révélé que la moindre variation des paramètres initiaux (telle la différence entre le nombre de décimales affiché par un ordinateur et celui qu'il a effectivement en mémoire) suffisait à induire des évolutions absolument divergentes. Ce modèle a été baptisé « effet papillon » : il permet d'affirmer que le vol d'un papillon ici et maintenant risque de jouer un rôle que l'on pourrait interpréter comme déterminant dans le climat qui régnera ailleurs dans six mois. Le papillon n'a évidemment rien de particulier, le moindre éternuement peut lui aussi revendiquer un tel rôle, le problème est celui de la très haute sensibilité de l'évolution du système à ses conditions initiales.

Les systèmes qui engendrent un « chaos déterministe » se caractérisent donc par une instabilité structurelle considérable. La définition du système par ses équations n'a plus de rapport évident avec l'identité de ce système, au sens des comportements dont il est susceptible. C'est bien en cela que ce nouveau type de désordre se distingue tout spécialement du « désordre » caractéristique de l'équilibre. Celui-ci a beau être le produit d'une multitude sous-jacente (mouvements, collisions, etc.), il permet une identification structurellement stable. Une modification imposée des « conditions aux limites » qui définissent un système à l'équilibre entraîne une modification *proportionnelle* de cet état d'équilibre : cette relation de proportionnalité permet de dire qu'il s'agit bien du « même » système défini par d'autres valeurs de ses paramètres. Dans le cas du « chaos déterministe » aucun rapport apparent ne peut être établi entre une modification, ou une perturbation, du système et des conséquences, démesurées.

Qu'il s'agisse de l'instabilité structurelle des systèmes à chaos déterministe ou de l'engendrement d'objets « séparables », aux catégories spatio-temporelles propres, dans l'ordre par singularité de repérage, un point commun doit être noté : la mise en problème de la notion d'intelligibilité, ou plus précisément de ce qu'autorise un mode d'intelligibilité. Les systèmes à chaos déterministe répondent, du point de vue de leurs équations, à une intelligibilité déterministe, mais les idéaux de prévisibilité et de régularité que nous associons à l'idée de déterminisme ne leur conviennent pas. Quant aux comportements collectifs caractérisés par des coordonnées propres, ils surgissent à partir d'interactions entre éléments qui appartiennent au mode d'intelligibilité physique. Pourtant, dès lors qu'ils existent, ils peuvent entrer dans des interactions nouvelles, et peut-être alors prendrait sens une référence à leur comportement et à leurs possibilités propres d'évolution comme à ceux de « touts ». En conséquence, la tranquille distinction que nous avions posée au début de ce texte entre le « système », avec ses constituants, et le « tout », avec ses parties, se trouve instabilisée. Il s'agira dans l'avenir d'apprendre à distinguer, à articuler ou à opposer le « tout » tel qu'il prend sens en physique et celui que vise le biologiste.

Le point nouveau, ici, qui ne peut faire l'objet encore que de perspectives spéculatives, est que la mise en problème de l'intelligibilité élargit le rapport dynamique entre ordre et intelligibilité à cette troisième notion, que nous avions jusqu'ici enracinée dans l'organisation sociale des savoirs, l'anticipation. Jusqu'ici, quel qu'ait été le mode d'intelligibilité d'un « système », les processus, interactions, forces par lesquels il était défini, l'« ordre » auquel il pouvait donner sens, semblaient ne pouvoir avoir rien de commun avec celui dont l'anticipation des biologistes définit la spécificité. Ce dernier devait donc se référer à une instance extrinsèque : qu'il s'agisse d'une quelconque force vitale ou de l'histoire sélective, ce n'est pas ici le problème. Les nouveaux ordres physiques n'annulent pas la différence entre anticipations, ne permettent pas de songer à une quelconque unification, mais ils peuvent induire un renouvellement du problème de leur articulation. Cette perspective, encore problématique, illustre ce que nous avancions au début de ce texte : la vérité d'une question comme celle de l'ordre tient à son insistance, à son pouvoir de mutation, à sa relance perpétuelle des rapports ambigus qu'entretiennent ce que nous cherchons à écrire, la manière dont nous pouvons, et la façon dont nous voulons, le comprendre.

NOTES

1. C'est notamment l'enjeu des théories dites saltationnistes (par sauts ou discontinuités) de l'évolution. Voir notamment les textes de S.J. Gould et, par exemple, « Un quahog est un quahog », in *Le Pouce du panda*, Paris, Grasset, 1982.

2. J. Monod, *Le Hasard et la Nécessité*, Paris, Éd. du Seuil, 1970, en particulier les notions de téléonomie et de cybernétique microscopique.

3. C. Waddington, *The Ethical Animal*, The University of Chicago Press, Midway Reprint, 1975.

4. G. Bateson, *La Nature et la Pensée*, Paris, Éd. du Seuil, 1984. On peut (cf. Pierre Livet dans ce volume) se demander si cette « neutralité » purement descriptive est tenable sans une référence implicite à une éthique qui en aiguiserait la pointe critique.

5. Voir P. Desmarez, *La Sociologie industrielle aux États-Unis*, Paris, Armand Colin, 1986.

6. Voir, pour un exposé général, I. Prigogine et I. Stengers, *La Nouvelle Alliance*, Paris, Gallimard, 1979 ; coll. « Folio Essais », 1986.

7. A. Berge, Y. Pomeau et C. Vidal, *L'Ordre dans le chaos*, Paris, Hermann, 1984.

8. A. Lautman, *Essai sur l'unité des mathématiques*, Paris, UGE, coll. « 10/18 », 1977. La singularité comme condition d'individuation est au centre du grand livre de G. Simondon, *L'Individu et sa Genèse physico-biologique*, Paris, PUF, coll. « Épiméthée », 1964.

9. *Op. cit.*

Organisme

Françoise Gaill.

On remarquera tout d'abord qu'organisme est le seul concept du livre auquel correspondent des objets concrets, ce qui lui confère une place singulière. Il renvoie d'emblée à la première et dernière partie à travers les notions de problème et de complexité. L'organisme c'est le **problem-solving** *(D. Andler). C'est également l'entité qui pose problème. Comment justement a-t-il résolu les siens, mais aussi comment nous permettrait-il de résoudre les nôtres ? A cet égard, il est un modèle et un enjeu. Et, comme la notion de complexité, celle d'organisme est porteuse de problèmes (I. Stengers). L'objet lui-même est complexe, bien qu'il ait été la première unité permettant d'unifier l'ensemble des vivants, y compris les humains. L'accroissement de cette complexité va de pair avec les avancées de la biologie ; et devient telle que seules deux attitudes paraissent possibles : soit considérer l'organisme comme une boîte noire dont on étudiera le comportement, soit démonter le mécanisme, ouvrir la boîte pour tenter d'en découvrir les lois d'assemblage, les mécanismes de fonctionnement. Des zones d'ombres s'éclairent où la mise en ordre est possible ; mais localement. Car on ne sait pas encore réaliser les propriétés mêmes de l'organisme, intégrer les différents niveaux observés. L'organisation excède la notion d'ordre, même si l'organisme manifeste une certaine mise en ordre de la matière. Opposé longtemps au mécanisme par le fait qu'il est sa propre finalité, nous verrons comment l'instrumentalisation du vivant, enjeu majeur de cette fin de siècle, réunit organisme et mécanisme. Mais cette entité évolue, s'adapte : l'organisme calcule-t-il ou procède-t-il par ajustements successifs, par essai ou erreur ? quelles sont les normes de comportement ? Ces questions ne seront pas reprises ici. Non seulement il se développe, mais il entre en rapport avec d'autres organismes : les organismes sont la matière à partir de laquelle les théories de l'évolution se sont développées (cf. « Sélection/Concurrence »). Si l'organisme est considéré comme un système de traitement et d'échange d'informations, c'est qu'il sait opérer un tri parmi ces informations, une sélection : il est ainsi non seulement objet, mais agent de sélection. Qu'il soit modèle ou enjeu, l'organisme est un nœud de rapports complexes qui reste problématique de par les positions conjointes objectives et subjectives qu'il permet d'adopter.*

L'organisme, c'est à la fois un modèle, un enjeu, un problème. Modèle, car il concilie différentes propriétés : c'est un exemple de coordination, d'intégration, d'efficacité, d'adaptation. Cet individu maximalise son rendement de manière incomparable, échange des informations et représente une méthode de gestion énergétique remarquable. Le concept renvoie à une pratique, celle de l'organisation en actes.

L'organisme possède justement cette dimension qui manque à l'ordinateur, cette espèce de naturel qui lui vient de ce vivant auquel il appartient. Car la conception de l'organisme provient de la biologie et c'est à partir des sciences du vivant qu'elle rayonne et se propage. Analogies et métaphores de l'organisme [1] concourent à développer les savoirs en quête de statut scientifique ou les idéologies à la recherche d'arguments. Le concept est d'emblée capturé par les sciences sociales naissantes pour lesquelles modèle et enjeu s'entremêlent. Modèle explicatif à partir duquel on tentera de penser les fondements des sciences de la société, le concept d'organisme est également l'argument d'une revendication, celle de la scientificité et de l'instauration de l'objectivité des sciences sociales.

Si la conception de l'organisme apparaît avec l'émergence des sciences du vivant, le concept est redéfini au gré des découvertes biologiques. Après avoir été modèle explicatif, l'organisme devient modèle technologique. L'organisme d'aujourd'hui, c'est à la fois une machine-outil — les bactéries nettoient vite et propre —, mais c'est également une boîte à outils dans laquelle il est possible de puiser des éléments réalisant spécifiquement certaines opérations avec un rendement incomparable. En ce sens, l'organisme est une technologie. Il est l'enjeu majeur de la biologie humaine et c'est aux prémices de l'instrumentalisation du vivant que nous assistons. L'enjeu est radicalement nouveau et n'était pas pensable auparavant : il s'agit de la production du vivant, y compris de l'espèce humaine.

Une chose est de savoir utiliser le vivant, voire de le reproduire, autre chose est de le rendre intelligible. L'approche technologique permet de contourner la difficulté, sinon de nous détourner des problèmes que l'organisme soulève. Objet trop complexe pour la biologie d'aujour-

245

d'hui, mais que d'autres disciplines plus anciennes se risquent à affronter, qu'elles soient ou non scientifiques. Car l'organisme procède du mixte, de l'animal et de l'humain, du savoir et du sens : le concept reste objet d'attention tout autant que sujet de passion.

Le modèle de l'organisme

Le verbe « organiser » précède l'organisme bien avant que ce dernier ne soit conçu. Si la notion d'organisation nous vient d'Aristote, l'organisme ne se dessine effectivement qu'au XIXe siècle, époque à laquelle le terme devient largement utilisé dans le champ des sciences du vivant. Organiser provient d'organe, qui signifie instrument. Instrument de musique, voilà pourquoi, l'organe, c'est au départ la voix, et c'est par extension qu'il désigne une publication périodique qui est l'interprète d'opinions (le mot fut utilisé dans le journal des saint-simoniens, *le Globe*). Mais, l'organe, c'est également l'outil : indice d'un finalisme récurrent dans la biologie, l'organe a été fabriqué pour faire quelque chose.

La conception de l'organisme

Avant de concevoir l'organisme, on décrit des êtres vivants, des objets naturels animés, des corps organisés... La formation du terme vient clore le débat opposant Kant à Descartes en réconciliant mécanisme et finalisme. L'organisme n'est pas seulement un ensemble d'organes, il est aussi un tout fonctionnel : c'est un être vivant ayant une individualité propre et qui ne cesse de se produire lui-même. Cette totalité assimile finalité interne et réciprocité d'action et de production des parties selon des rapports déterminés, grâce à l'introduction par Claude Bernard d'un milieu intérieur [2], la découverte de sous-unités, les cellules, et la reconnaissance d'un déterminisme qui lui est spécifique. L'individu vivant remanie les éléments qu'il ingère en leur imprimant

246

par là même sa marque. Vaste mécanisme, il décompose pour recréer, se soustrait à ce qui l'entoure et produit son propre monde : l'organisme est celui qui crée son milieu.

Mais, l'organisme, c'est aussi une association de regroupements divers, différenciés et hiérarchisés. Selon Claude Bernard, les organes n'existent que pour régler plus rigoureusement les conditions de la vie cellulaire, c'est-à-dire qualitativement et quantitativement. Cette conception reconnaît l'autonomie des éléments constitutifs et c'est par l'intermédiaire d'un milieu intérieur que l'ensemble de ces éléments, les parties, restent solidaires. Mécanisme et finalisme coexistent dans l'organisme, mais d'une manière redéfinie ; la finalité existe, certes, mais elle est inversée. Car, dans cette conception [3], l'organisme est construit en vue de la vie élémentaire.

Capture du vivant par le savant

Si nommer l'organisme vient résoudre l'opposition du mécanisme et de la finalité, c'est parce qu'une perspective différente est adoptée. L'opération déplace le terrain des débats en indiquant celui qui permettra de le résoudre ; ce sera désormais le terrain scientifique. Par ce geste, l'être vivant est soustrait du domaine public pour devenir objet d'étude privée, spécifique, avec ses règles d'investigation. L'organisme est nommé, les sciences du vivant ont trouvé, formulé leur objet. Divers, inférieurs, supérieurs, microscopiques ou bien visibles, les organismes sont autant d'objets concrets qu'il existe d'êtres vivants sur terre, mais le concept permet de tous les réunir et d'en avoir une idée abstraite, générale, universelle : l'organisme représente la vision scientifique du vivant.

L'opération n'est pas anodine et possède plusieurs significations. Il ne s'agit pas d'une opération de capture, puisque l'organisme n'existait pas avant que la biologie ne le formule. Il s'agit plutôt de condensation, de cristallisation, de précipitation. Il s'agit de naissance. Cette création permet de faire une économie de termes et de spécification : êtres et corps, vivants, animés, organisés, se concentrent dans le concept. Par organisme, on désigne la première unité vivante, englobant végétaux, animaux et humains, et cette unité devient catégorie constitutive des sciences du vivant. Deux conséquences s'ensuivent. Il existe une science du vivant, autonome et distincte de la physique. La biologie s'extrait ainsi des sciences de la nature en se différenciant de la physique. Deuxième conséquence, les humains ne sont pas différents, du point de vue de la biologie, des autres vivants ; ils font partie comme les autres animaux du vivant unifié par l'intermédiaire du maillon unitaire. A ces deux conséquences s'en ajoute une troisième : la conception de l'organisme manifeste qu'il est possible d'agrandir le champ des connaissances objectives, ce qui est une manière indirecte de repousser les limites de la métaphysique.

Inclure sans autre différence les êtres humains dans le vivant, le mouvement ne date pas d'hier, il est l'aboutissement de tentatives réitérées au cours de l'histoire. Mais, dès lors que la scientificité s'instaure, l'assurance de l'affirmation devient moins contestable. Le savoir objectif prime sur toute autre considération : la dualité corps-âme devient débat caduc. Il sera désormais possible de concevoir le comportement et le fonctionnement des individus indépendamment de toute dimension subjective... Ayant délimité son terrain et isolé son champ, le scientifique signifie son rapport privilégié à l'égard du vivant. Savant, il se distingue ainsi des ignorants, les autres de la société humaine. Le biologiste se consacre expert et se donne le projet d'expliquer le vivant de manière spécifique, originale, objective, et s'autorise de ce fait à développer ses propres champs d'investigation et d'opération. L'espèce humaine peut désormais devenir objet d'études parmi d'autres. Même si cet objet paraît plus complexe, son fonctionnement biologique ne saurait différer dans son essence de celui du vivant en général. Il ne s'agit pas d'une différence de nature, mais de degrés. Quel que soit le vivant que l'on considère, il est alors possible d'adopter un point de vue expérimental d'où la subjectivité est exclue. Prémices à l'instrumentalisation du vivant, dont nous verrons plus tard surgir les conséquences. Première tour d'ivoire construite sans grande publicité à l'opposé des théories de l'évolution *, démunies du pouvoir de tester la validité des hypothèses proposées.

---

* Voir le texte « Sélection naturelle » de M. Veuille.

Voir, observer, regarder

Catégorie constitutive de la biologie, l'organisme permet à celle-ci de devenir domaine scientifique à part entière. Mais l'objet auquel il renvoie est un mélange, il procède du mixte, car deux attitudes peuvent être repérées à son égard : une position distanciée, celle du scientifique à l'égard de son objet d'étude, qui observe, analyse, expérimente et interprète objectivement les résultats ; mais également, et sans transition, la position subjective de l'individu instaurant des relations avec cet objet, le regardant. Pour cela, point n'est besoin d'ôter sa blouse, ce basculement de l'une à l'autre position, cette « catastrophe », correspond à un déplacement infime de la position initiale du regard de l'observateur.

Une bactérie c'est tout petit, alors qu'un éléphant c'est très grand : appréciation de bon sens d'un observateur quelconque qui n'aura pas forcément une pertinence pour le biologiste *. Le scientifique repousse le versant sensuel de l'organisme pour ne retenir que la partie rationnelle. Car les sciences du vivant indiquent leur singularité en se séparant non seulement du versant physico-chimique mais également des domaines plus flous faisant intervenir les dimensions symboliques des individus. Mais, parce que le concept renvoie à des objets concrets, l'organisme donne simultanément un savoir et un sens et est le lieu de coexistence de l'objectivité et de la subjectivité. Ambiguïté d'autant plus grande que l'observateur lui-même procède de l'organisme qu'il décrit.

L'organisme, c'est la conception scientifique de l'être vivant ; mais c'est un vivant privé de l'être embarrassant et dont le scientifique se débarrasse, laissant à d'autres que lui le soin d'en traiter. La biologie inaugure la résolution d'un problème inédit jusque-là : l'entreprise scientifique peut être entreprise de dissociation du savoir et du sens.

Qu'est-ce que l'organisme ? Quelle que soit la conception qu'on en

---

* Voir les textes d'Isabelle Stengers « Ordre » et « Complexité ».

ait, il ne sera jamais défini autrement qu'avec les mots du langage naturel. L'apparition du concept montre qu'il est possible de penser la possibilité d'une démarche scientifique en se passant des mathématiques. Démarche exemplaire dont on pourra s'inspirer ultérieurement. L'organisme devient un modèle auquel on pourra désormais se référer implicitement. La biologie est pionnière : elle instaure l'apparition d'un domaine scientifique utilisant, non des symboles, mais tout simplement le langage naturel.

Organisme et organisation

Il est de multiples raisons de se référer à l'organisme, parmi lesquelles celle des possibilités qu'il offre à l'imagination : l'organisme est un véritable univers de représentations [4]. Quiconque a le désir de penser la société et de la comprendre ne peut qu'être séduit par la conception de l'organisme qui permet de penser les rapports entre les individus et la société. Unité qui concilie des divers, vaste ensemble composé de sous-unités constitutives, objet en proie au devenir, qui intègre l'histoire et concilie le savoir et le sens, la conception de l'organisme permet toutes les interprétations possibles. Elle est à cet égard enjeu politique et idéologique : on peut tout dire en se référant à l'organisme, que la société doit rester en l'état car il y va de son existence, toute perturbation risque de la désintégrer, et donc les individus doivent se soumettre aux contraintes de celle-ci, ou bien dire que les individus peuvent agir sur la société puisque celle-ci doit exister pour le bien des individus.

L'organisme est ainsi un modèle pour les sciences sociales naissantes. Il ne s'agit pas d'une capture, mais d'une propagation, car à aucun moment l'organisme ne sera assimilé comme catégorie sociologique. Comte s'y réfère explicitement [5], Spencer * et Durkheim [6] approfondissent la comparaison, introduisent de nouvelles notions, en précisent les limites d'application. Weber [7] s'oppose à ces conceptions organicistes et l'on constate une disparition progressive de l'analogie. Une fois consti-

---

* Voir le texte « Sélection/Concurrence », M. Herland et M. Outsatz.

tuée, la sociologie renonce au modèle pour développer ses propres catégories. Un terme proche sera par contre annexé et assimilé et appartiendra désormais à l'univers sociologique : l'organisation.

L'organisme que l'on considère est toujours celui de son temps. Dans la théorie des organisations de March et Simon [8], l'organisme humain est conçu comme un système complexe de traitement et d'échange d'informations (*information processing*). Son comportement sur un certain intervalle de temps est fonction de deux facteurs, son état interne et son environnement, les deux étant définis au commencement de l'intervalle. Ces deux facteurs déterminent le comportement et l'état interne du moment suivant. Une telle description est présentée comme étant compatible avec les descriptions mathématiques usuelles des systèmes physiques, mais elle tient compte également de l'influence simultanée de l'inné et de l'acquis. Elle intègre la spécificité du vivant, l'histoire, par le biais de l'état interne dont la plus grande partie est contenue dans la mémoire qui peut elle-même être subdivisée. Dans cette optique, les organisations sont composées d'êtres humains en état d'interaction ; elles sont les plus grands organismes de notre société « possédant l'équivalent de systèmes nerveux », spécificité élevée de structure et de coordination qui font d'elles une unité sociologique d'importance comparable à celle d'un organisme biologique. L'analogie est une analogie forte et non pas simple métaphore, au sens où elle débouche sur une proposition non seulement théorique mais également méthodologique. L'analogie devient légitime du point de vue scientifique dès lors que l'organisme humain est considéré comme un système complexe de traitement et d'échange de l'information.

L'organisme dont il est question est un organisme redéfini depuis sa création ; il s'agit d'un organisme actuel dont on pourrait retrouver la figure en écologie [9]. L'écologie considère l'individu dans sa dimension systémique : l'organisme est une boîte noire dont la structure importe peu ; c'est un système qui échange moins des informations que de l'énergie et dont l'existence se borne à obtenir un équilibre de sa balance énergétique. Les différentes fonctions de nutrition, d'excrétion, de respiration... consomment de l'énergie, entraînent un déficit, qu'il convient de combler. Cette position astucieuse permet de rendre le fonctionnement de l'organisme isomorphe à celui du milieu par le biais de l'énergie. L'organisme devient l'exemple d'une certaine méthode de gestion énergétique. Le milieu est le théâtre d'échanges énergétiques dont les acteurs sont les organismes, systèmes vivants qui adoptent différentes stratégies pour se reproduire selon cette gestion. Cette attitude donne lieu à des approches originales et opératoires des relations organismes/milieux. C'est en modélisant les monnaies d'échanges que sont les transferts métaboliques entre individus d'espèces différentes que l'on peut prévoir l'impact des engins nucléaires sur l'environnement. Modèle *in vitro*, bien sûr, qu'il sera toujours nécessaire de comparer aux modèles *in vivo*. Question d'actualité s'il en est.

L'organisme : quels enjeux ?

Le recours au modèle de l'organisme a servi de multiples intérêts ; il fut une constante de la pensée économique, sociale et politique comme l'a remarquablement illustré Judith Schlanger, et nous avons vu que certains secteurs des sciences sociales se sont référés à l'organisme pour tenter de se constituer. Il reste l'un des enjeux actuels de sciences plus récentes, telles les sciences cognitives *, ou de secteurs plus larges comme les secteurs techniques ou industriels.

L'organisme : une technologie

On peut considérer l'organisme comme une boîte noire que l'on prend telle quelle et s'intéresser à ses comportements comme à ses performances. L'enjeu technologique sera la production de comportements similaires. Ainsi, les micro-organismes savent nettoyer vite et propre des matériaux dont la dégradation devient trop onéreuse : les biotechnologies, c'est une nouvelle industrie écologique ayant des modes et des moyens de production différents. Les organismes devien-

---

* Voir « Problème », D. Andler, et « Calcul », P. Lévy.

nent des instruments dont on se sert pour réaliser une tâche déterminée, c'est en ce sens que l'on peut parler d'instrumentalisation du vivant. Tout ou partie de l'organisme réalise des transformations chimiques d'un rendement inégalé. On tentera donc d'utiliser ces propriétés, pour concevoir par exemple les prochaines puces électroniques. Le vivant devient matière de fabrication. Mais la biologie, elle, s'intéresse justement à l'intérieur du mécanisme et se propose de découvrir les principes et les lois qui président à l'organisation du vivant, à son fonctionnement comme à son développement. Les biologistes vont inlassablement ouvrir la boîte noire et tenter d'expliquer les propriétés du vivant. Une recherche abyssale va s'ensuivre, qui va découper, spécifier, recombiner, remodeler le contenu du concept à l'intérieur du champ de la biologie.

C'est en grande partie aux théories des systèmes, aux théories de l'information et à la linguistique que l'on doit la définition de l'organisme actuel. L'organisme biologique est devenu l'expression d'un programme. Il est le résultat de la traduction des séquences qui sont lues, transcrites, copiées, dans un certain contexte. L'organisme est un langage, c'est de l'information. Le problème à résoudre est celui de la communication. L'individu vivant peut être ainsi considéré comme le résultat d'une combinatoire de processus élémentaires simples, codés. Reste à découvrir la logique de l'ordre de ces processus, problème mathématique indépendant de tout support physique.

Mais l'organisme peut être redéfini selon une autre approche : il était au départ sa propre finalité, il devient agent d'une autre finalité que lui-même, celle de la reproduction. La proposition n'est pas nouvelle, mais la sociobiologie la reprend autrement à son compte : l'organisme est le moyen utilisé par les gènes pour préserver les gènes de toute altération. Les organismes ne sont plus que des hôtes éphémères, des vecteurs d'unités génétiques fondamentales. La finalité est donc la perpétuation de ces unités par le moyen de la production des individus, ce qui permet d'expliquer certains comportements sociaux, sinon tous [10].

Poursuivant la proposition introduite par C. Bernard de l'autonomie des parties de l'organisme, la biologie consacre celle du plan moléculaire autant que celle de différents systèmes mis au jour (comme par exemple l'homme neuronal, selon le titre d'un célèbre ouvrage [11]...). Chaque système pouvant être étudié séparément, on peut tout aussi bien traiter des macromolécules comme autrefois des organes ou des cellules, c'est-à-dire expérimentalement. Puisque l'on sait cloner, il est possible de produire de l'identique et de ce fait d'expérimenter sur des cellules équivalentes. L'obstacle expérimental de la variabilité individuelle, qui ne manquait pas d'être soulevé pour les recherches s'adressant à l'organisme, est levé, et les éléments sont comparables. La singularité individuelle perd de son importance, les objets biologiques sont normalisés.

Pourtant cette singularité persiste et fait l'objet d'études : un organisme rejette toujours les cellules qui proviennent d'un autre que lui-même. L'immunologie introduit les concepts de soi et de non-soi : l'autre n'existe pas comme en psychanalyse, c'est la singularité et l'identité de l'individu qui sont mises en relief. L'autre, c'est l'étranger et l'on pourra remarquer les résonances de ce vocabulaire dans les revendications nationalistes de notre société.

Les principales propriétés qui faisaient de l'organisme un tout inaltérable sont devenues caduques. L'organisme retrouve subrepticement son statut initial, défini comme un ensemble d'organes, c'est-à-dire d'instruments ; il devient machine à outils autant que machine-outil. On sait désormais modifier le fonctionnement des systèmes biologiques en altérant les gènes qui jouent un rôle régulateur dans un système vivant. Retour au mécanisme et à la comparaison initiale de l'organisme et de l'horloge : les organismes sont des mécaniques de précision qui peuvent être démontées, modifiées, puis réassemblées à volonté. Le biologiste moléculaire change les relations établies entre les éléments, et, grâce à cette perturbation, détermine le fonctionnement « normal » du système. Disposer de telles procédures confère la possibilité de créer des formes de vie qui n'ont jamais existé au cours de l'évolution naturelle. L'enjeu ici est la production du vivant. L'organisme est un moyen et non plus une fin.

L'humain expérimental

Au contraire de la biologie, la médecine s'intéresse moins à l'organisme universel qu'à l'organisme humain. Biologie et médecine ne s'en interpénètrent pas moins. L'organisme est enjeu des sciences médicales privées jusqu'alors de leur statut de sciences expérimentales. Acquérir ce statut, c'est pour la médecine reproduire le geste initial des sciences du vivant à l'égard des sciences physiques, la différenciation se faisant cette fois-ci à partir de la biologie, sa voisine. Mais s'agit-il de médecine ou de biologie humaine ? L'intrication des deux domaines est le lieu de conflits institutionnels recouvrant des attitudes différentes, où le biologiste paraît conserver une certaine distance à l'égard de l'humain [12].

Mais l'enjeu ici n'est pas seulement théorique, car c'est de nous-mêmes qu'il est question : il s'agit moins de définir un cadre conceptuel que de s'approprier les méthodes d'investigation de la biologie pour étudier un objet singulier, le corps humain, sur lequel il devient possible d'expérimenter. Démarche analogue à celle que C. Bernard réalisa au siècle dernier en adoptant la conception de l'organisme universel. Il s'agissait à ce moment-là de formuler les bases d'une nouvelle science : défi autant théorique qu'expérimental que celui de fonder les sciences du vivant. Mais C. Bernard posait les bases d'une médecine expérimentale à laquelle il ne manquait que le droit de s'approprier l'objet d'étude : le matériel humain. L'enjeu n'est plus seulement scientifique aujourd'hui mais éthique. La dénomination éthique n'est que la partie apparente de l'iceberg. L'éthique permet de qualifier positivement un débat dont les enjeux sont multiples.

L'ensemble des acteurs censés débattre de la dimension éthique, c'est la société dans son ensemble. Mais les acteurs ici ne sont en fait que les témoins d'un spectacle invisible que se livrent en coulisse les différentes équipes médicales dans la compétition internationale. Ce qui est en jeu, c'est le prestige que confère la primauté de la découverte scientifique. Ce genre d'exploit, technique autant que scientifique, a le privilège de concilier différents avantages symboliques. A la reconnaissance des pairs s'ajoute la gratitude de la société envers ceux qui viennent en aide aux défavorisés de la nature (à quoi s'ajoutent des retombées financières non négligeables). A travers la personne humaine, considérée comme un organisme, le débat dit éthique recouvre de féroces affrontements institutionnels. De plus l'espèce humaine rentre subrepticement dans la catégorie « matériel et méthodes » des publications scientifiques : point de vue de l'expert qui assiste au spectacle de la vie. Or c'est à la société civile de fixer les limites du possible. Question encore ouverte et sujette à polémiques. L'expert a de nombreuses vertus, dont celle d'être optimiste face aux désarrois des non-professionnels : Tchernobyl, par exemple, fut certes une catastrophe nucléaire, mais ce fut la première à être « naturelle » et à permettre d'étudier *in vivo* les conséquences de ce que l'on ne faisait jusqu'à présent que simuler.

Ces remarques ne sauraient amoindrir les multiples aspects positifs des nouvelles performances médicales. « Qu'est-ce que l'humain ? » — et qu'en pensons-nous ? — n'est pas une question que la société se permette de poser si souvent et il convient d'en souligner l'importance et de nous en réjouir.

Solutions théoriques de problèmes naturels

Enjeu pour les domaines en quête de statut de scientificité, enjeu méthodologique pour ceux qui en étaient déjà pourvus, enjeu problématique dans les domaines des sciences dures, l'organisme est le problème qui a su se résoudre lui-même, et cet individu est lui-même solution des problèmes qu'il pose. Mais c'est une solution naturelle : reste à le reconstruire non seulement à l'aide de moyens techniques mais également en termes théoriques. Sorte d'appropriation indirecte de l'organisme, il s'agit de tenter de résoudre les problèmes que pose l'organisme, non en adoptant le terrain de la biologie, mais en se situant en dehors, tentatives entreprises en physique comme en mathématiques. L'organisme n'est pas explicitement mentionné comme tel : sont étudiés la dynamique des systèmes loin de l'équilibre ou les problèmes de morphogenèse biologiques [13]. Ce n'est pas tant l'objet qui est redéfini en fonction de la discipline à laquelle on appartient que les problèmes qu'il soulève. C'est la pertinence des questions à résoudre qu'il convient de préciser et de traiter et les termes de capture et de propagation utilisés dans l'introduction de cet ouvrage paraissent faire écho aux deux écoles de pensée précédentes (Thom et Prigogine).

Objet devenu trop complexe pour la biologie qui considère présomptueux de vouloir si tôt tenter de synthétiser les connaissances disponibles, c'est hors de la biologie que l'organisme devient un problème qu'il est possible d'aborder scientifiquement.

L'organisme problématique

L'organisme peut être considéré comme le prototype de l'auto-organisation [14]. Mais comment le vivant peut-il s'organiser lui-même ? Question de structuration spatio-temporelle, de morphogenèse ? Problèmes encore ouverts : nous n'expliciterons que l'un d'entre eux, celui des niveaux d'organisation, problème récurrent en biologie.

Les niveaux d'organisation

L'organisme, c'est une série emboîtée de niveaux, c'est un système hiérarchisé : macromolécules, cellules, organes, etc., sont autant de niveaux fonctionnant selon des propriétés spécifiques. Rien ne permet de déduire les propriétés de l'organisme à partir du niveau macromoléculaire. Si l'on remonte la série hiérarchique, à chaque fois que l'on passe d'un niveau au suivant, de nouvelles propriétés surgissent, « émergent ». L'émergence ici signifie leur non-prédictibilité logique. Pour penser un tel système, il est nécessaire d'isoler et d'analyser chaque niveau pour lui-même. Or, on ne peut analyser un niveau isolé sans supposer qu'il existe un niveau englobant. Et reconstruire la relation entre niveaux inférieur et supérieur ne se fait pas par la production d'un modèle qui assure un bouclage entre les niveaux, mais plus concrètement par l'apparition d'un autre mode d'accès, c'est-à-dire d'un niveau médian auquel on accorde une pertinence encore insoupçonnée. La biologie moléculaire se proposait d'interpréter le niveau cellulaire par le niveau moléculaire, et elle est parvenue à créer un nouveau paysage biologique grâce à l'introduction d'entités originales, les macromolécules. Ce niveau se distingue du niveau chimique par les mécanismes qu'il met en jeu (liaisons non covalentes, catalyse chimique...) et présente d'ailleurs une organisation tout autant hiérarchique (les protéines par exemple).

L'intermédiaire qui est découvert permet l'établissement de relations, la transmission d'informations, son expression comme sa réception. Avec C. Bernard, l'information d'origine cellulaire était véhiculée par le milieu ; les véhicules depuis lors paraissent identifiés, ce sont les macromolécules. Une telle introduction permet de formuler en d'autres termes l'organisation et le fonctionnement de la cellule. Cette introduction est l'analogue d'un tiers niveau assurant la médiation entre les deux niveaux initiaux. Elle évite ainsi la réduction du biologique au simple physico-chimique : les ensembles moléculaires participent à la fois du physico-chimique et du biologique, ce qui leur confère des propriétés singulières, déterminantes pour le fonctionnement global. Car les macromolécules deviennent les unités significatives : elles sont construites à partir de sous-unités, qui sont elles-mêmes des ensembles de molécules. Ce nouveau système d'interprétation permet, certes, d'aborder le niveau cellulaire, mais ne rend pas compte du fonctionnement de l'organisme.

Comment donc aborder le problème du changement de niveau ? L'image que nous nous faisons de l'organisation d'un vivant intègre les connaissances que nous avons des différentes découvertes biologiques (organe, cellule, macromolécule...), mais la difficulté réside dans le fait qu'il est impossible d'observer avec la même précision tous les niveaux à la fois. Comment s'effectue l'articulation d'un niveau à l'autre pour le système lui-même, étant entendu que nous n'avons pas directement accès à cette articulation ? La distance entre les niveaux s'amenuise, certes, grâce aux découvertes les plus récentes mais de manière asymptotique : on ne fait que déplacer la question. Pour Atlan [15], il y aurait deux démarches qu'il conviendrait d'allier : l'une de type réductionniste, procédant de bas en haut et cherchant à expliquer les propriétés du tout par celles des parties ; l'autre consistant à analyser les productions de l'état final, et à les comparer globalement à l'état initial, pour essayer de préciser en quoi les propriétés globales du système ont changé, en quoi il y a eu émergence de *nouveau* — approche de type holiste, puisque l'on tiendrait compte de notre ignorance relative quant au détail de chaque détermination.

L'organisme et ses plis

Quel que soit le point de vue que l'on veuille adopter, le paradoxe du changement de niveau subsiste. La mesure de la surface du poumon diffère énormément selon la technique que l'on utilise : à l'œil nu, à la loupe ou au microscope électronique. Où est la vérité ? En fait, ces différences s'expliquent par la forme extrêmement découpée de nos bronches ; les détails au départ invisibles apparaissent lorsqu'on s'approche au plus près, pour s'ouvrir sur d'autres détails à une échelle plus petite. On peut dire d'une telle surface qu'elle possède une dimension fractale * et peut-être y a-t-il là un chemin de traverse [16] qui nous permettrait d'aborder l'émergence dont il a été question précédemment.

Que signifie en fait un changement de niveau ? Dans un film, la pièce où se tient l'acteur disparaît si, par un zoom, ce dernier fait l'objet d'un gros plan. C'est le visage qui, insensiblement, devient l'ensemble qui rendra les traits singuliers ; peu importe alors l'ambiance, comme les dimensions de la pièce où se tient le personnage. Si la pièce est le niveau supérieur, et l'acteur le niveau inférieur, on pressent l'autonomie relative de chacun d'entre eux. Et pourtant l'ambiance aura une incidence sur l'état d'esprit avec lequel nous percevrons les traits du visage. Quand a lieu exactement le saut d'un ensemble à l'autre ? Le changement est à la fois progressif et soudain : il y a seuil, mais le

---

* Il existe plusieurs définitions de la fractalité (cf. Mandelbröt). Schématiquement, on peut dire qu'une figure fractale présente localement et globalement la même « forme » : quelle que soit l'échelle d'observation, on retrouvera le même type de « motif ». La fractabilité concerne la dimension d'un objet : elle mesure le degré d'irrégularité de son contour. Par exemple la longueur de la côte de Bretagne varie selon l'échelle adoptée : elle augmente lorsque l'on s'en rapproche. Cela vient du fait que la côte est irrégulière et donc que de nouveaux détails apparaissent alors.

franchissement est flou, difficile à situer. Il y a dans ce saut quelque chose qui procède de l'incommensurabilité. Sorte de fuite infinie qui s'interrompt néanmoins soudainement.

Problème de dimensionnalité qui renvoie à un problème topologique : que fait-on lorsqu'on change de niveau ? On ramène à chaque fois le paysage que l'on découvre aux dimensions habituelles, et ce pour pouvoir l'étudier, le voir et l'énoncer. Mais cette démarche s'effectue dans un espace analogue au premier, qui lui-même est déjà le niveau aplati d'un niveau supérieur. Problème d'optique et de position, que l'on ne sait résoudre que de manière schématiquement euclidienne. L'organisme est un individu. Cette individualité lui confère puissance et limites : puissance de se développer, de croître et se différencier, certes, mais dans certaines limites, celles de sa finitude. Et, si l'on admet que l'organisme est à la fois un individu et un système d'échanges, alors on comprend que les structures à travers lesquelles s'effectuent ces échanges jouent un rôle majeur dans sa vie. Leur taille en particulier sera déterminante. Qu'une bactérie soit petite, ses échanges s'en trouvent facilités. L'éléphant, lui, se trouve face aux difficultés. Il lui faut accroître ses surfaces d'échanges et, comme un tablier, il faut des plis, des compartiments, des circonvolutions. A volume constant, c'est en se repliant que le rapport surface sur volume d'un objet va s'accroître et l'on comprend intuitivement que la surface de structures lieux d'échanges puisse devenir fractale : manière d'avoir une grande surface dans peu de place.

L'individuation

Problème topologique que l'on retrouve en écho dans les domaines philosophiques et littéraires de notre temps. La question initiale était de nous situer et l'organisme permettait d'interpréter notre place dans le monde. Le problème aujourd'hui est moins celui de l'organisation que de l'individuation : qu'est-ce qu'un sujet et comment se constitue-t-il ? L'analogie avec l'organisme est reprise sous une autre forme, celle de ses caractéristiques de développement et de communication. Qu'est-ce que l'organisme, finalement, sinon l'interpénétration de deux espaces ?

Ce qu'il donne à voir, c'est un équilibre métastable. Le vivant résout ses problèmes, non en s'adaptant, en modifiant sa relation au milieu, mais en se modifiant lui-même, en inventant de nouvelles structures internes, en s'introduisant lui-même complètement dans l'axiomatique des problèmes vitaux : œuvre informationnelle, dit Simondon [17], il est le nœud de communication interactive entre un ordre de réalité supérieur à sa dimension et un ordre inférieur à elle qu'il organise. Pour le vivant, l'inférieur est aussi constituant et non plus seulement limite. Ce qui signifie en d'autres termes que l'individu est contemporain de lui-même en tous ses éléments.

La structure d'un organisme n'est pas seulement intégration et différenciation, elle est instauration d'une médiation d'intériorités et d'extériorités allant d'une intériorité absolue vers une extériorité radicale à travers différents niveaux médiateurs d'intériorités et d'extériorités relatives. La condition fondamentale de la vie est que structure et fonction sont liées ; selon Simondon, ce n'est que secondairement qu'intégration et différenciation apparaissent. Par conséquent, les fonctions initiales sont médiatisées par une chaîne d'intériorités et d'extériorités successives. Or, dans cette conception, tout le contenu de l'espace intérieur est topologiquement en contact avec le contenu de l'espace extérieur sur les limites du vivant. Il n'y a pas de distance en effet en topologie. Toute la masse de matière vivante qui est dans l'espace intérieur est activement présente au monde extérieur sur la limite du vivant. Topologie et chronologie sont la dimensionnalité du vivant.

Ce sont donc les rapports d'intériorités et d'extériorités qui caractérisent l'organisme et l'on peut remarquer l'importance de ces rapports chez Deleuze [18]. Il s'inspire explicitement de Simondon : la topologie vitale, loin de s'expliquer par l'espace, libère un temps qui condense le passé au-dedans, fait advenir le futur au-dehors et les confronte à la limite du vivant. « Penser, dit Deleuze, c'est faire que voir atteigne à sa limite propre et parler à la sienne si bien que les deux soient à la limite commune qui les rapporte l'un à l'autre en les séparant. » Et pour Foucault, toujours selon Deleuze [19], si le dedans se constitue par plissement du dehors, il y a entre eux une relation topologique : le rapport à soi est homologue du rapport avec le dehors et les deux sont en contact par l'intermédiaire de strates qui sont des milieux relativement extérieurs, donc relativement intérieurs. C'est tout le dedans qui se trouve activement présent au dehors sur la limite des strates. Le dedans condense le passé sur des modes qui ne sont nullement continus, mais le confrontent à un futur qui vient du dehors, l'échangent et le recréent. Penser, c'est se loger dans les strates du présent qui sert de limite et enfermer le dehors, c'est le constituer en intériorité d'attente ou d'exception.

L'individu pour la physique n'est pas divisible. Bien au contraire, dit Deleuze, l'individu ne cesse de se diviser en changeant de nature. Manière de synthétiser les deux faces de l'organisme, individu pris entre l'espèce à laquelle il appartient et les parties qui la composent. En fait, ce n'est pas l'individu qui est une illusion par rapport à l'espèce, c'est l'espèce qui est une illusion par rapport aux jeux de l'individu et de l'individuation. Ce qui est au-dessus de l'espèce, ce qui précède en droit l'espèce, c'est l'individu et l'embryon. C'est l'individu pris comme tel dans le champ de son individuation. La question, d'ailleurs, n'est pas de savoir si l'individu peut être séparé de son espèce et de ses parties, il ne le peut pas. Mais cette inséparabilité et la vitesse d'apparition de l'espèce et des parties témoignent du primat en droit de l'individuation sur la différenciation. Et Deleuze fait de la relativité de l'individu une puissance positive comme tel. Le moi désigne alors l'organisme proprement psychique et la corrélation psychique fondamentale s'exprime dans la formule : « *Je me* pense », comme la corrélation biologique s'exprime dans la complémentarité de l'espèce et des parties.

Nature et artifices

L'évolution du parcours de l'organisme serait un peu comme une constellation de trajectoires. Avant de le formuler, on en dessine les contours : on se réfère d'abord à des objets que l'on sait produire (ainsi la machine ou l'horloge). Ayant formulé l'organisme, on cherche à l'expliquer par d'autres concepts que l'on connaît mieux (ainsi la société et les individus). Différentes projections seront ensuite réalisées dans des plans qui varient suivant la période historique. Jusqu'à ce qu'on s'aperçoive qu'il est possible de s'approprier non plus seulement le concept mais l'objet dont on va simuler les performances, avant d'intervenir dans le naturel de sa production et de s'en attribuer la paternité. L'organisme dans un premier temps est ramené aux repères dont on dispose et c'est ensuite qu'il sert lui-même de repère, repère qu'il conviendra de maîtriser.

Par rapport à sa conception initiale, le concept se déplace, mais il est à chaque fois redéfini et intègre l'histoire. Si l'organisme social et politique naît d'une propagation du concept hors du domaine qui l'a vu naître, la transformation de l'organisme biologique est plutôt analogue à sa propre morphogenèse. Ce qui était au départ invisible, car enfoui dans les parties initiales, est progressivement mis à nu. Les éléments mis au jour sont les seuls visibles et deviennent les enveloppes à partir desquelles le concept est redéfini. C'est comme si, puisant au-dedans puis tirant au-dehors avec ténacité, on arrivait à retourner l'organisme comme une peau de lapin. L'organisme se constitue par invaginations successives, son étude serait une lente opération de dévaginations. Mais cette opération dissocie des liaisons, disjoint des adhérences. Reste à associer, à reproduire ces cohérences, théoriquement et pratiquement. Et ce que donne à voir la maîtrise du vivant est une nouveauté radicale. Nouveauté des conséquences sociales virtuelles qui en découleraient, nouvelles possibilités qu'elle offre à l'imagination.

Les succès de la fécondation *in vitro* et de la congélation d'embryons ouvrent des horizons inédits. Résorption du naturel dans l'artificiel *. L'espèce humaine s'extrait de sa destinée naturelle en repoussant les contraintes qui pèsent sur l'organisme humain. Ce savoir-faire nous donne la possibilité d'un point de vue plus réflexif, ou plus exactement vient enrichir celui que nous possédions déjà.

Fin momentanée du parcours, photographie de l'état actuel du concept : technologie explicite, modèle problématique, mais également référence implicite qui façonne la démarche des sciences de la vie. L'organisme nous a permis de nous situer, il y a bien longtemps, dans le

---

* Une dernière remarque : l'organisme tel qu'il est généralement présenté et tel qu'il a été décrit ici est asexué ; du moins ce problème n'est-il pas abordé ici. Que l'on ne croie pas cependant cette question anodine car elle sous-tend tous les problèmes de reproduction. Introduire cette dimension pourrait d'ailleurs infléchir certaines conceptions, ce que d'aucuns semblent avoir pressenti (Foucault en particulier).

Comportement

Une réalité en quête de concept

Jacques Gervet.

Il ne s'agit guère, en l'occurrence, d'un terme se propageant d'une discipline à l'autre : il nous a paru sans enjeu, en parlant de comportement, de signaler le comportement d'un matériau soumis à corrosion, le comportement d'une particule élémentaire... Ce ne sont là que métaphores lointaines qui ne trompent personne, pures commodités de langage sans grand contenu cognitif.

L'emploi scientifique du terme n'est pourtant pas sans poser problème ; fixé par une référence à une réalité de connaissance commune, il indique les essais successifs de décrire scientifiquement un objet qui n'est pas au départ défini en termes scientifiques. Lié aussi à une certaine conception de la méthode scientifique, ce projet se caractérise par une exclusion, celle de toute connotation subjective, de toute méthode acceptant de prendre en compte une relation intersubjective durant la démarche de connaissance, de considérer l'importance du transfert (voir « Transfert »)... Dans ce cadre, la revue des emplois du terme montre les tentatives successives, diversement ambitieuses, de construire un système conceptuel à la fois cohérent et capable de rendre compte de toute la réalité approchée. Ce qui se propage, c'est donc un terme, que l'on tente d'appliquer à des corpus expérimentaux variés, sans le distordre par trop par rapport à son sens d'origine.

Au terme de tels essais, le résultat le plus clair est peut-être la disparition du terme de comportement en tant que concept capable, sans trop d'incohérence, de résumer tout ce que l'on sait de la réalité qu'il prétend dénoter. C'est, en quelque sorte, un trop-plein sémantique qui condamne le concept, selon un mécanisme inverse de celui qui a été cité à propos du terme « organisme » (voir « Organisme »), que certains biologistes, faute d'une question adéquate peut-être, déclarent ne plus recouvrir aucun élément de signification susceptible de les intéresser.

L'aspect décisif, pour le devenir d'un concept, est donc peut-être ce que les scientifiques du moment, pour des raisons qui dépassent sans doute la pure nécessité scientifique, jugent intéressant, digne d'étude... Un concept fonctionne dans le discours scientifique, est accepté par l'Institution... quand les opérations qu'il suggère, les points de vue qu'il privilégie correspondent à l'attente de l'époque. En cela, le choix des concepts indique la norme scientifique du moment.

Certes, un tel choix ne relève pas d'un pur arbitraire ; tous les systèmes conceptuels possibles n'ont pas la même fécondité, n'ouvrent pas les mêmes possibilités... Comme toutes les normes (voir « Normes »), celle qui définit la règle du jeu scientifique comporte aussi une part de nécessité, dépend aussi des résistances qu'oppose la réalité à un mode de conceptualisation : l'échec de divers projets explicatifs trop ambitieux suffit à le montrer.

L'hétérogénéité des systèmes explicatifs conduit certains à considérer le comportement comme un objet « complexe ». En fait, un tel terme n'a sans doute d'intérêt que si une logique adaptée lui donne un sens précis, qui n'en fasse pas une simple esquive (voir « Complexité »). Dans ce cas, peut-être, une approche des objets complexes est-elle possible.

Le problème se pose pourtant du statut précis que peut prendre cette connaissance. Une description à la fois rationnelle et complète du comportement humain est-elle possible alors ? Une démarche scientifique est prête à l'admettre, peut-être par simple habitude intellectuelle ; mais, dès lors que l'humain tente un discours sur lui-même en terme de comportement, comment pourrait-il viser à la fois à la cohérence et à l'exhaustivité, et a fortiori s'il renonce à la dimension qui lui est la plus personnelle ?

Alors, est-ce une réflexion sur les limites du savoir scientifique qui est suggérée ? Une telle réflexion dépasserait largement les limites du présent article, mais il n'est pas fortuit qu'une réflexion sur la connaissance du comportement débouche si aisément sur ce que peut être le comportement d'un individu cherchant à connaître.

Le projet n'est pas très ancien, à tout prendre, de considérer le comportement comme objet de science ; dès l'origine, ce projet a pris une forme polémique, programmatique... Prendre le comportement comme objet de science, cela a été au départ refuser d'autres objets : âme, conscience, esprit... déclarés non pertinents pour la démarche de connaissance, voire totalement illusoires. Adopter la science comme discours adéquat pour parler du comportement, c'est aussi renoncer au primat d'autres discours possibles : discours moral, politique, « égocentré », construit autour d'une compréhension intersubjective.

Il ne suffit pas que ce choix ait été fait massivement pour qu'il soit de ce seul fait le plus « vrai » ; il ne suffit pas non plus que la renonciation porte sur des discours pleins de charme pour que l'option scientifique soit de ce fait discréditée. Mais, à chaque instant, le choix opéré « fait problème », et la réflexion ne saurait exclure une dimension critique examinant à chaque fois la validité des affirmations qui peuvent être posées, et aussi leur coût, mesuré par le poids des aspects de la réalité que le langage utilisé choisit de ne pas montrer.

Polémique dans son origine théorique même, le projet d'une science du comportement est aussi l'objet de vifs débats polémiques concernant les enjeux possibles associés à une telle démarche.

Apparue dans un univers où la science était volontiers vue comme guidant le progrès social, la première science du comportement, ou béhaviorisme, se percevait volontiers comme visant à découvrir des lois générales du comportement à appliquer dans toutes les conduites humaines pour améliorer la société. Sous une forme moins optimiste, la sociobiologie américaine actuelle pense aussi guider la connaissance de la société humaine, même si c'est surtout pour discerner des contraintes biologiques vouant à l'échec toute tentative de transformation trop radicale. Dans un cas comme dans l'autre, toutefois, une science générale du comportement est supposée utilisable pour une meilleure organisation de la société humaine.

Une telle prétention a paru suspecte à certains qui, de ce fait, considèrent le biologiste du comportement comme un simple idéologue créateur de mythe ou, au mieux, comme un auxiliaire du pouvoir fournissant à celui-ci des moyens de contrôle social plus raffinés... D'une science du comportement à une police des mœurs, le glissement est facile dans l'imaginaire collectif, et peut-être dans la réalité.

Une telle diversité d'opinions, touchant la nature même des enjeux de la recherche, est, à coup sûr, le signe d'un problème théorique mal débrouillé. Il est donc crucial, à cet égard, d'analyser les raisons des diverses réponses des scientifiques, et aussi d'examiner ce qu'ils étudient vraiment quand ils disent étudier le comportement.

En fait, on trouve deux catégories de réponses opposées selon la discipline considérée :

1. Pour certaines, dans la lignée du projet béhavioriste, le terme de comportement garde un statut de concept de base... ce qui ne signifie pas pour autant accord sur le contenu de ce concept !

2. D'autres disciplines, par contre, notamment dans les sciences de l'homme, n'utilisent guère le terme ou, au mieux, ne l'emploient que comme terme de connaissance commune. C'est, dans le champ de certaines d'entre elles, une prise de position théorique particulière que de réintroduire le comportement.

**Du côté de l'opinion publique :
une science du comportement, pour quoi faire ?**

« Mais à quoi donc peuvent servir des sciences dont on ne sait même pas ce qu'elles étudient ? » demandera, narquois, un certain « bon sens populaire », qui voudrait bien qu'on l'aide à comprendre le comportement des uns et des autres, le prévoir, le contrôler, s'en protéger... Mais cette demande même est-elle si claire ? Si l'homme de la rue, que chacun de nous est à son tour, quelque mythique M. Durand, souhaite connaître ce que dit une analyse scientifique du comportement, que veut-il exactement ? Qu'est pour lui ce comportement qui lui pose problème ?

Fondamentalement, pour le sens commun, le comportement d'un individu, d'une catégorie sociale, etc., est l'ensemble de sa manière d'agir, de se conduire, etc. Le terme a donc un sens très synthétique et les diverses connotations qu'il prend se décèlent tant au contexte de son usage qu'aux termes qui sont censés s'opposer à lui.

1. Manière d'agir, le comportement est une façon de produire des effets sur le monde extérieur, de le modifier..., s'opposant en cela aux paroles qui « ne sont que du vent » (dans un pays sans moulin, peut-on supposer). M. Durand proteste contre le comportement des jeunes du quartier qui cassent tout, apprécie le comportement d'un ami qui lui vient en aide, s'étonne du comportement bizarre de peuplades exotiques.

2. Cet ensemble d'actes a aussi comme caractéristique d'exprimer une certaine « vraie nature » de l'acteur, qu'un discours parvient plus facilement à masquer : c'est à son comportement que l'individu se juge, comme le lion à sa griffe, le maçon à son mur, l'arbre à ses fruits... Tout jugement sur l'aptitude ou la valeur morale d'un individu se fonde sur son comportement.

Ainsi, pour l'acception commune, la connotation principale du terme de comportement fluctue entre une insistance sur l'activité observable, modifiant l'environnement, et une insistance sur l'expression de la vérité intime du sujet concerné. L'attente sociale vis-à-vis des « sciences du comportement » tient des deux acceptions, diversement assumées d'un individu à l'autre : certains y verront la recherche de technologies visant à accroître l'efficacité de l'action, individuelle ou collective, alors que d'autres y verront une possibilité de connaître, voire d'influencer fortement, l'intimité de la personne, à des fins thérapeutiques ou oppressives (voire les deux à la fois) selon le cas. Au niveau des grandes institutions, facilement technocratiques, l'idée prévaut qu'une étude scientifique du comportement aidera à résoudre certains problèmes de société, à supprimer des blocages qui s'opposent à l'évolution technique...

Ainsi, il y a une vingtaine d'années, dans un rapport [1] qui eut son heure de célébrité, attaché à la prospective de la société française, P. Massé escomptait pour 1985 « une bien meilleure connaissance du comportement des individus ou des groupes vis-à-vis du milieu qui les entoure, et par voie de conséquence des moyens d'améliorer ce comportement ». Il s'agissait ainsi d'éliminer des effets fâcheux de l'évolution de la société : dépressions, délinquance, insécurité... A chacun de juger si l'objectif a été atteint. En tout cas, il marque l'opérationnalité escomptée d'une science du comportement.

Du côté des scientifiques : mesurer et connaître

La conception des scientifiques, tout à leur idéal d'objectivité, est en apparence plus unifiée : définir une science du comportement, c'est à la fois isoler un objet scientifique précis et se donner les moyens intellectuels de l'analyser.

En fait, le terme de comportement est apparu conjointement dans plusieurs disciplines scientifiques (de la psychologie à l'économie) qui toutes, pourtant, traitent d'objets vivants. Dans tous ces usages, l'emploi du terme de comportement recouvre deux choix simultanés :

1. Le refus d'utiliser un certain nombre de notions (psychisme, âme...) déclarées inopérantes. Ce choix est explicitement celui de la psychologie béhavioriste, mais se retrouve aussi dans d'autres sciences. Une telle opération rompt radicalement avec toute une tradition de psychologie humaniste, philosophique... privilégiant les états de conscience, voire une certaine idée de libre arbitre. Insistant par contre sur une idée de détermination, vue selon le modèle des « sciences dures », le béhaviorisme vise ainsi à acquérir toute la puissance opératoire que celles-ci ont obtenue dans le champ qui est le leur.

2. Le projet de définir un objet mesurable : « il n'est science que de mesure », dit parfois le sens commun du chercheur. La délimitation comme objet d'étude du seul comportement, dont bien des aspects sont mesurables, vise donc à établir une science digne de ce nom.

Une autre tradition existe pourtant, confrontée à de tout autres problèmes, qui est la tradition biologique-zoologique. Le zoologiste appelle comportement d'une espèce l'ensemble des actes que les membres de cette espèce exécutent dans leur environnement naturel : ce comportement est aussi caractéristique d'une espèce animale que sa forme ou sa composition biochimique.

Le généticien, le physiologiste verront fondamentalement dans le comportement l'expression résultante de son organisation interne ; l'écologiste ou le biologiste de l'évolution y verront un modèle actif d'adéquation de l'organisme à son univers. Toute l'étude biologique du comportement est écartelée entre ces deux pôles ; et, comme c'est souvent le cas en biologie, ce n'est que par l'analyse d'une histoire — l'histoire phylogénétique de l'espèce — que ces deux approches reçoivent une cohérence.

L'âpreté de querelles s'étendant sur des décennies ne peut s'expliquer que par des enjeux implicites, et aussi par le poids de positions théoriques antérieures, que chaque école visait à remplacer.

Pour le béhavioriste, le comportement est l'ensemble des réactions objectivement observables qu'un organisme exécute en réponse aux stimuli également observables provenant de l'environnement. L'insistance sur le caractère observable vise à réagir contre toute psychologie introspective, accusée de faire appel à des processus invérifiables, voire illusoires : toute psychologie doit donc devenir une science du comportement. Mais cette exigence méthodologique s'accompagne d'une affirmation théorique, rejetant dans un idéalisme préscientifique toute étude cherchant la cause du comportement à l'intérieur de l'organisme. Dans la foulée, pourrait-on dire, le béhaviorisme voit la genèse du comportement comme un modelage de l'individu par son environnement. Le déni de toute pertinence à l'expérience introspective conduit à un « environnementalisme » important.

Lorenz [2] et les tenants de l'école dite de l'« éthologie objective » partagent ce choix de se limiter à l'emploi de critères comportementaux objectifs, mais tirent de leurs études des conclusions bien différentes : ils voient pour l'essentiel dans le comportement l'expression de l'organisation biologique héréditaire d'un animal, la réalisation d'un programme codé génétiquement, dont l'environnement ne fait que fournir des conditions d'explicitation. Profondément enracinée dans la zoologie, confrontée à l'évidence des différences entre espèces, cette conception en vient donc à limiter la portée, dans l'acquisition du comportement propre à l'espèce, du modelage par l'environnement.

Pour des biologistes épris de polémique, la diversité des écoles a pendant des décennies été ramenée, de ce fait, à des divergences sur les rôles respectifs de facteurs génétiques et de facteurs d'environnement.

Il n'est donc pas fortuit que ce soit un éthologiste attaché à l'étude de l'ontogenèse du comportement, Z.Y. Kuo, qui ait proposé une formulation en rupture avec l'orthodoxie lorenzienne alors dominante. Selon Kuo [3], « le comportement est un processus complexe d'interaction fonctionnelle entre l'organisme et son environnement ».

Si, alors, elle a pu paraître polémique, une telle formule, d'apparence conciliatrice, peut paraître banale aujourd'hui. Qui pourrait la refuser ? Elle marquait pourtant une rupture par rapport à une conception implicite antérieure attachée à rechercher la *cause première* du comportement, quel que soit l'endroit où on la situait.

Cette formule suggère plusieurs remarques :

1. Malgré son origine plus proprement éthologique, elle est suffisamment générale pour, à la fois s'appliquer aux diverses sciences du comportement et décrire leurs différences : selon ce que chaque science considère comme « environnement » et ce qu'elle relève comme paramètre de l'« organisme », ses principales caractéristiques sont d'ores et déjà définies.

2. A un niveau plus théorique, une telle formule — ou d'autres du même type — rencontre un modèle déjà formalisé qui est celui de la théorie des systèmes : le super-système organisme-environnement reflète les relations de deux systèmes, susceptibles à leur tour d'être décomposés en sous-systèmes... Le succès maintenu de ce modèle en biologie, et notamment dans l'étude du comportement, témoigne qu'il répond à un besoin.

3. Par contre, dans sa généralité même, une telle formule se paie d'un certain coût : présentant comme une évidence un modèle purement systémique, elle suggère que les termes d'organisme et d'environnement désignent des notions simples. Selon l'approche considérée, l'importance de ce coût devra être examinée cas par cas : il peut n'être pas évident de définir ce qu'est un « environnement » ...et encore moins ce qu'est un organisme ! La formule représente donc avant tout le choix d'une méthode d'étude ; il restera à chercher à quels objets celle-ci est appliquée et quels résultats elle peut produire.

En tout cas, elle permet de décrire les différences entre diverses approches, que l'on cite à titre d'exemples.

Psychologie expérimentale et psychophysiologie : le défi béhavioriste

Dans ce type d'approche, la complexité de l'environnement est réduite au minimum compatible avec l'apparition de la performance motrice que l'on a choisi d'étudier : le comportement est alors réduit à une « réponse » simple, susceptible de permettre l'approche de processus sous-jacents. Le but d'une telle réduction de l'environnement est double : meilleur contrôle de tous ses paramètres et apparition d'une réponse supposée plus constante et d'analyse plus facile.

Toutefois, l'ambiguïté demeure sur ce qu'est le « processus sous-jacent » que l'on tente d'atteindre.

Une approche béhavioriste orthodoxe [4] vise surtout à exclure toute référence à des fonctions « mentales ». Dès lors, les lois d'une psychologie béhavioriste se réduisent à la mise en forme d'un certain nombre de constats sur des associations régulières entre situation et réponse.

A la longue, cependant, un tel pari s'avère difficile, et le psychologue expérimental en vient, soit à invoquer des paramètres intermédiaires qui miment les anciens « états mentaux », soit à chercher des corrélats physiologiques.

En fait, les conséquences de ces deux solutions sont assez différentes :

1. En multipliant les paramètres — de moins en moins intermédiaires — qu'elle prend en compte, en décentrant progressivement son objet d'étude vers des processus psychiques ou des fonctions cognitives plus élaborées..., la psychologie expérimentale en vient à renoncer — dans les faits — à être la science du seul comportement qu'en un temps elle a prétendu être. Certes, depuis, elle a longtemps pris ses précautions en voulant prendre comme objet d'étude la « conduite », pour y intégrer le matériel affectif, représentatif, symbolique... qu'excluait le terme de comportement.

L'acquis le plus solide de la démarche est que, irréversiblement, une analyse de plus en plus fine produit des résultats progressivement plus précis, grâce à la prise en compte de paramètres plus nombreux.

Ce faisant, on renonce, en fait, à trouver un modèle explicatif au seul niveau du comportement directement observable. Un psychologue aujourd'hui ne considère plus sa discipline comme une pure « science du comportement ». Celui-ci devient un symptôme résultant, témoignant de « processus sous-jacents » qu'il est possible d'inférer. Ceux-ci (variables d'attention, de cognition...) fonctionnent en fait comme de simples paramètres opératoires, même si leur appellation les désigne comme apparentés à des notions que l'expérience commune — et l'ancienne psychologie scholastique — avait utilisées pour décrire le fonctionnement de l'esprit humain.

Par cela même, la psychologie expérimentale renonce en fait à construire un système théorique susceptible de définir son objet. A partir de l'étude d'un « comportement », simple découpage de la réalité que suffit à définir un terme de connaissance commune, elle tente de circonscrire, aussi précisément que possible, des paramètres dont la maîtrise permet de prévoir au mieux — voire d'améliorer — la performance comportementale.

La démarche est efficace, et les progrès de l'ergonomie, par exemple, en témoignent. Mais le statut de la psychologie générale en est modifié par rapport au projet initial : de science fondatrice visant à expliquer en totalité des conduites — but que, peu ou prou, lui assignait le béhaviorisme le plus radical —, elle en vient à fonctionner comme une ingénierie du mouvement dans un environnement technologique et atteint, dans ce rôle, une efficacité certaine. Ce statut, de fait, est conforme à l'objectif faussement modeste qu'assignait Claude Bernard[5] : « L'expérimentateur, qui doute toujours et qui ne croit posséder la certitude sur rien, arrive à maîtriser les phénomènes qui l'entourent et à étendre sa puissance sur la nature. »

Pour une telle discipline, le comportement est donc l'ensemble des réponses que le sujet fournit face à la situation expérimentale qui lui est proposée. En quoi l'analyse de ces réponses fournit-elle des concepts utiles pour traiter les questions que se pose le sens commun ? Tout dépend de la nature de ces questions ; la réponse est satisfaisante chaque fois que la question est proche de celle que se pose le psychologue expérimentaliste. Une situation de tâche technique peut être mieux maîtrisée, les risques d'erreur ou d'accident diminués, la fatigue du technicien réduite, l'apprentissage d'une tâche nouvelle rendue plus efficace... grâce à une ergonomie s'inspirant de la psychologie expérimentale. Il est vrai que, diminuant le rôle d'un facteur limitant particulier, elle peut aussi — selon l'usage qui en est fait — viser à accroître la charge totale de travail ! Bref, le « comportement » étudié n'est pas sans rapport avec ce que vit un individu concret, notamment chaque fois qu'il est confronté à une tâche technique. Mais (et c'est heureux !) la réalisation d'une tâche technique ne représente qu'une part de ses soucis et, en cela, la plus grande part de son questionnement sur le comportement reste en dehors du domaine d'une telle psychologie.

2. Le déterminisme du comportement, la psychophysiologie et, plus orgueilleusement encore, la neurophysiologie pensent le trouver dans l'analyse des processus neuronaux concomitants aux réponses comportementales : le « mécanisme sous-jacent » au comportement se réduit alors au déterminisme physiologique. Le comportement n'est plus alors que le résultat observable de l'activité nerveuse.

En fait, une psychophysiologie étudiant un organisme en activité, de par la précision même de ses analyses, ne peut que retrouver des problèmes que l'emploi béhavioriste du terme de comportement avait pensé éviter : finalisation, intentionnalité... sont des aspects nécessaires de la description de l'activité motrice.

Sans doute, ce qui est le plus significatif est la façon dont le problème est traité par la psychophysiologie : celle-ci dispose de toute une série de concepts qui visent à décrire l'orientation de fait de l'activité nerveuse vers une performance encore non réalisée : préparation à l'action, anticipation, préprogrammation, *feed-forward*... Bref, elle a les moyens de décrire l'orientation de l'organisme vers une tâche à accomplir : au laboratoire, une consigne verbale donnée à un sujet humain suffit pour induire tout un décours d'activité nerveuse « tendant » au déclenchement de l'acte que la consigne enjoint d'accomplir. Cette consigne a, en cela, valeur organisatrice pour l'activité nerveuse.

Mais cela ne vaut, en fait, que si le sujet de l'expérience « veut bien » suivre la consigne verbale qui lui a été donnée ! Le psychophysiologiste ne décrit pas ce que recouvre cette « bonne volonté », mais il en saisit les conséquences avec une précision toujours accrue, et sait l'utiliser à l'occasion. En somme, la « bonne volonté » du sujet d'expérience est, pour le psychophysiologiste, un prérequis indispensable, qu'il utilise dans les faits, mais sans l'intégrer dans son système théorique : on se gardera bien de faire appel à nouveau à un sujet d'expérience ne respectant pas les consignes verbales qu'on lui donne !

Mais la « bonne volonté » en question n'est désignée que par un terme de langage commun, ne recouvrant aucun concept psychophysiologique. La psychophysiologie analyse ce qui se passe ensuite ; la « bonne volonté » du sujet fait, en cela, partie de la situation expérimentale, non de l'objet à connaître.

Cette situation une fois réalisée, il est possible d'élaborer un système conceptuel rigoureux, combinant à tel point indices neurophysiologiques et éléments de réponse motrice qu'on a pensé de ce fait unifier les approches physiologiques et psychologiques [6]. Une telle prétention est justifiée à l'intérieur d'un champ précis, mais la désignation de celui-ci, voire sa construction même, ne sont possibles que par l'emploi simultané de termes issus du langage commun.

On se trouve donc dans une situation paradoxale où l'utilisation d'un système conceptuel rigoureux conduit à faire coexister des concepts strictement scientifiques avec des termes du langage courant dépourvus de tout contenu scientifique. Peut-être est-ce un signe que, à chercher une cohérence à partir de concepts trop réducteurs, on échoue à tel point à cerner le processus comportemental en sa totalité que s'impose le retour simultané à des notions préscientifiques issues du langage courant.

Que reste-t-il, en fin de compte, pour de telles disciplines, de l'ambitieux projet béhavioriste ? Et qu'apportent-elles à la connaissance du comportement ?

Sous sa forme optimiste, le projet béhavioriste se voulait un rationalisme technique appliqué aux conduites humaines : visant à détruire toute expression mentaliste, taxée de métaphysique, il pensait fournir un système conceptuel, simple et cohérent, en même temps qu'une méthodologie efficace.

Ce double pari est en partie tenu : une démarche de type béhavioriste, couplée à une étude physiologique, peut permettre une analyse cohérente de certaines activités motrices. La rigueur des résultats obtenus a pu même conduire certains à penser atteindre une *psychobiologie* de l'activité motrice, dépassant même la visée béhavioriste dans une unification psychophysiologique.

Le seul point d'achoppement d'une telle démarche — et il est de taille — concerne son domaine d'application. Renonçant, en fait, au projet initial d'expliquer la totalité du comportement humain, le système ainsi construit s'applique à des performances bien spécifiques. Le « comportement » ainsi étudié n'est plus guère qu'une séquence motrice apparue dans des conditions bien définies ; sont exclues du champ de compétence toutes les conduites humaines tant soit peu élaborées.

Ainsi, la réduction de la situation — et de la réponse correspondante — n'est plus seulement une commodité méthodologique destinée à mieux révéler un objet d'étude ; elle devient une nécessité théorique, définissant, avec la rigueur d'une frontière, le type d'objet que l'on peut escompter atteindre par les méthodes béhavioristes. Au-delà de cette frontière, que l'on peut, bien sûr, rêver de reculer progressivement, s'étendent des *terrae incognitae* laissées aux spéculations, ou aux imprécisions du langage courant.

Éthologie et écologie :
un projet de retour à la nature

Issue des anciennes sciences naturelles, l'éthologie vise à rationaliser la connaissance des diverses formes de comportement que le zoologiste observe. Non construite au départ sur un choix théorique, elle dispose de plusieurs grilles d'analyse complémentaires — neuroéthologie, écoéthologie... — qui conduisent à considérer l'éthologie comme un faisceau de disciplines scientifiques plus que comme une science unique.

Par contre, une option de base unifie ces démarches : on peut la considérer comme un *projet éthologique*, qui vise à étudier le comportement dans toute sa complexité, et notamment dans son environnement naturel. L'« environnement », indiqué par la formule de Kuo, représente alors le milieu de vie de l'animal considéré.

En fait, le projet éthologique résulte au départ d'une intuition fondatrice selon laquelle l'expression comportementale observée, matériel de base de toute étude éthologique, représente un phénomène complexe, dont l'analyse se fait aussi bien en éclaircissant des mécanismes liés à l'environnement que des processus proprement organiques. L'expression comportementale n'est pas une structure que l'on puisse rabattre, terme à terme, sur une réalité intérieure à l'individu, ni sur les conditions du milieu. C'est ce point qui implique que toute restriction de l'environnement naturel (comme de l'intégrité organique, d'ailleurs) est *a priori* susceptible de modifier la réalité comportementale. Des nécessités méthodologiques peuvent, bien sûr, exiger de telles restrictions ; la question n'en reste pas moins centrale — et au cœur même de l'expérimentation éthologique — de savoir dans quelle mesure celles-ci retentissent sur l'expression du comportement.

Plus que des méthodes propres — encore que l'emploi de méthodes éthologiques soit parfois fondateur d'une recherche — c'est la référence au projet éthologique qui caractérise au mieux la signification que prend en éthologie le terme de comportement [7]. Le comportement représente l'ensemble cohérent des actes qu'un animal peut effectuer dans son milieu naturel ; à la limite, il indique son mode de vie « normal », sa relation avec son univers ; l'éthologie louche alors vers l'écologie.

A cet égard, diverses disciplines biologiques : biochimie, physiologie, psychologie... peuvent reprendre un tel projet. On dit qu'elles montrent une *ouverture éthologique*, dès lors qu'elles essaient de resituer les mécanismes propres qu'elles étudient dans l'environnement naturel de l'espèce.

Dans l'étude de l'homme, il est clair que ce sont les disciplines plus proches de la clinique (psychiatrie, psychologie de l'enfant...) qui sont les mieux préparées à une telle ouverture... opérée d'ailleurs parfois sans référence particulière à l'éthologie. L'étude du comportement est au premier plan ; mais la question se pose alors, d'autant plus brûlante, du rapport qui existe entre cet objet d'étude et le concret des conduites quotidiennes de chacun de nous.

La réponse, en fait, ne saurait être simple : certes, en théorie, l'éthologie, visant à étudier le comportement dans toute sa complexité, ne saurait, quand elle s'intéresse à l'homme, exclure par exemple une dimension symbolique que ses méthodes propres ne lui permettent pourtant guère d'appréhender. Le comportement de l'homme — au sens le plus profondément éthologique du terme — doit inclure toutes les formes de relation psychique avec l'environnement, y compris social ; les diverses formes d'« investissement » décrites par les approches psychologiques ne peuvent qu'en faire partie.

Pourtant, un projet si général, l'éthologie n'a guère les moyens de le mener à bien sur la seule base des concepts que lui fournit l'étude de l'animal.

Là se joue la contradiction inhérente à l'étude éthologique du comportement humain. La référence à l'éthologie exprime d'abord un projet : quand un psychiatre, un médecin, un psychologue ou un urbaniste se réclame d'une approche éthologique, il indique par là, généralement, son souci d'élargir le cadre de la situation où se situe son étude et de prêter une attention accrue aux réponses spontanées du sujet dans cette situation. La référence à l'éthologie est d'ordre analogique.

Cette analogie est renforcée par l'emprunt de méthodes éthologiques, adaptées à la présentation rationnelle de données d'observation : description des ensembles d'actes, forme d'utilisation de l'espace et du temps... Des méthodes, qui ont ailleurs fait preuve de leur efficacité, fournissent des données comportementales précises, constituant ainsi un matériel offert à l'interprétation.

Le problème théorique principal est ensuite d'interpréter le corpus de données ainsi constitué ; et, à ce niveau, une pluralité de grilles peut reparaître, que l'éthologie peut à l'occasion masquer, mais ne saurait légitimement remplacer.

L'origine zoologique de l'éthologie l'incite à privilégier, dans l'étude du comportement, l'analyse de la fonction que joue celui-ci : occupation de l'espace, relation avec le groupe... une telle recherche fonctionnelle est parfois utilisée en éthologie humaine, et peut même suggérer le désir que tel sujet poursuit. Mais, à rechercher directement la fonction du comportement observable, on risque d'escamoter les processus de représentation, dont l'importance est décisive dans l'espèce humaine et que pourtant la grille éthologique ne permet guère d'analyser.

Il en résulte une ambiguïté concernant le sens de ce qu'est le « comportement » en éthologie humaine : dans le cadre du « projet éthologique », le comportement représente l'ensemble des relations complexes existant entre un organisme et son environnement. A d'autres moments, il peut représenter l'ensemble des expressions motrices accessibles à l'observation. Une telle dualité de sens peut se montrer féconde si elle est clairement assumée ; elle n'en laisse pas moins totalement ouverte la question des origines du comportement humain, et donc de la façon de le comprendre.

Sciences de l'homme et de la société : la disparition d'un concept

Les approches que l'on pourrait regrouper sous un titre aussi général formeraient un ensemble très composite. Toutes ne porteraient pas le même intérêt au comportement ; aussi, le choix de n'en citer que quelques-unes, de n'en analyser qu'un nombre plus restreint encore, représente-t-il une sélection rigoureuse, privilégiant *nolens volens* un mode d'approche particulier, corrélatif à l'usage scientifique habituel du terme de comportement.

Ainsi, mais ce n'est qu'un exemple, n'est pas abordé le statut du terme en psychanalyse. Cela ne signifie pas que la psychanalyse n'en ait aucun usage ; bien au contraire, la référence au comportement, voire au comportement animal, est par exemple utilisée par J. Lacan pour introduire au mode imaginaire. Mais l'approche psychanalytique, privilégiant la prise de parole dans une relation de transfert, ne constitue pas l'analyse de ce comportement en mode d'intervention préférentiel.

Il est donc possible *a contrario* d'en inférer le choix de méthode que représente, là encore, l'intérêt porté au comportement. Il reflète, peu ou prou, le choix d'une connaissance « objective », excluant le recours aux processus de transfert et à une prise de parole par l'« objet » à connaître. Certes, un tel choix n'est que tendanciel, difficilement tenable en face d'un humain véritable, mais il recouvre pourtant une affirmation théorique claire sur ce que vise à être la connaissance scientifique d'un être humain.

a. *Psychiatrie, psychologie clinique...*

Au cours de son histoire, la psychiatrie s'est définie très diversement : médecine de l'esprit, science des troubles du comportement, voire, dans des visées organodynamiques ou psychanalytiques, pathologie de la liberté (H. Ey) ou de la structuration de l'Inconscient... Chacun de ces choix correspond — en principe — à une visée thérapeutique précise, même si la pratique psychiatrique en combine plusieurs.

Dans un tel cadre, le choix de considérer le comportement comme objet pertinent peut correspondre à des visées diverses :

1. Une visée réductive, de type béhavioriste, vise à exclure toute visée mentaliste ou psychanalytique : elle rencontre évidemment — sous une forme aggravée — les mêmes limites qu'en psychologie expérimentale et n'est plus guère défendue sous sa forme radicale.

Les thérapies comportementales, d'inspiration clairement béhavioriste, ont permis une évaluation plus précise de cette tendance, de par les discussions auxquelles elles ont donné lieu. Utilisant des méthodes de conditionnement, elles ont parfois été accusées de ne soigner que le symptôme et non le trouble lui-même. Cette critique doit être nuancée, car la suppression du symptôme peut n'être pas sans effet sur le trouble lui-même, ne serait-ce que par l'intégration sociale qu'elle permet, l'image narcissique qu'elle peut induire... Mais l'important pour nous n'est pas là : la nature même de la critique et celle de la réponse qui lui est apportée montrent que, pour le psychiatre, le trouble qu'il s'agit de soigner ne se réduit pas à un ensemble d'actes observables. Sous-jacente, une autre variable existe, conditionnant l'adaptation du sujet à son univers ; et c'est cette variable sous-jacente qui constitue le véritable point d'impact de la cure.

2. Une visée plus éthologique exprime au contraire la recherche d'un élargissement de la situation comme du cadre théorique : le trait observé n'est plus considéré simplement comme un symptôme, signe d'un « trouble » sous-jacent, mais comme le fragment d'un comportement doté d'une fonction propre. Dans les limites qui sont les siennes, la visée éthologique cherche la signification d'un groupe de symptômes dans la fonction du comportement adapté que ce groupe en vient à mimer.

3. Une visée physiologique considère le trouble comportemental comme résultant d'un dysfonctionnement neurologique sous-jacent : la visée thérapeutique — et c'est là sa principale spécificité — ne vise pas tant à éclaircir pleinement la chaîne causale qu'à établir des corrélations suffisamment constantes pour que diagnostic et thérapeutique en tirent une efficacité. Le but n'est pas alors de définir le comportement, mais de soigner son dysfonctionnement. Il est donc traité comme une propriété organique, sans qu'il soit nécessaire de dégager une spécificité plus précise.

Ces diverses visées, en fait, ne fonctionnent d'ordinaire que comme approches particulières au service d'une approche d'ensemble intégrant aussi une visée plus directement phénoménologique : les états de conscience immédiate du sujet, ses désirs, ses angoisses... sont une part intégrante du tableau clinique, au même titre que les troubles de comportement et les corrélats physiologiques. Le comportement est alors vu comme l'expression externe, « objective », de ce que vit le sujet. Si les troubles du comportement sont aussi à soigner à leur niveau propre (ne serait-ce qu'à cause des conséquences socialement perçues comme nuisibles qu'ils pourraient entraîner), le but principal reste de lever les obstacles qui empêchent le sujet d'exprimer harmonieusement un comportement répondant à ses désirs assumés.

Quoi qu'il en soit des diverses théorisations possibles d'un tel but, le comportement n'est plus simplement un symptôme, une part du tableau clinique... Il peut, en outre, avoir deux autres statuts :

1. Tout d'abord, il peut devenir un signe, le signe de ce que *veut dire* une telle instance psychique : c'est un tel statut que lui ont donné certains psychanalystes anglo-saxons, soucieux de ne pas faire reposer l'approche de l'Inconscient sur le seul échange verbal.

2. Ensuite, il représente une certaine manière d'être au monde, d'assurer une utilisation de l'environnement pour réaliser un « but » propre au sujet : intégration sociale, sexualité... Bref, il constitue un outil au service d'une intentionnalité latente.

Cette dernière conception recouvre assez bien l'expérience fournie par l'introspection naïve, pour laquelle l'individu qui se comporte veut atteindre un but, veut réaliser, dans un contexte social, des fonctions qui lui semblent importantes. Et ce point peut fonder l'unité d'une démarche thérapeutique à qui elle donne un but : celui de permettre l'expression de ce vouloir. Au-delà de cette finalité qui lui fournit son critère de réussite, bien des problèmes théoriques se posent. D'où vient la norme comportementale que le sujet se propose d'atteindre ? Quels mécanismes sociaux règlent l'idéologie dominante qui lui donne sa forme ? Quelle est la nature de la cause qui constitue le champ psychique en un « vouloir » dynamique, en un sujet ? A ces questions (et à d'autres), une sociologie marxiste ou une phénoménologie pense apporter des réponses, qui ne sont d'ailleurs pas sans pertinence au regard même des questions que se pose le sens commun. Mais ces questions — et les réponses apportées — restent secondes par rapport au projet thérapeutique qui est celui du psychiatre ou du psychologue clinicien : l'état psychique — y compris pour des raisons déontologiques — constitue le niveau où se limite le projet thérapeutique.

C'est donc, fondamentalement, la visée thérapeutique du projet, combinée à une approche phénoménologique de fait donnant valeur fondatrice aux faits de conscience, qui encadre au mieux les processus causaux susceptibles d'être pris en compte : seuls sont considérés ceux sur lesquels peut agir la pratique thérapeutique socialement admise.

Le système d'analyse qui en résulte échappe, certes, à un monisme trop réducteur : on peut reconnaître à un « trouble de comportement » à la fois des causes neurologiques et des causes psychiques (éventuelle-

283

ment susceptibles de thérapeutiques différentes), sans que ce dualisme pose des problèmes de fond à une démarche qui se veut d'abord pragmatique. Quant aux causes proprement sociales, elles ne sont pas obligatoirement ignorées, pouvant contribuer à l'apparition de troubles majeurs ; mais, se situant, en principe, en dehors du champ d'une thérapeutique envisageable, elles tendent à être quelque peu négligées.

Comme en d'autre cas, un projet précis, ici le projet thérapeutique, encadre donc la connaissance que l'on a du comportement. A la rigueur justifié dans le cadre précis de ce projet, le privilège accordé à certains types de causes peut poser problème dès lors que l'on cherche un modèle théorique plus général. Et la question ne manque pas de se poser de l'adéquation entre la réponse qui peut être construite et la question naïve qui se pose au niveau du sens commun.

b. *Psychologie sociale, économie, sociologie...*

Avec ces disciplines, on observe la disparition progressive de l'emploi du terme de comportement. A mesure que l'on s'intéresse à des processus plus exclusivement collectifs, ce terme devient moins central, voire perd toute pertinence et n'est plus guère utilisé, sauf en un sens purement descriptif.

Une telle disparition a un sens, lié à l'objet propre des diverses disciplines visant à décrire les processus sociaux humains. Or les diverses sciences de la société ont sans doute comme caractéristique commune que leurs objets propres ne se définissent pas d'abord l'un par rapport à l'autre, mais proviennent d'abord d'un découpage de la réalité sociale, telle que perçue au niveau d'une connaissance commune, voire d'un projet social spécifique.

Il n'est pas sans enjeu, à cet égard, d'examiner comment apparaît d'abord la réalité sociale au niveau de la connaissance commune. Le point le plus frappant est sans doute (au moins dans notre culture) que cette réalité apparaît d'abord affectée du signe de l'extériorité : la réalité sociale, c'est d'abord un environnement, souvent perçu comme contraignant, parfois comme facilitant certaines activités. Elle constitue une sorte de réalité compacte, s'opposant au désir du sujet et sur laquelle celui-ci est obligé de modeler ses conduites. Ainsi, la dualité bipolaire individu-société, avant d'être un postulat théorique, éventuellement sujet à contestation, est d'abord une évidence première de la conscience naïve, et le « comportement » reflète la tension entre les deux pôles que constituent le désir propre du sujet et les obstacles (ou les incitations) que lui présente l'institution.

Cette appréhension naïve, subjective... structure profondément l'emploi même du terme de comportement dans les diverses sciences sociales. Il est utilisé dès lors que fonctionne la dualité individu-société, et perd sa pertinence dès lors que la thématique ne repose pas sur elle.

A. Ainsi, la psychologie sociale donne une certaine place au comportement (Moscovici [8]) ; mais celui-ci n'est plus seulement l'ensemble béhavioriste d'actes discernables répondant à des stimuli. Tout d'abord, le comportement intervient dans un contexte d'interdépendance sociale où il est à la fois stimulus et réponse ; mais surtout, peut-être, le comportement prend pour celui qui l'observe une « signification » précise, qui dépend de l'environnement social, du moment, du lieu... Un même comportement, nous dit le psychologue social, peut, selon le contexte, être interprété fort différemment, et, d'ailleurs, influence très diversement les autres membres du groupe étudié. Une bonne part des expériences de psychologie sociale vise à étudier comment, selon le contexte, un comportement peut apparaître, est interprété par les assistants, a un effet sur ceux-ci...

Deux remarques peuvent indiquer le statut que prend le comportement en psychologie sociale :

1. Le comportement est compris comme l'indicateur d'une attitude sous-jacente qui lui donne sa véritable signification. Cette signification est étudiée par le psychologue, mais est aussi fortement perçue par les membres du groupe où le comportement est apparu ; ce fait nous conduit à la seconde remarque.

2. Le comportement est le vecteur d'un message qui influence les autres membres du groupe. L'efficacité du vecteur varie selon de nombreux paramètres qui indiquent que, ce qui compte, c'est en fait la représentation que se fait l'individu récepteur du statut de l'acteur. Le comportement agit donc comme un message.

On saisit que l'objet ici étudié concerne de près une image que la connaissance commune a du comportement comme exprimant une certaine « vérité » de l'acteur. La psychologie sociale, à son tour, peut d'ailleurs analyser cette connaissance commune, en même temps qu'elle partage certaines de ses intuitions. A cette image commune, la psychologie sociale fait subir un double retournement :

— l'individu n'est pas le sujet unique de son comportement ; celui-ci exprime aussi une influence sociale ;

— le comportement, au moins d'une manière explicite, n'est pas classé selon des normes éthiques.

S'agissant d'un objet aussi brûlant que le comportement social de l'homme, ce second point n'est guère effectif. De fait, la psychologie sociale s'est tout d'abord développée comme un projet humaniste, visant à dégager l'homme de contraintes sociales s'opposant à une pensée autonome : il y a là un critère éthique clair, même s'il reste implicite. Bien vite, pourtant — et de manière accrue avec le développement d'une propagande scientifique, d'une publicité... —, elle a aussi fourni des moyens nouveaux, plus raffinés, au vieux projet de manipuler l'opinion publique que les divers pouvoirs ont entretenu depuis toujours.

B. En économie, la notion de comportement reste une notion centrale, mais sa signification est encore assez différente : les divers aspects de la vie économique sont reliés à des agents : consommateur, entreprise, puissance publique... Le comportement de chaque agent représente l'activité qu'il conduit au service de ses fins propres ; par définition, pourrait-on dire, le comportement économique est réglé par une fonction d'utilité et a pour but de maximiser certains paramètres en fonction de contraintes qui lui sont imposées, notamment par le comportement propre des autres agents économiques.

Par comparaison avec les utilisations précédemment rencontrées (y compris celle du sens commun), cet usage du terme suggère deux remarques :

1. Le « comportement » n'est pas, au premier chef, une donnée directement observée, mais constitue la représentation approchée — une première systématisation en quelque sorte — d'un certain nombre d'activités attribuées à un agent économique : achat, vente...

Cette représentation est une phase nécessaire de la systématisation des données, préalable nécessaire à une analyse théorique plus poussée. Le comportement est une variable intermédiaire, dont les données recueillies sont supposées être les conséquences directes.

2. Un « agent économique » n'est pas non plus l'« individu » concret de la conscience naïve :

— tout d'abord, un agent peut être un être collectif (entreprise, puissance politique...) ;

— par contre, un agent peut être une entité plus restreinte qu'un individu ; il peut être producteur, consommateur — sans que, dans la définition de ce rôle, entre le fait qu'un individu concret peut être à la fois producteur *et* consommateur... et peut être aussi bien d'autres choses au cours de sa vie ; un agent se définit comme l'auteur d'une *action* économique précise, et cela quelle que soit sa façon d'exister en dehors de ce point précis.

A un niveau légèrement plus théorique, cette double remarque conduit à une troisième : la notion de comportement ici utilisée — ni observation brute ni cause ultime — a fondamentalement pour rôle d'indiquer la façon précise dont s'inscrit un agent économique dans le réseau total des échanges de biens. En cela, on peut, si l'on y tient, lui appliquer la formule de Kuo déjà citée, mais on conçoit que l'usage des termes devient assez différent : ce sont les échanges qui constituent la première donnée observée, et ce qui peut correspondre à un organisme (l'agent) et à l'environnement (les autres agents, le marché...) est construit pour rendre compte de leur variation.

C'est à ce niveau peut-être que s'explicite au mieux la différence entre approches micro- et macro-économiques, plus spécifiquement centrées respectivement sur l'individu (supposé rationnel) et sur les fonctions de comportement observées au niveau de la collectivité économique. La suppression, dans le dernier cas, de toute référence à l'individu marque une rupture avec les définitions jusqu'ici présentées. Faute de définition commune — fût-elle aussi générale que celle que nous avons utilisée —, le comportement n'est plus un objet théorique distinct, mais devient un simple terme, à valeur analogique, désignant, d'une discipline à l'autre, des objets différents, n'ayant en commun que l'existence d'analogies avec la forme de réalité que désigne le terme courant de comportement.

On conçoit, de fait, qu'un tel concept économique de comportement peut être utile pour ceux qui veulent prévoir ou organiser les échanges économiques, mais en quoi répond-il aux questions de M. Durand ?

M. Durand, c'est clair, ne fonctionne en agent économique (voire, tour à tour, en producteur et en consommateur) que pour une part seulement de son activité : il consomme lorsqu'il va au cinéma ou rencontre une prostituée, mais non lorsqu'il se promène ou rencontre sa petite amie. Lorsqu'on s'intéresse à M. Durand (et non au PNB), ce ne sera donc pas obligatoirement son comportement économique qui constituera la variable pertinente.

Cela ne signifie certes pas que M. Durand se désintéresse de sa situation d'agent économique : proposez-lui donc de réduire son pouvoir d'achat ! Mais, par contre, toutes les questions qu'il se pose sur lui-même, sur son image narcissique, sur son bonheur ou ses raisons de vivre... peut-être sont-elles quelque peu mystificatrices s'il est induit à ne se les exprimer qu'en termes économiques.

Le risque n'en est d'ailleurs pas écarté, car il est frappant aujourd'hui qu'un modèle de type économique s'utilise parfois dans des domaines fort étrangers à ceux qui concernent la circulation de la monnaie : relation sociale, échange intersubjectif, voire amour ou crime... Sans doute l'hypothèse latente d'une fonction d'utilité poursuivie par un individu rationnel est-elle le médium d'une telle contamination sémantique ; celle-ci concerne à la fois la sociologie, la psychologie sociale... mais aussi une conception commune que chacun applique au comportement de son voisin, donnant ainsi une forme précise à une intuition du sens commun reliant le comportement de chacun à la recherche d'un intérêt bien compris !

Deux problèmes distincts se posent en fait à cet égard ; qu'il n'est pas question de résoudre ici, mais dont les enjeux s'entrevoient :

1. Une telle « recherche d'intérêt » constitue-t-elle un concept éclairant pour expliquer le comportement ?

2. Quelle forme peut prendre la description de cet intérêt ? Une quantification de type économique a-t-elle notamment portée universelle ?

En fait, le principal enjeu de telles questions est que la réponse apportée introduit aisément des critères normatifs frappés du sceau de l'évidence. L'hypothèse implicite de rationalité véhicule une norme qui n'a que la force de son évidence, mais valorise une forme de comportement rationnellement adaptée à la société où elle se manifeste et, par là même, susceptible d'aider à sa persistance.

C. A propos de la sociologie, de l'anthropologie, ou d'autres sciences humaines, on peut se contenter d'être plus bref encore : le terme de comportement n'y a guère de statut théorique général, au point que son emploi, propre à certaines écoles, témoigne d'une prise de parti au sein de ces disciplines plus que d'une conception qui leur soit commune.

L'objet de ces diverses sciences est un ensemble d'institutions, de rapports sociaux, de processus collectifs... où l'individu n'est pas considéré au premier chef. Cette absence de référence à l'individu est sans doute liée à l'absence de tout concept de comportement.

Des approches particulières utilisent pourtant le terme dans des sens précis ; j'en signale seulement deux cas aux enjeux bien différents.

1. L'approche dite d'écologie urbaine (ou, parfois, d'éthologie urbaine) fait consciemment référence à des modèles issus de l'étude du monde animal. Une telle référence ne tient pas à une hypothèse réductrice ramenant le comportement humain au comportement animal, mais au choix d'un point de vue fonctionnel de même type — utilisation de l'espace, trajets, transformation de l'habitat, rapports sociaux... —, parfois joint à un souci de privilégier les critères d'observation.

Cette approche est résolument pratique (utilisée par exemple pour l'urbanisme, l'architecture...). L'usage qui y est fait du terme de comportement insiste à la fois sur le recueil de données observables et (selon ce qui a été dit à propos de la zoologie) sur l'utilisation de l'environnement physique.

2. L'approche dite sociobiologique à laquelle des auteurs, plus particulièrement américains, ont voulu ramener un certain nombre de sciences sociales. La perspective, dans un tel cas, est de porter la pensée darwinienne au cœur des sciences humaines. Cette démarche admet que certaines conduites humaines (« comportements » territorial, agressif, homosexuel, dominant...) sont déterminées génétiquement et acquises par sélection naturelle. Les étudier revient à chercher l'avantage génétique qu'elles ont procuré dans le passé, cependant que leur déterminisme génétique fonctionne comme une contrainte limitant les possibilités de modification sociale. L'utilisation du terme de comportement, dans un contexte darwinien strict, est, en cela, choix d'une grille explicative précise de type biologique. De ce fait même, les auteurs [9] profondément attachés à défendre l'autonomie de l'univers culturel (et des sciences humaines) par rapport à toute réduction biologisante refusent à la fois l'analogie darwinienne et l'emploi même du terme de comportement.

Les réponses théoriques de la science

Ainsi, le projet d'analyser scientifiquement le comportement peut, en fait, conduire à des démarches fort diverses, au point qu'on puisse douter qu'elles atteignent un même objet scientifique. Le terme même de comportement désigne des concepts différents, voire, dans certaines disciplines, perd tout statut théorique en cessant d'intervenir en concept explicatif. C'est sans doute, au niveau épistémologique, cette diversité de devenir qui constitue l'enseignement le plus significatif.

a. L'échec du béhaviorisme radical

Elle marque en tout cas l'échec du projet théorique unificateur que fut la tentative béhavioriste sous sa forme la plus radicale ; sous le double signe du refus du mentalisme et du recours exclusif à des processus observables, elle a pensé unifier, grâce au terme de comportement, toutes les études du psychisme, voire de la société humaine. Le modèle simple du conditionnement opérant, grâce à des associations de proche en proche entre stimuli, fonctionnait alors en principe explicatif général et les processus psychiques et sociaux, y compris les plus complexes, devaient s'analyser en termes de contingences de renforcement.

Au terme de quelques décennies d'efforts, on doit constater que ce projet ne s'est pas imposé : en psychologie expérimentale même, son champ d'origine, des approches néobéhavioristes ont été conduites progressivement à invoquer des variables intermédiaires dont les dénominations miment celles de notions autrefois taxées de mentalistes ; des champs entiers, celui par exemple de la langue humaine (excusez du peu !), se montrent rebelles, malgré des essais de Skinner [10], à une analyse purement béhavioriste ; des processus aussi importants que la structure syntactique, les associations paradigmatiques... nécessitent d'autres systèmes explicatifs (Chomsky [11]) ; quant aux processus sociaux, les structures propres que l'on y analyse ont à tel point paru fondatrices que le terme même de comportement disparaît du champ causal, réduit à un simple aspect descriptif ou à un paramètre strictement délimité sans ambition généralisante.

Contestée dans sa dimension théorique la plus ambitieuse, l'option béhavioriste a au contraire remporté, au niveau méthodologique, une victoire à tel point indiscutable qu'elle en passe inaperçue : y compris dans l'étude du psychisme, toute connaissance se fonde sur l'analyse d'un observable, le plus précisément connu possible. Cette option constitue un code de bonne conduite dans toute une série d'approches (neurosciences, psychophysiologie...) construites autour du modèle des « sciences dures » et guignant vers un système explicatif de type réductif. Dans les « sciences humaines » elles-mêmes, la recherche du fait, la description d'un discours, l'analyse d'une institution... sont voies d'accès à une connaissance possible, alors que l'expérience directe des processus psychiques a perdu toute légitimité cognitive.

A cette option méthodologique majeure, se joint, en filigrane peut-être, une conception complémentaire issue de la zoologie selon laquelle, au départ, le comportement se définit par une fonction, celle d'utiliser l'environnement. Cette conception fonctionnelle, adaptative... resurgit dès lors qu'on en appelle aux « conditions de nature » ou à la signification biologique d'un comportement observé.

Devant une telle diversité, le comportement, privé de grille explicative univoque, n'a plus guère la cohérence d'un objet scientifique. Le terme ne désigne plus guère qu'un champ pluridisciplinaire, largement ouvert à tout système explicatif désireux de tenter sa chance, selon le rapport de forces institutionnel du moment !

b. *Une réconciliation illusoire par les systèmes*

En face d'une telle explosion de leur objet, les biologistes, et plus particulièrement les spécialistes de l'étude du comportement, se trouvaient en face d'un choix : soit tenter d'expliquer les phénomènes observés en les ramenant à des sciences plus fondamentales (fût-ce en négligeant les aspects rebelles à cette réduction), soit défendre l'autonomie de leur approche au risque d'en rester à un pluralisme explicatif théoriquement peu satisfaisant.

La difficulté de dépasser cette contradiction explique le succès qu'a connu en son temps la théorie des systèmes, que von Bertalanfy [12], son créateur, pensait capable d'unifier la compréhension du monde entier (« Partout, autour de nous, des systèmes ! ») sans méconnaître la spécificité des rapports causaux propres à chaque objet. Dès lors, dans l'univers entier décrit comme une hiérarchie de niveaux d'intégration, il est possible de repérer des isomorphismes entre niveaux qui ne soient ni réductions ni pures métaphores, mais l'application de lois générales de l'organisation.

Une telle théorie avait tout pour séduire les biologistes, au point que, sous une forme simplifiée (voire simpliste), elle règne encore largement, après quarante ans, dans leurs présupposés collectifs ; l'organisme est représenté comme un système, formé de sous-systèmes emboîtés (organes, centres nerveux, réseaux paucineuronaux, neurones...), et à son tour intégré dans un super-système dont l'étude peut relever de l'éco-éthologie (super-système organisme-environnement), de la sociologie (super-système social), etc. L'interdisciplinarité prend, de ce fait, un statut très précis, qui est la recherche de ce qui se passe à l'articulation de deux niveaux d'intégration différents.

Dans une telle conception, le « comportement » prend une signification claire au sein du super-système organisme-environnement où le situe précisément la formule de Kuo déjà citée. On conçoit, dès lors, que la référence au comportement puisse à volonté fonctionner comme holiste, lorsqu'on étudie des processus intra-organismiques, ou réductionniste, dans des disciplines attachées à la seule étude du super-système social.

Une telle référence à la théorie des systèmes reste, en biologie, souvent fort approximative, voire purement métaphorique. En particulier, peu de biologistes recherchent les modèles mathématiques qui devraient concrétiser les lois d'organisation responsables des propriétés émergentes. En cela, son utilisation, bien en deçà de l'ambition de von Bertalanfy, se borne à justifier la diversité des modes d'approche par l'existence objective d'un emboîtement de niveaux d'intégration.

A ce degré de généralité, son emploi n'est guère risqué ; il ne fait que donner un aspect mathématique à une intuition fort ancienne qu'en un langage teinté d'aristotélisme exprimait Ibn Gabirol [13] il y a huit siècles, en disant que tout être est « une forme ou esprit par rapport à l'être qui est en dessous et une matière par rapport à l'être qui est au-dessus ». La vraie raison d'un succès aussi largement maintenu est donc autre : légitimant, au nom de l'autonomie relative des niveaux d'intégration, la recherche de processus causaux à l'intérieur de chaque discipline, elle organise, en quelque sorte, la « coexistence pacifique » entre disciplines biologiques.

En fait, même s'il présente un avantage immédiat en termes de survie, aucun pacte de « coexistence pacifique » ne saurait régler durablement un problème ! Une vision systémique a permis de comprendre précisément un certain nombre de questions, mais sa généralisation reste conditionnée par le choix de considérer le monde biologique comme un emboîtement de niveaux d'intégration. A l'usage, ce choix rencontre un certain nombre de difficultés.

La notion même de niveau d'intégration est claire quand on l'applique à un réseau neuronal, décomposable en neurones individuels : jusque sous une forme purement spatiale, l'élément est une partie du système. Dans toute étude de type physiologique, de même, l'utilisation d'un modèle géométrique repose sur une base matérielle : le système nerveux est contenu dans un volume circonscrit par la paroi du corps.

Il n'en est plus ainsi lorsqu'on étudie la complexité des comportements au niveau du « super-système organisme-environnement ». L'arbitraire du rattachement à l'un ou l'autre des systèmes qui le constituent apparaît pour de nombreux paramètres : en quel sens un « état réactionnel », une « loi »… sont-ils des réalités intérieures à l'individu ? On conçoit, en tout cas, que le terme « intérieur » désignerait, au mieux, une réalité bien différente de celle qui s'applique à des organes circonscrits par la paroi du corps. Même si l'on tient à conserver une formulation systémique, les systèmes et sous-systèmes que l'on est conduit à discerner seront bien différents selon l'approche scientifique utilisée.

L'étude du comportement humain, multipliant les approches possibles, ne fait qu'accentuer cette difficulté déjà perceptible dans l'étude du comportement animal. La théorie des systèmes, si on souhaite continuer à l'utiliser, se réduit à une approche, interne à chaque discipline, mais n'est plus un outil pour approcher une réalité préexistant à la connaissance qu'en prend chaque système théorique particulier.

Les réponses pratiques de la science

En fin de compte, nombreuses sont les questions que se pose le sens commun à propos du comportement ; nombreuses aussi sont les disciplines scientifiques qui, fortes de leur méthodologie, apportent un certain nombre de réponses assurées. Il est temps, maintenant, de confronter les unes aux autres ; et l'enjeu d'une telle confrontation n'est pas léger : la science va-t-elle apporter une réponse aux questions que chacun se pose sur lui-même ?

Scientisme et scepticisme sont, à cet égard, alternativement à la mode ; peut-on pourtant dépasser le simple conformisme de l'instant pour fournir une réponse moins superficielle ?

Sans doute, pour cela, faut-il au préalable examiner plus précisément la nature même des questions posées ; d'une manière grossière, celles-ci peuvent être classées en deux catégories.

a. Réponses techniques

Des questions, que l'on pourrait qualifier d'« opératoires », visent à définir un mode d'intervention face à une situation : comment vais-je faire pour apprendre à lire à mon fils, aider ma femme déprimée, taper à la machine efficacement sans trop de fatigue, gérer mon budget, dresser mon chien, éviter les disputes dans mon quartier... ? De telles questions ne sont pas foncièrement différentes de celles que traitent psychopédagogie, psychiatrie, ergonomie, économie, psychologie animale, sociologie... même si la différence de coloration affective saute aux yeux.

Dans le cadre de leurs hypothèses constitutives, les diverses approches scientifiques apportent des réponses rigoureuses : le mode d'apprentissage de la lecture est mieux connu, le traitement d'une dépression mieux approché qu'au siècle dernier, les conditions mieux cernées, peut-être, qui sont source de tension dans une collectivité...

Mais ces connaissances produisent-elles un effet ? Cet effet est-il conforme à l'attente préalable ? Le spécialiste apporte-t-il la réponse cherchée ? C'est sûrement moins évident que pour les sciences dites « de l'ingénieur ».

Un point, en tout cas, est clair : la réponse scientifique est adaptée à une question précise, qui ne prend sens que dans le cadre d'hypothèses constitutives, et notamment lorsque sont exclus les facteurs qui, par nature, seraient étrangers à la discipline scientifique utilisée.

Il en résulte, pour M. Durand, une conséquence : ce n'est que dans la mesure où sa demande s'identifie à une question scientifique précise, dans celle, aussi, où les facteurs négligés par la science sont aussi ceux dont il se désintéresse, que la réponse reçue peut être à la fois rigoureuse et adaptée.

La situation varie à cet égard : le modèle des sciences de l'ingénieur pourrait inciter à l'optimisme, tant celles-ci ont modelé l'univers ambiant et donc les questions courantes que l'on s'y pose : la réparation d'une auto s'accommode bien d'une impasse sur les états d'âme de son conducteur !

Mais la situation se complique dès que les questions de M. Durand, moins directement liées en apparence au monde technique, concernent des points qui pourtant lui tiennent à cœur : sa vie quotidienne, son conjoint, ses enfants, ses voisins... L'économiste l'éclaire sur sa consommation, le psychiatre soulage sa dépression, le sociologue explique la montée des agressions... M. Durand a donc sa réponse s'il accepte d'exprimer ses besoins en termes de marchandises, son angoisse en termes de dépression, sa crainte en termes d'agression... quitte à relever, à l'occasion, le caractère inopérant, à terme, des réponses qu'il a reçues...

Parfois, d'ailleurs, la décision lui échappe de s'inscrire ou non dans le problème scientifique proposé : son fils, à l'école, peut rencontrer des pédagogues parfaitement au fait de la psychologie génétique, du développement de l'intelligence, des pédagogies nouvelles... mais de quoi cette science servira-t-elle en cas de refus scolaire massif ? Il n'est jusqu'à son chien de compagnie qui ne lui pose des questions insolubles (« Ce chien m'aime-t-il ? ») dès lors qu'il le veut ailleurs que salivant sur une table d'expérience ou tapant compulsivement sur une pédale à l'intérieur d'une boîte !

Peu importe ! M. Durand ne recevra pas de réponse scientifique s'il s'obstine à exposer sa propre demande au lieu de s'inscrire dans le questionnaire qui lui est proposé. Ou alors, il recevra deux réponses distinctes : l'une, technique et précise, ne vaut que dans les limites de validité de la science interrogée ; l'autre, implicitement moralisante, reproche de s'écarter des questions licites, c'est-à-dire, selon une technique aussi vieille que le monde, de ne pas adhérer fortement au modèle proposé.

Mais d'où vient la délimitation même des objets scientifiques qui détermine quelle question est soluble ? Il n'y a guère à cela de réponse univoque. Un découpage séparant physiologie et psychologie, par exemple, n'indique sans doute pas un projet social bien spécifique ; il traduit la rupture qui existe entre les modes d'acquisition des données dans les deux disciplines. Mais il en va, pour une part, différemment dans les sciences qui placent leur objet au niveau du comportement : le comportement analysé est celui qui apparaît dans le cadre d'une institution et les concepts créés valent dans le cadre théorique correspondant. Ainsi, l'institution scolaire règle pour une bonne part la conception qu'on a de l'intelligence de l'enfant, l'ergonomie, adaptée à la production en usine, construit des concepts bien différents de ceux de la sexologie, visant une tout autre situation... Bref, chacune des grandes fonctions que discerne le fonctionnement social (production, loisir, école, habitation...) peut circonscrire un questionnement donnant naissance à une connaissance qui prend le statut de la scientificité. Certes, les systèmes conceptuels respectifs ne sont pas radicalement hétérogènes l'un à l'autre, mais chacun d'eux constitue un modèle explicatif apportant ses réponses propres, et donc incitant à poser les questions dans le cadre correspondant.

Ainsi, par le biais des réponses scientifiques qu'elle apporte, auréolées du signe de la certitude, la société offre un modèle qui définit les questions auxquelles elle répond. Ces questions possèdent de ce seul fait un statut particulier : elles sont licites et tendent à se substituer à la demande propre qui est celle de tout individu. Si M. Durand recherche le bonheur, la réponse qu'il reçoit sera formulée en termes de pouvoir d'achat, de satisfaction sexuelle, de conditions d'habitat, de ressources professionnelles... A la limite, on lui répondrait qu'il est heureux puisqu'il a un salaire, un taux normal d'activité sexuelle et un nombre d'amis supérieur au nombre moyen... S'il n'est toujours pas heureux, il ne correspond pas au modèle, et c'est lui qui a tort ! C'est alors du psychiatre ou du policier qu'il a besoin, et non d'une nouvelle forme de bonheur à inventer !

b. *Réponses identificatoires*

D'autres questions n'ont pas valeur opératoire, mais fournissent un support à l'imaginaire collectif. Sous couvert de répondre à la « curiosité », elles traitent de la place de l'individu dans le monde, de son rapport aux autres vivants... Astronomie, zoologie, préhistoire... tiennent ainsi une part de leur succès de curiosité de leur tendance à fournir un support à l'imagination de chacun.

Mais la curiosité, l'imagination... ne sont pas des passions simples. Bien des questions soulevées recouvrent en fait des questions d'identité : « Qui suis-je ? » « D'où est-ce que je viens ? » « Où est-ce que je vais ? » Les « grandes questions », auxquelles les principaux mythes apportaient des réponses, sont aujourd'hui adressées à la science.

Il est clair, à parler franc, que celle-ci n'est pas habilitée pour satisfaire la demande sous-jacente qui est une demande d'identification satisfaisante. Peu importe, d'ailleurs ! Ses réponses propres — à de toutes autres questions — n'en seront pas moins utilisées : en sont la preuve les blessures narcissiques successivement infligées à l'imaginaire social par les apports de Copernic, de Darwin et de Freud, limitant diversement la place centrale de cet « animal raisonnable » que chaque homme se plaît parfois à penser qu'il est.

En sont la preuve aussi tant d'autres « hommes neuronaux [14] », ou « enfants de Caïn [15] », issus de quelque grand singe carnassier, des fœtus de gorille, des produits du gène... tour à tour mis en exergue. Dans ce vaste magasin d'accessoires, chacun peut trouver masque à sa convenance pour lui permettre de jouer le rôle qu'il s'est choisi, ou qui lui est assigné. M. Durand, à cet égard, et s'il y tient vraiment, trouvera sûrement une image d'allure scientifique justifiant son attitude et condamnant celle de son voisin.

Un « vrai scientifique » n'est pas dupe, dit-on parfois, et il reste tout à fait capable de discerner la rigueur conceptuelle de sa théorie et les utilisations plus ou moins fantaisistes auxquelles elle peut donner lieu.

Cette réponse n'est juste qu'en théorie : une réflexion critique peut, certes, se donner les moyens de délimiter le champ de validité d'un concept ; mais elle ne fonctionne pas toujours ainsi dans la réalité ; la lecture d'ouvrages de synthèse, le repérage de subtils glissements de sens dans des articles scientifiques montrent que la distance n'est pas toujours bien grande entre M. Durand comme scientifique, manipulant ses concepts et ses résultats, et M. Durand comme homme de la rue, aux prises avec des problèmes qui le préoccupent. Il suffit qu'un problème soit « chaud », affectivement ou idéologiquement, pour qu'une contagion fonctionne entre résultats scientifiques et réponses à des questions sociales ou existentielles. Être scientifique ne saurait vacciner contre une telle contamination.

Alors, une science du comportement n'est-elle qu'un leurre destiné à masquer une imprégnation idéologique ? Trop radicale serait une telle affirmation, gommant d'un seul coup le contenu de rationalité de démarches scientifiques dont retombées techniques et cohérence conceptuelle montrent pourtant qu'elles atteignent un certain contenu de vérité. Deux remarques, apparemment évidentes mais rarement poussées à leurs conséquences, peuvent délimiter le bon usage qui peut être fait d'une telle science.

1. Tout d'abord, l'objet scientifique d'aucune « science du comportement » ne peut être légitimement envisagé en dehors du champ scientifique délimité par les méthodes utilisées. Il en résulte qu'aucune science n'a de légitimité *a priori* pour prétendre circonscrire ce que le sens commun désigne comme le « comportement » qui l'intéresse. Une telle remarque est, certes, valable pour toute science et Bachelard, par exemple, a longuement insisté sur la renonciation à l'image sensible que représente toujours la constitution d'un objet scientifique. Disons seulement ici que le « comportement » — au sens commun du terme — représente une notion à tel point chargée d'imagerie qu'un tel travail nécessaire de renonciation devrait éliminer des séries entières de connotations... qui parfois subsistent indûment à l'état latent.

Même imparfaite, une telle élimination est pourtant féconde et le progrès survenu à l'intérieur de chaque discipline en témoigne largement ; le problème qui subsiste est le réinvestissement de ce progrès dans l'univers quotidien de chacun. Mais, ce problème, ce n'est pas particulièrement le scientifique qui a pour rôle de le résoudre.

2. Par ailleurs, l'analyse des conditions de validité d'un résultat est ici opération particulièrement nécessaire, tant est mal circonscrit au départ l'objet d'étude. Une telle analyse, si elle est conduite rationnellement, débouche aisément sur une science critique visant à élucider, aussi complètement que possible, les conditions de son propre développement.

Partie intégrante de chaque discipline scientifique, une telle recherche vise à élucider avec la même rigueur les facteurs susceptibles de moduler le fonctionnement de celle-ci. De la sorte, la science du comportement vise, par ce biais, à étudier aussi le comportement d'une institution scientifique.

Ainsi, il est concevable de dépasser un questionnement trop abstrait sur l'apport et les limites de la science par une analyse concrète des conditions de production d'un discours scientifique. On passe du simple projet d'une critique de la science à celui du développement d'une science critique.

Il est envisageable, dès lors, de dégager, même à propos d'un thème aussi brûlant, un usage de la science qui ne soit pas soumission à une idéologie scientiste. Si chaque système scientifique peut fournir un support d'identification, le caractère illusoire d'une justification ainsi apportée peut toujours apparaître à une analyse un tant soit peu rationnelle : à tout prendre, quoi qu'ait pu faire l'homme préhistorique, il n'y a sans doute guère de leçon légitime à en tirer sur ce que doit faire M. Durand : ce n'est pas la science qui lui apprendra à vivre ! Et les scientifiques cherchant à poser les bases scientifiques de l'antiracisme, s'ils peuvent démonter avec justesse les arguments de leurs adversaires, n'ont pas de légitimité particulière à proposer un modèle alternatif !

Mais, paradoxalement, sans doute est-ce là le plus grand service que les sciences du comportement peuvent apporter à M. Durand aux prises avec ses problèmes. Toute science (même si elle n'a pas toujours socialement intérêt à le faire !) a les moyens logiques de discuter ses propres limites de validité. En saisissant à quel point elle peut être utilisée illégitimement, en analysant les mécanismes institutionnels conduisant à une telle utilisation, une science du comportement a les moyens logiques de critiquer le cercle vicieux d'une institution donnant sa forme d'évidence à un discours qui la justifie en retour. Même si elle ne répond pas à ses questions, l'aide la plus efficace que, d'une telle science, peut attendre M. Durand, c'est qu'elle lui fournisse les moyens du doute !

NOTES

1. P. Massé, *Réflexions pour 1985*, Paris, La Documentation française, 1964.

2. K. Lorenz, *Grundlager der Ethologie*, Springer Verlag, 1978 ; trad. fr., *les Fondements de l'éthologie*, Paris, Flammarion, 1984.

3. Z. Y. Kuo, « The Need of Coordinated Efforts in Development Studies », *in* Aronson, Tobach et Rosenblatt (éd.), *Development and Evolution of Behavior (Essays in Memory of T.-C. Schneirla)*, San Francisco, Freeman, 1970.

4. B. F. Skinner, *Beyond Freedom and Dignity*, New York, Knopf, 1970 ; trad. fr., *Par-delà la liberté et la dignité*, Paris, Robert Laffont, 1972.

5. C. Bernard, *Introduction à l'étude de la médecine expérimentale* (1865), Paris, Garnier-Flammarion, 1966.

6. J. Réquin, « La préparation à l'activité motrice. Vers une convergence des problématiques psychologique et neurobiologique », in *Anticipation et Comportement*, Paris, Éd. du CNRS, 1980, p. 261-333.

7. J. Gervet, « Où en est l'étude du comportement ? Ou dix thèses sur l'éthologie », *Revue des questions scientifiques*, 1980, nᵒ 151, 3, p. 305-334.

8. S. Moscovici, *L'Age des foules*, Paris, Fayard, 1981, Id., *Psychologie sociale*, Paris, PUF, 1984.

9. G. Guille-Escuret, « La culture contre le gène : une alternative piégée », *in* P. Tort, *Misère de la sociobiologie*, Paris, PUF, 1985. M. Sahlins, *The Use and Abuse of Biology. An Anthropological Critic of Sociobiology*, Ann Arbor, University of Michigan Press, 1976 ; trad. fr., *Critique de la sociobiologie, aspects anthropologiques*, Paris.

10. B. F. Skinner, *Verbal Behavior*, New York, Appleton Century Crafts, 1957.

11. N. Chomsky, « Un compte rendu du *Comportement verbal* de B. F. Skinner », *Langages*, 1969, nᵒ 16, p. 16-49.

12. L. von Bertalanfy, *Théorie générale des systèmes*, Paris, Dunod, 1968.

13. Ibn Gabirol, *La Source de vie*, cité d'après H. Sérouya, *La Kabbale*, Paris, Grasset, 1947.

14. J.-P. Changeux, *L'Homme neuronal*, Paris, Fayard, 1983.

15. R. Ardrey, *African Genesis*, New York, Atheneum Publishers, 1961 ; trad. fr., *Les Enfants de Caïn*, Paris, Stock, 1977.

3. Le sujet de l'objet

Cette dernière partie regroupe trois articles, traitant respectivement des « normes », de la « complexité » et du « transfert ». Alors que l'homogénéité apparente des articles de la deuxième partie était en fait l'instrument d'une approche de l'hétérogénéité des démarches scientifiques, l'hétérogénéité tout aussi apparente de ces trois articles annonce leur convergence sur un point qui les singularise. Dans les trois cas, une question nouvelle prend consistance, celle du sujet de cette connaissance objective dont les passions et les stratégies se sont dessinées au long des deux premières parties de ce volume.

Une question a surgi à l'occasion de différents articles, c'est la question du sens.

Cette question se profilait dans les articles « Corrélation » et « Loi et causalité », qui montraient combien un instrument fait pour être neutre et pour affirmer la neutralité de la démarche scientifique avait pu traduire le sens éthique, politique, pratique des problématiques dont il était censé garantir la scientificité. Cette question habitait l'article traitant de « calcul », puisque l'enjeu de l'opération d'homogénéisation qui permet la propagation de cette notion était précisément l'élimination du problème du sens tant à propos des catégories qui définissent l'objet qu'à propos du sujet qui connaît. Et la même question se retrouvait dans l'article « Problème » : le problème est créateur de sens, mais la création de sens est-elle elle-même réductible à un méta-problème ?

Nous avons retrouvé la même question dans la deuxième partie, non plus comme illusion devant être dépassée par une opération d'homogénéisation, mais comme obstacle faisant éclater la diversité des champs. Et ce sur deux modes enchevêtrés mais distincts : d'une part, la question de la

303

différenciation entre connaissance à vocation objective et connaissance impliquant des jugements de type politique et éthique ; d'autre part, la question de la connaissance, à vocation objective, de ce qui, de par son activité ou même son existence, pose un problème de « sens ». Le premier mode est au cœur de l'article qui traite de « sélection et concurrence », le second au cœur de l'article à propos d'« organisme ». L'enchevêtrement des deux modes apparaît dans l'article sur l'« ordre », où il renvoie aux stratégies scientifiques. Il apparaît aussi dans l'article « Comportement », où il renvoie au rôle des institutions politiques et sociales dans la création d'« objets de connaissance ».

Au cours de cette troisième partie, la question n'apparaîtra plus comme une illusion ou comme une énigme, mais comme la condition même du débat où s'enchevêtrent sujet et objet.

Parler de « normes » signifie dès l'abord qu'il ne s'agit plus de ce qui est, mais de ce qui doit ou devrait être. Et pourtant le « devoir » n'a pas ici le sens d'un impératif éthique adressé à la liberté humaine. La question des « normes » est celle d'un savoir rationnel à constituer à propos des pratiques, et donc tout aussi bien celle de l'extension du savoir rationnel à ce qui, sur le mode de la croyance, de l'interdit, de l'obligation, de la coutume, lui échappait. Et ici, c'est le sens même de ce savoir, et non sa possibilité, qui fait problème. Comment étudier ce qui est vécu par l'autre comme un impératif, comme un devoir, comme une évidence ou comme la traduction d'une transcendance, sans le réduire par là selon la norme du savoir objectif ? Comment éviter que l'étude des normes aboutisse, le cas échéant, à la mise au point de techniques de normalisation (thérapeutiques, judiciaires, etc.), ou que, réciproquement, une philosophie du soupçon réduise le normatif aux stratégies de constitution d'un sujet « normal » ?

A moins, peut-être, de restreindre la puissance propagatrice du concept, de libérer les champs politiques, culturels, sociaux qu'il avait capturés, et de reconnaître les normes comme conditions de sens, instruments de repérages grâce auxquels, Occidentaux ou Sauvages, moralistes ou philosophes du soupçon, scientifiques ou gens de foi, nous nous situons les uns par rapport aux autres. Les normes comme « garde-fous » : humour d'un savoir rationnel qui retrouve le sens, sur le mode non pas de la dénonciation de sa propre relativité, mais de la reconnaissance de la proximité du délire.

L'étude de la « complexité » suit le même mouvement, à propos cette fois de la constitution des objets de connaissance. La complexité est une idée à la mode, elle est au centre d'une opération qui vise tout à la fois à libérer l'image de la science de son association avec une démarche réductionniste, et à démultiplier les champs où une science « non réductionniste », « complexe », pourrait revendiquer sa pertinence. Si l'article sur la « complexité » s'était intéressé à cette opération, il aurait figuré dans la première partie. Mais il s'agit ici de tenter une contre-opération, de montrer que l'opposition au réductionnisme qui s'affiche peut être prise au sérieux si et seulement si « complexité » signifie prise en compte à l'intérieur de la démarche scientifique du problème des conditions de « propagation » des concepts, c'est-à-dire, en l'occurrence, du problème de la pertinence du prolongement des opérations qu'autorisent les différents modèles simples dont nous disposons.

La notion de pertinence s'inscrit, comme celle de norme en tant que repérage et garde-fou, dans la problématique du sens comme condition et non comme obstacle. Elle renvoie à la question du choix du problème, choix non pas arbitraire mais risqué, choix sans garantie a priori d'ordre méthodologique ou épistémologique. La pertinence qualifie peut-être ce que nous pouvons reconnaître par la suite comme justifiant ou expliquant le succès d'une innovation conceptuelle, la fécondité et la puissance d'organisation qui est la vocation de tout candidat concept scientifique, et que proclame et ratifie sa reconnaissance comme découverte d'un « accès au réel ».

Mais qu'est-ce que la pertinence ? Qu'arrive-t-il dans le cas étrange où n'importe quoi peut sembler pertinent, ou bien, réversiblement, glisser sur un « sujet-objet » qui se refuse d'autant plus qu'il semble se donner ? C'est la question posée par l'article à propos du « transfert », l'approche de ce qui a fait sauter les garde-fous et met en échec le sens de ce que nous appelons connaître.

« Transfert » signale le point où s'interroge ce qu'admettent toutes les autres études. Que signifie, lorsqu'il s'agit de la relation entre un analyste et un analysant, l'idée qu'il y a matière à connaissance ? Comment comprendre une « connaissance » où la pertinence des concepts est relative à la relation qui s'invente ou se fantasme là où ne sont pas des sujets conscients ? Et surtout qu'arrive-t-il lorsque la pratique analytique rencontre elle aussi, avec la psychose, des obstacles à sa propagation ? Ici

se trouble le sens des termes que nous avons utilisés. Obstacle, résistance, acceptation du caractère adéquat d'une lecture, propagation de l'interprétation théorique : tout est là, et tout est devenu inquiétant du seul fait qu'ici — il faut bien le reconnaître finalement — celui qui interprète est observé par celui qu'il croit comprendre. Que nions-nous pour parler d'objet de connaissance ? Mais que nions-nous aussi lorsque nous attribuons la connaissance à un sujet idéalement conscient et libre ? Le « non-savoir » des psychanalystes nous renvoie peut-être à celui que nous revendiquions pour étudier la propagation des concepts et non les raisons de la science.

Normes

Les rapports difficiles du rationnel et du normatif

Pierre Livet.

Le domaine d'origine de la notion de norme, c'est le champ juridique. Cependant, son utilisation en sociologie, et dans les sciences politiques, ne se borne pas à une importation. Si ce concept a trouvé la faveur qu'il a chez un Parsons ou un Habermas, c'est qu'il permet de superposer trois opérations : l'introduction de la systématicité juridique dans des domaines culturels plus flous, l'objectivation et la rationalisation des croyances et des valeurs d'une société par son observateur, mais aussi la revendication d'une rationalité normative spécifique. Si l'on peut parler de propagation pour la première opération, il s'agit de capture pour la seconde. Capture par l'étude statistique : on peut aller jusqu'à réduire la norme à la moyenne. Capture par la rationalité inconsciente de la lutte intraspécifique, quand la sociobiologie réduit les normes altruistes à des stratégies de reproduction du capital génétique. Mais la troisième est toute différente, originale, et il s'agirait plutôt d'une réaction immunitaire. Le terrain de propagation du virus n'est en rien passif, et il se transforme pour le phagocyter : l'irrationalité des ordres et des croyances entend se constituer en rationalité normative. Cette résistance n'est pas d'origine purement théorique. C'est que l'opération de capture ne va pas sans investissements pratiques (techniques de normalisation). Aux problèmes de propagation d'une discipline à une autre se joignent donc ceux des interférences entre pratique et théorie.

Cette imposition d'une pratique au nom d'une position théorique, c'est l'un des sens que véhicule la notion d'« ordre », dont la normativité implicite trouve ici son développement. Inversement, la sociobiologie n'est étudiée ici que dans ses prétentions réductrices du normatif, et on renverra à « Sélection/Concurrence » pour plus de détails. Quant à la « normativité » de l'« organisme », elle se révèle appartenir à l'une des étapes de l'histoire déjà achevée de ce concept. La notion de « comportement » se décrit dans une dynamique inverse à celle de « norme » : on part de positions ultraréductionnistes, et on finit par être obligé d'enrichir le « comportement » de l'environnement culturalisé qu'on voulait éliminer. Au contraire, le normatif nourrit d'abord une résistance au réductionnisme, pour ensuite prétendre à sa rationalisation. Enfin, le thème de la

307

pluralité des dimensions et des registres de la rationalité, qui est ici simplement défendu, trouve une illustration plus développée dans les textes sur « Ordre », sur « Complexité », et peut-être sa justification dans l'article sur « Problème ».

On ne peut simplement parler de propagation ou de circulation des concepts, quand il s'agit de la notion de norme. D'abord parce que cette notion ne se « propage » pas à proprement parler. Chaque discipline réélabore dans ses termes (juridiques, économiques, logiques, linguistiques, biologiques) les contours d'une notion utilisée par le sens commun pour désigner un type de pratique. Ensuite parce que la notion de norme sert à transformer des pratiques vécues en des faits observés, mais aussi à défendre la spécificité de la pratique vécue par rapport à sa réduction à une rationalité instrumentale et technicisante. La notion de norme est donc utilisée aussi bien pour opérer une « capture », celle des pratiques par la raison observante, que pour prétendre lui échapper. Enfin parce que, s'il y a circulation, elle n'est pas seulement théorique. Il ne s'agit plus seulement de scientifiques parlant à des scientifiques. A l'intérieur de chaque discours disciplinaire, l'honnête homme, voire l'idéologue, dialogue déjà avec le savant. Les enjeux des pratiques peuvent déplacer les perspectives de recherche, et donner d'entrée de jeu une portée sociale aux polémiques scientifiques. Certes, l'élaboration conceptuelle du normatif ne se réduit pas à la construction d'une arme idéologique. Mais cette autonomie relative du travail scientifique lui donne précisément son impact pratique. Les travaux conceptuels sur les normes déplacent les perspectives du sens commun, et modifient l'horizon de ses pratiques, le paysage de leurs différences. Mais, même alors, ce sont les résonances culturelles et pratiques de ces déplacements conceptuels qui manifestent leur véritable portée. La propagation du concept de norme ne se fait pas dans le seul domaine théorique. Il s'agit plutôt des interférences que différentes positions théoriques se révèlent produire en se propageant dans le champ des pratiques comme dans les champs disciplinaires.

1. Les ambivalences du normatif

Dans ces conflits, les normes sont à la fois un enjeu et les armes d'une stratégie. Les normes sont d'abord un enjeu de nos pratiques quotidiennes. Qu'est-ce qui sera interdit (de la sexualité hors mariage à l'entrée sur une plage privée), et surtout qui sera rejeté, à qui la reconnaissance sociale fera-t-elle défaut ? Le lépreux, le fou, le drogué, le chômeur ? L'anormal perd aux yeux d'autrui la possibilité de définir lui-même les règles de son comportement. Le normal, lui, doit veiller à ce que son autonomie lui dicte précisément la conduite que tous attendent. Les normes ne sont en effet pas seulement négatives, excluant l'anormal. Les normes de rendement définissent positivement la quantité de travail que doit fournir un travailleur « normalement » qualifié. La normalité devient ici productive. Mais elle demeure cependant un statut que nous devons conquérir : on ne naît plus normal, on le devient et on lutte pour le rester. Foucault l'a bien montré : les normes ne sont plus alors de simples critères d'exclusion sociale, mais aussi des incitations à la productivité. Le savoir du normatif commence par exclure, puis il intègre. Le statut de l'individu se modifie en chemin. Au XIXᵉ siècle, l'incarcération de l'exclu permet d'en faire l'objet d'un savoir qui le catégorise et l'étiquette en son individualité aberrante. L'organisation rationnelle du travail, au contraire, ne fait pas porter son savoir sur l'individu dans sa particularité, mais sur la foule des travailleurs, et définit un rendement normal à partir de la construction statistique du rendement du travailleur moyen. Les normes deviennent ainsi l'enjeu de nos pratiques de tous les jours, mais elles sont aussi le moyen d'imposer à l'individu les conclusions d'un savoir qui lui échappe.

Les normes sont donc également des armes stratégiques. Armes d'abord pour un savoir rationnel qui veut s'imposer à des pratiques qui lui échappaient. Mais ces stratégies peuvent aussi être conceptuelles, et nous retrouvons ici par un biais la circulation des concepts. Utiliser le concept de norme, c'est toujours prendre une position polémique, soit défensive, soit offensive. Affirmer la spécificité du normatif par rapport aux analyses objectives des faits, c'est affirmer l'irréductibilité du devoir à l'être, des normes aux faits. C'est défendre la spécificité des créations culturelles et sociales et refuser de les réduire à des nécessités biologiques ou même techniques. C'est admettre l'existence, selon les termes de Popper, d'un « troisième monde », d'un niveau symbolique, surajouté à celui des nécessités matérielles. C'est admettre que cette superstructure est capable en retour de déterminer nos actions effectives. Ce premier conflit, dans lequel les normes servent d'armes défensives, c'est donc celui du culturalisme et du réductionnisme.

Mais les normes sont aussi des armes offensives. C'est d'abord une façon pour un savoir « rationnel » de s'imposer aux pratiques, nous venons de le voir. De plus, si l'on transforme en « normes » les exigences éthiques, les obligations pratiques, on peut les étudier avec les moyens classiques d'une méthode rationnelle et objectivante. L'ethnologue ou le sociologue n'a pas besoin de partager les mêmes convictions que les acteurs sociaux qu'il étudie, il lui suffit de vérifier l'existence de fait des normes que fondent ces croyances. Il pourra en étudiant le système de ces normes découvrir des relations dont les acteurs n'ont eux-mêmes pas conscience. Le juriste peut utiliser une méthode semblable, mais sans vouloir aller au-delà de la conscience des citoyens qui se sentent tenus d'obéir aux normes. Il peut alors, comme Kelsen, identifier le droit avec le légal, et réduire l'obligation à l'obéissance au droit positif régnant dans une nation donnée. L'existence de la norme se constate comme un fait, alors que sa validité normative imposerait un devoir.

On peut vouloir fonder même cette normativité sur une rationalité des faits, par le biais de l'observation statistique et de la définition du normal en fonction du comportement moyen. F. Ewald a montré comment, dans une société où le système de l'assurance devient le ciment effectif de la solidarité sociale, la normalité par rapport à un groupe socioprofessionnel devient la base du calcul des risques collectifs. Mais la norme est alors relative à ce groupe et à cette activité, et elle peut changer avec les données techniques et économiques, voire avec les choix sociaux qui définissent l'acceptabilité des risques. Le savoir statistique fournit donc seulement un alibi à la contrainte qu'une société exerce sur ses membres pour les normaliser, pour leur spécifier leur place dans la totalité. Entre le savoir et le devoir, la norme relève du pouvoir. Mais le pouvoir doit s'appuyer sur des constats, comme il doit exhiber les valeurs qui l'obligent. La norme, hybride de savoir et de devoir, sera le champ clos des conflits entre ceux qui dénoncent la contrainte au nom de la rationalité factuelle et ceux qui dénoncent la réduction des choix de valeurs à un calcul qui passe sous silence ce dont il n'arrive pas à tenir compte.

La notion de norme constitue donc le cheval de Troie sur lequel compte une rationalité positiviste pour conquérir le domaine du culturel, tandis que l'irréductibilité du normatif au factuel constitue le bastion derrière lequel se retranchent les tenants de l'autonomie de l'éthique et du politique, voire du culturel. Conflit interminable, puisque la norme a toujours un statut mixte, un statut de mélange instable. Apparente synthèse, elle voit toujours renaître en elle sa dualité, qui ne cesse donc elle-même de se dédoubler. Dans chaque camp, l'usage de la notion de norme prête à ambivalence. Décrire les normes de l'extérieur, c'est adopter le point de vue de l'observateur rationnel. Mais c'est aussi, éventuellement, les abandonner à leur irrationalité : nous avons seulement à les décrire objectivement, pas à les justifier. Au contraire, ceux qui admettent que nos actions puissent être déterminées par les réalités du « troisième monde », par des symboles et des valeurs, verront en même temps dans les normes le résultat des calculs d'une rationalité collective. Si les positions théoriques s'entrecroisent, les motivations idéologiques sont encore plus brouillées : les défenseurs de l'autonomie du normatif pourront par ailleurs se révéler des nostalgiques d'une société traditionnelle respectueuse de l'autorité et des valeurs établies — accepter l'irrationalité des normes, ce sera clamer leur spécificité et empêcher qu'on les modifie. Mais d'autres défenseurs du normatif pourront revendiquer le droit des acteurs sociaux à décider librement de leurs normes. Les rationalistes, de leur côté, pourront, en partisans de l'ordre établi, défendre le *statu quo* d'un équilibre social difficile à trouver et qu'il faudrait éviter de remettre en question. Mais ils pourront aussi revendiquer le droit au changement au nom d'un rationalisme critique.

L'usage de la notion de norme semble donc nous pousser à l'ambivalence. Nous ne paraissons pas pouvoir l'employer de manière univoque. L'utiliser, c'est souvent être entraîné par elle dans des revirements imprévus. On le voit mieux encore dans l'exemple du culturalisme.

Le culturalisme accorde en effet à toute société le droit de définir elle-même ses règles, et de se constituer par là même. Et c'est presque une nécessité, pour les ethnologues, de refuser l'imposition d'un seul modèle social, le modèle occidental, et donc d'affirmer l'irréductibilité des cultures et la pleine validité de chacune dans sa différence. Malinowski avait adopté cette attitude, qui consiste à comprendre une culture comme une totalité signifiante, se suffisant à soi-même. Louis Dumont, en opposant l'holisme du système des castes indien (où tout renvoie à une hiérarchie socioreligieuse) à notre individualisme, s'interdit de trancher entre les deux. Ses sympathies vont au holisme, mais, se trouvant dans une société où règne l'individualisme, il ne peut le remettre fondamentalement en cause. Le culturaliste risque-t-il ainsi de tomber dans le relativisme, et de ne plus pouvoir pour lui-même croire à la validité des normes de sa société ? Le culturaliste est-il donc un apatride social ? Pas le moins du monde, puisque cette possibilité de distanciation par rapport aux normes, c'est, en un sens, la norme du scientifique occidental. Pour pouvoir regarder les normes d'une société de l'extérieur, il faut paradoxalement appartenir à une société qui ne croit plus à la transcendance, à l'extériorité de ses normes, à une société qui pense se donner ses normes à elle-même, en toute immanence. Le culturaliste ne peut donc admettre que les normes soient réellement transcendantes à la société, qu'elles lui soient imposées d'en haut, mais seulement qu'elles lui apparaissent telles. Son point de vue se révèle donc contaminé par le réductionnisme qu'il critique. Il est, en un sens, réducteur par rapport aux sociétés qui se pensent fondées sur une transcendance. Pourtant, ce réductionnisme lui-même est propre à une culture, il donne prise à son tour aux critiques du culturaliste.

Le cercle s'est bouclé. Un culturaliste qui réfléchit sur sa propre appartenance sociale doit l'admettre : il est issu d'une société qui invente et modifie elle-même ses normes. Ainsi, les règles qui socialisent la reproduction sexuelle (règles de filiation, de mariage, de parenté) pourront être inventées par les acteurs sociaux. Nous voyons aujourd'hui s'offrir ces possibilités, grâce aux techniques d'insémination artificielle, d'embryons congelés, de génie génétique. Notre société découvre jusqu'où va sa responsabilité : elle doit choisir elle-même, de manière immanente, quelles modalités elle définira comme normes. Mais selon quels critères ? En l'absence de commandements venus d'en haut, nous avons justement recours à des calculs rationnels (ceux-là mêmes auxquels nous borne le réductionnisme). Ils ne nous disent pas à quelles normes ils doivent nous mener, mais seulement de quels savoirs partir, et quelles contraintes logiques respecter. Mais, si notre choix des normes est le résultat d'un calcul rationnel, peut-on encore affirmer l'autonomie de décision des acteurs sociaux, leur liberté et leur inventivité dans le choix des normes ? Une norme qui serait le résultat d'un calcul utilitariste mériterait-elle encore ce nom ? Elle ne s'imposerait pas à l'individu comme une obligation, mais comme une nécessité. Le relativisme culturaliste naît donc d'une société en voie de rationalisation, et peut-être en train de réduire ses normes à des contraintes ou à des stratégies optimales.

Le culturaliste refusera cette réduction. Il a peut-être la nostalgie de l'intégration affective dans une totalité sociale que permet une société traditionnelle. Mais si nous nous identifions aux deux mots d'ordre de notre société occidentale, l'individualisme et la rationalité, nous préférerons cette réduction à l'imposition de normes que nous jugeons arbitraires. Le grand combat des Lumières au XVIIIe siècle a brandi ce slogan de la lutte contre les fantaisies du despote. Croire à l'irréductibilité des normes, c'est imposer les normes contingentes d'une société, voire d'un pouvoir. Refuser de soumettre la définition des normes à un calcul rationnel, c'est sombrer dans le relativisme, qui peut aussi nous conduire à la résignation, à l'acceptation des normes régnantes. Adorno et Horkheimer retourneront pourtant l'argument : le rationalisme qui prétend critiquer l'arbitraire n'est-il pas le premier à céder aux fantasmes de la toute-puissance ? Nos rationalistes qui critiquent les dogmes ne deviennent-ils pas dogmatiques, lorsqu'ils prétendent rechercher (et trouver) le bon et l'unique système normatif ? Comme les autres, les rationalistes nous imposent alors en fait le système de normes de leur société. La rationalité posée comme dogme risque de n'être qu'une nouvelle idole, une nouvelle forme larvée de transcendance. Et, sans tomber dans le relativisme, l'École de Francfort a pu dénoncer dans la volonté d'extension universelle de la raison une nouvelle forme de domination, l'imposition de normes d'autant plus massives qu'aucune critique ne pouvait les ébranler. La raison en effet se proclame le seul instrument d'une critique objective. La raison transforme ainsi le pouvoir exercé par le savoir (un savoir fragmentaire, souvent inapplicable dans le champ des pratiques, mais qui prétend pourtant imposer les méthodes qui lui ont réussi dans le champ de la nature) en normes critiques.

Résumons ces jeux de positions. L'ethnologue admet la validité des normes que se donne la société qu'il étudie, et va même insister sur les différences entre ces normes et celles de sa société. Mais ce relativisme n'est possible que dans la société occidentale, où les individus prétendent définir eux-mêmes, collectivement, leurs normes, au lieu de les recevoir d'en haut. Ils réduisent alors l'aspect de transcendance et d'intégration dans une totalité, qu'ont les normes traditionnelles, à une rationalité qui calcule le bien collectif en fonction des intérêts individuels. Mais, si la position culturaliste n'est possible que dans cette société rationaliste et réductrice, le rationalisme, dans sa volonté de domination, n'est lui-même qu'une position culturelle. Que nous prétendions échapper à la clôture de notre société par la sympathie avec d'autres cultures, ou par l'ambition universaliste de la raison, nous restons les hommes d'une société. Une société où la justification rationnelle des normes, toujours à renouveler, devient la méta-norme.

Le savoir rationnel, cependant, ne se borne pas à imposer *ses* normes (ses méthodes et ses critères), il impose *des* normes (il définit le sujet « normal » et sain, il normalise les individus d'après ce modèle). Cette normalisation n'est plus, selon Foucault, une simple soumission aux exigences et critères de rationalité, c'est tout simplement la transformation du savoir en pouvoir, comme d'ailleurs du pouvoir en savoir. On en revient donc au statut hybride de la norme.

2. Normes collectives, dispersion statistique et génétique

On peut alors imposer des normes en masquant presque complètement l'arbitraire toujours inhérent au pouvoir. C'est ce que montre la réduction bien connue du comportement normal au comportement moyen. Il suffit pour cela de pratiquer une double opération : réduire dans un premier temps la norme à la moyenne, donc à un comportement statistiquement dominant. Aligner dans un deuxième temps les marginaux sur cette moyenne. Identifiée au comportement moyen, la norme est purifiée de tout élément volontariste (imposition d'un modèle idéologique, alignement sur les ordres d'un pouvoir). Elle est simplement la résultante des multiples actions individuelles. Ce réductionnisme statistique semble éliminer le pouvoir et s'en tenir aux faits. Mais ces faits indiquent une dominante, qu'on peut vouloir imposer collectivement sous prétexte qu'elle est justement collective. Le savoir réductionniste peut donc jouer ici un double rôle. Il permet d'imposer aux pratiques les normes du rationnel (au travailleur la norme du rendement, à nos désirs le principe de réalité, etc.). Mais, s'il permet ce détournement de pouvoir, il permet aussi de le critiquer comme l'utilisation normative de résultats descriptifs (la caricature en était l'individu moyen de Quételet, conçu comme type exemplaire d'un groupe), il permet toujours de dénoncer l'amalgame entre faits et normes.

Dans un premier temps, il s'agit d'éviter de contaminer l'observation scientifique par des préjugés normatifs. Au lieu de supposer que l'écolier « normal » est celui qui se soumet aux normes de l'orthographe, on va d'abord répertorier les fautes d'orthographe effectivement commises. On pourra ensuite définir une normalité statistique, en définissant le nombre moyen de fautes d'une certaine collectivité d'écoliers. Dans un deuxième temps, on va faire de ce taux moyen le taux normal. Les instituteurs seront priés de réajuster leur notation sur ce repère, plus réaliste que leurs exigences initiales. Mais ce réalisme reste tout aussi normatif. Il s'agit toujours de tenter d'aligner le maximum d'écoliers sur cette nouvelle norme, et de les sélectionner ensuite selon leur capacité à la satisfaire.

Le va-et-vient entre le descriptif et le normatif, entre les faits statistiques et les normes imposées est donc incessant. Citons la *Convention des textiles artificiels et synthétiques* * : « On entend par rendement normal un rendement correspondant aux trois quarts du rythme optimum qu'un salarié normalement constitué, qualifié et entraîné pour le poste qu'il occupe peut soutenir pendant toute son activité. » Ce rythme optimal, c'est l'étude rationnelle de l'organisation du travail qui doit le définir. Elle se fonde sur la décomposition des tâches, mais aussi sur l'étude statistique du temps et de l'effort moyens

---

* Benedicte Reynaud, « Diversité de la relation salariale de branche et codification des conventions collectives », *in* Robert Salais et Laurent Thevenot (éd.), *le Travail, marché, règles et conventions*, Paris, Economica, 1986.

que demande telle opération. Mais ce rythme optimum peut ensuite servir à juger de la « qualification » du travailleur. L'étude descriptive des comportements individuels définit donc une moyenne qui devient ensuite la norme que ces mêmes individus doivent s'efforcer d'atteindre pour prouver leur qualification. Quel sens donner alors à ce choix des « trois quarts » du rythme optimum ? Il redonne au rythme calculé rationnellement son sens de norme, d'un au-delà de la moyenne, d'une performance de référence. Mais il est lui-même décidé normativement, dans un à-peu-près assez arbitraire. Bref, il n'est pas possible d'éliminer le normatif de l'utilisation d'un savoir statistique sur la moyenne.

Pourtant le réductionnisme statistique nous donne les armes d'une critique de sa propre utilisation normative. Un comportement qu'on peut analyser statistiquement est un comportement qui donne lieu à une certaine dispersion des performances. On peut juger cette dispersion aléatoire. On peut aussi penser qu'elle est essentielle à la conduite étudiée. Prenons l'exemple d'une série de tirs à la cible. On trouvera peu d'impacts au centre, beaucoup dans ses environs, quelques-uns très éloignés. On retrouve une courbe en cloche, une distribution gaussienne. Les résultats éloignés de la moyenne (en mieux ou en pire) sont les moins nombreux. Si les tireurs sont différents, nous allons attribuer ces variations à la diversité des capacités individuelles. Pourtant, on retrouverait une dispersion semblable dans les tirs successifs du meilleur et du plus mauvais tireur (bien que la distance entre le meilleur tir et le pire soit plus faible dans le premier cas). C'est donc que l'activité en elle-même ne va pas sans cette dispersion. On peut n'y voir que l'effet de l'aléatoire. Mais tentons de réaliser un automate qui visse avec un boulon le trou d'un écrou. Si le mode d'ajustement est rigide, la moindre erreur d'orientation rendra sa tâche impossible. Il faut donc, pour réussir dans ce type d'activité, introduire une flexibilité. Or la flexibilité ne va pas sans une dispersion, un aléa possible. La dispersion des tirs est donc peut-être nécessaire à l'activité de visée (nous tirons avec le même bras qui est capable d'introduire le boulon dans son écrou).

Si la dispersion est constitutive des activités que l'on étudie statistiquement, on ne peut vouloir aligner les performances sur la performance moyenne. Et, de fait, cela nous semble absurde d'exiger d'un individu qu'il réalise constamment sa performance moyenne. Nous lui demanderons plutôt de se fixer une norme plus élevée, en espérant qu'il améliorera ainsi, par contre-coup, la moyenne de ses performances. En revanche, nous ne trouvons pas irrationnel de vouloir aligner les mauvais tireurs sur les tireurs moyens. C'est leur fixer la moyenne comme norme (une norme qui déplacera leur propre moyenne). Et pourtant, si la dispersion qui nous est apparue essentielle dans l'activité d'un seul individu l'était aussi sur une pluralité d'individus ?

Ce principe de dispersion n'est pas seulement nécessaire pour réguler les utilisations de l'analyse statistique des comportements sociaux. Il est tout aussi essentiel dans un domaine où nos normes traditionnelles ne suffisent pas à nous donner des réponses, celui de la génétique. Supposons qu'un technicien du génie génétique veuille interdire à tous les individus jugés « anormaux » de se reproduire. Il voudrait, en quelque sorte, éliminer la marge inférieure de la courbe en cloche. Il voudrait aligner les mauvais tireurs sur les tireurs moyens. Admettons de plus que ces résultats « anormaux » soient bien liés à des caractères génétiques. Il reste que les mauvais résultats d'une combinaison de gènes ne nous disent rien sur les potentialités de ces gènes redistribués dans d'autres combinaisons. La reproduction sexuée se charge de ce brassage. Interdire à ces marginaux de se reproduire, c'est donc courir le risque de se priver de combinaisons intéressantes. C'est surtout se priver de la variabilité que permet un capital génétique diversifié. Une espèce doit conserver une certaine flexibilité, tout comme notre automate pour adapter son boulon à son écrou. Une espèce doit toujours compter avec des variations possibles de l'environnement. Des gènes qui donnent des formes peu viables dans un environnement donné se révéleront « adaptés » à un autre environnement, ou encore porteurs de mutations qui conservent à l'espèce son potentiel adaptatif.

Une espèce a donc besoin de ses marginaux pour s'adapter à de nouveaux environnements. Inversement, les individus marginaux peuvent retrouver une certaine « normalité » s'ils peuvent modifier leur environnement. Les anciens poliomyélitiques devenus champions de natation nous prouvent que, en cherchant un environnement plus adapté à leurs possibilités motrices, ces ex-malades ont développé de nouvelles normes de vie. Canguilhem a tiré argument de ces renouvellements possibles pour montrer que le vivant ne se réduit pas aux comportements moyens qu'on a pu mesurer dans le passé et dans une situation d'expérience donnée. Il est capable, dans certaines limites, de changer ses modes d'interaction avec l'environnement si la situation se modifie, ou si ses possibilités propres d'action ne sont plus les mêmes. Un être vivant est donc un être capable d'inventer de nouvelles normes de vie. Il n'est pas tant normal que normatif. La dispersion statistique qui devait nous permettre de réduire la norme à la moyenne se révèle au contraire le terreau de toute activité normative.

Revenons à ce *no man's land* entre l'individu et l'espèce qu'est le capital génétique. C'est le terrain d'élection du sociobiologisme. Wilson et ses émules ont pensé pouvoir réduire le social au biologique, en expliquant les rapports sociaux par la mise en application d'un seul principe : la tendance de tout individu à maximiser les chances de reproduction de son capital génétique. Bien entendu, les culturalistes se sont récriés, réaffirmant l'autonomie des créations socioculturelles. On a accusé Wilson d'étaler au grand jour un individualisme cynique jusque-là plus ou moins rampant, et, surtout, de justifier l'exploitation de l'homme par l'homme, et toutes les formes d'oppression. Il est vrai aussi que, comme par hasard, les procédés de maximisation qu'emprunterait cette tendance inconsciente à sauvegarder notre capital génétique sont ceux-là mêmes du calcul utilitariste. Le sociobiologisme est donc d'abord un socio-économisme. Il définit comme seul procédé rationnel celui par lequel notre société se représente sa rationalité. La dominance de l'économique est certes un fait de société, et le calcul de maximisation l'une de ses normes (puisque ce mode de calcul n'est pas le seul que nous puissions utiliser, le privilégier revient à le rendre normatif). Notons cependant que la même société qui voudrait se déterminer d'après un tel calcul, de façon immanente, est celle aussi qui engendre le culturalisme et son relativisme.

Mais le sociobiologisme est plus ambivalent qu'on ne le croirait. Il pourrait aussi nous éviter de concevoir un comportement rationnellement justifié comme le comportement normal qu'il faut partout imposer. Le sociobiologisme sérieux est respectueux du principe de dispersion. Il montrera que plusieurs stratégies sont possibles. Celle qui consiste à agresser son semblable, ou encore à assurer ses chances de reproduction à ses dépens, peut obéir à un calcul rationnel inconscient. Mais une stratégie altruiste le peut aussi. C'est l'intérêt de la notion de capital génétique : mes parents possèdent une partie de ce capital, qui n'est donc ni purement individuel ni purement collectif. Je peux donc me sacrifier pour ma parenté, si je multiplie ainsi ses chances de reproduction. Je peux même me sacrifier pour la société qui leur permet de se multiplier. Le sociobiologisme répond à une exigence scientifique, celle de l'économie dans les principes d'explication. Mais il est difficile à confirmer ou à infirmer, parce qu'il semble pouvoir trouver la même explication aux phénomènes les plus contradictoires. Une doctrine qui justifie aussi bien l'altruisme que la malveillance a cependant un avantage théorique. Elle pense sur un pied d'égalité le « normal » et l'« anormal ». Elle devrait donc nous éviter, en principe, de vouloir aligner et homogénéiser les comportements ; elle nous éviterait aussi de prendre un comportement rationnellement expliqué et justifié pour le comportement « normal » que nous devrions ensuite imposer à tous.

Pourtant ce pluralisme sociobiologique a un double inconvénient, théorique et pratique. D'une part, on peut alors justifier *a posteriori* n'importe quelle stratégie, mais *a priori* on ne peut rien prédire, puisqu'une stratégie altruiste très détournée peut se révéler finalement multiplier les chances de reproduction tout autant qu'une stratégie de la survie individuelle. D'autre part, dans cette perspective, toute pratique normative, même lorsqu'elle se soucie d'une justification éthique, apparaît comme une entrave à la libre dispersion des stratégies. Le maintien du *statu quo* (par exemple l'inégalité de condition entre hommes et femmes) serait donc la conséquence de ce non-interventionnisme, qui aboutirait à l'éradication de toute recherche éthique. C'est que le sociobiologisme en reste à un seul mode de rationalité, celui de la maximisation (du capital génétique). Or le principe de pluralité peut être valide aussi à un niveau plus élevé que celui des différentes stratégies de cette maximisation. Il peut être valide à celui des différents modes de rationalisation (la maximisation n'est que l'un d'entre eux). Car c'est aussi une preuve de rationalité, de libération par rapport à des normes imposées, que de reconnaître la nécessité de choix entre des procédures rationnelles différentes et irréductibles les unes aux autres. Mais c'est ici la tâche d'une réflexion critique, et d'une réflexion éthique, qui ne semblent pas le fort du sociobiologisme.

Cependant, même lorsqu'on ne prétend pas aligner les comportements sur une seule stratégie rationnelle, on peut encore, tout en respectant le principe de dispersion, en faire un usage insidieusement normatif. Le darwinisme social est capable de bien des ravages. On peut prétendre par exemple, tout en admettant la nécessaire variété des individus, que la courbe en cloche d'une population est trop aplatie, que les marginaux sont trop nombreux par rapport aux « normaux ». On récuse certes l'« eugénisme », qui tendrait à imposer un modèle génétique, et qui compromettrait les capacités d'adaptation futures de l'espèce humaine en la fixant sur la norme d'une société et d'un moment. Mais on recherche alors un compromis entre la variété maximale et la norme unique, on cherche la « bonne » courbe, ni trop aplatie, ni trop pointue. C'est l'idée de « sélection stabilisante ». On va se permettre d'intervenir, par exemple en stérilisant les criminels emprisonnés, parce que la sélection naturelle ne serait plus assez efficace. Des politiques sociales trop développées l'entraveraient. C'est juger que la stratégie reproductive de l'espèce humaine, qui consiste à maintenir un taux de reproduction faible, mais en préservant ses rejetons des agressions de l'environnement par les tampons du groupe, de la culture et de la technique, a dépassé la mesure et que ses avantages se retournent contre elle : nous nous serions mis trop à l'abri de la sélection naturelle. Mais c'est là anticiper sur les effets à venir de cette sélection. Or la notion même de sélection naturelle ne fonctionne que rétrospectivement. Elle peut seulement nous dire que telle stratégie s'est révélée adaptée dans le passé (la notion d'adaptation n'a aucun sens en valeur absolue). Définir d'avance à partir de quel taux de protection la sélection naturelle ne pourra plus jouer, c'est vouloir définir d'avance quelle conduite sera la plus adaptée, c'est porter un jugement de valeur, c'est imposer un choix normatif. En bonne logique, un sélectionniste devrait s'imposer de conserver la possibilité d'appliquer le point de vue opposé au sien : une norme qui détruit son autre (ou ses autres) est une catastrophe évolutionniste. Le principe de dispersion se révèle étrangement lié aux choix normatifs, puisqu'il permet aux normes de se concurrencer.

Le réductionnisme, s'il est rationnel, peut donc laisser jouer les normes. Il ne s'oppose donc pas, paradoxalement, à la relative indépendance du normatif, mais seulement à la dictature d'un seul type de norme, et à la transformation de l'activité scientifique en une activité normalisante à sens unique.

3. Critiques de la rationalité normative

Mais, si les normes développent ces potentialités d'autonomie que leur offre leur pluralité, reconnue même en biologie ou en sociobiologie, il devient difficile d'éliminer le problème de la critique et du choix des normes, problème qui devient alors éthique et philosophique. Faut-il alors laisser les philosophes définir le bon usage du concept de norme ? Mais ce serait leur donner précisément un rôle normatif. On serait mieux fondé à leur demander une critique de la rationalité normative : à laisser le normatif à l'irrationnel, on laisse la voie ouverte à la pure volonté de puissance ; à négliger la spécificité du normatif, on autorise toutes les entreprises insidieusement normatives qui se camouflent sous des visées réductionnistes. Mais, lorsque les philosophes tentent de définir cette rationalité normative, de nous dire quelles modalités d'imposition des normes sont irrecevables, quelles autres peuvent se justifier, ne voit-on pas renaître les conflits et ambivalences que nous avons déjà rencontrés ? Nous allons retrouver, sur cette question aussi, les entrecroisements d'une conception positive des normes et d'une conception proprement normative.

On peut déjà opposer ici les figures de Kelsen et de Foucault. Tous deux peuvent se dire positivistes. Le premier parce qu'il réduit le droit à la légalité, le droit naturel au droit positif. Le second parce qu'il étudie des « formations discursives », des « effets de pouvoir », en se bornant à en décrire l'agencement. Tous deux, cependant, admettent la spécificité du normatif. Mais Kelsen veut en systématiser la cohérence. Il prétend organiser les normes en une hiérarchie formelle, pour pouvoir les déduire les unes des autres. Au sommet de cette hiérarchie, comme principe fondamental, la constitution de base de l'État auquel nous appartenons. Le système des normes transmet donc dans le détail des pratiques la domination du pouvoir étatique, même s'il en définit les modalités. Le positivisme de Kelsen ne fonde pas rationnellement la normativité des normes, il en formalise la puissance. Le savoir du juriste n'est qu'un savoir formel, qui suppose déjà donnée l'imposition du normatif.

Foucault au contraire s'est efforcé de montrer comment le savoir était imprégné de normatif, comment il déployait la normalisation. Ce positiviste a commencé par différencier les modalités du normatif, pour finir par le trouver lié à la constitution même du sujet. Les objets des descriptions de Foucault ne sont que des effets des normes et des sujets normatifs. Il commence, dans *Surveiller et Punir* (mais déjà dans l'*Histoire de la folie*, dans *Naissance de la clinique*), par montrer comment les processus d'objectivation du savoir se trouvent en résonance avec des pratiques de normalisation. Normaliser, c'est viser l'individu, mais pour le réduire à son catalogage, et à sa disciplination par un appareil. Le système pénitentiaire est un système de mise en observation de l'individu, mais qui transforme le savoir en simple imposition du regard qui catégorise et classifie. Savoir et contrôle s'y entrecroisent. Cet entrelacs prolifère aujourd'hui. Tandis que l'appareil pénal se médicalise, se psychiatrise, les thérapeutiques psychologiques, les méthodes éducatives jouent le rôle d'extension du contrôle social.

Aussi, dans un deuxième temps, Foucault renonce-t-il à opposer le savoir désintéressé et le pouvoir répressif *(la Volonté de savoir)*. Les effets de pouvoir (voire de pouvoir sur soi-même) que permet la disciplination du corps et de sa sexualité sont toujours à deux faces : ils conjoignent les schémas de connaissance du corps et les formes d'assujettissement. Mais le savoir-pouvoir cesse d'être seulement répressif pour devenir producteur. La discipline tend maintenant à assurer la productivité des corps, et la reproduction de la vie. Le normatif ne se manifeste pas d'abord par l'exclusion : « on opère des distributions autour de la norme », on accepte la variation pour s'assurer d'un meilleur rendement.

Enfin, le normatif se révèle tissé au plus intime de la constitution du sujet *(l'Usage des plaisirs, le Souci de soi)*. Le soi se construit en se disciplinant, mais pour acquérir, par cette ascèse, par cette domination de soi, l'autorité potentielle qui lui permet de dominer les autres. Il n'est plus possible de dénoncer la transformation du savoir en pouvoir, puisque le savoir de soi se veut d'emblée un pouvoir sur les autres, puisque le normatif se révèle irréductible. Mais Foucault n'est-il pas ici victime encore de ce mélange de dénonciation et de constitution ? Ne porte-t-il pas encore un jugement alors même qu'il indique des fondements irréductibles ? Ou encore, au lieu de nous permettre de penser l'enracinement de la normativité, ne la projette-t-il pas comme une tare sur la constitution du sujet ? Le jeu du normatif aura peut-être contaminé de bout en bout ce positiviste pour lui faire faire œuvre de moraliste détourné plutôt que de philosophe fondateur. Foucault a toujours lié la pensée du normatif à une pensée du soupçon. Peut-être est-ce justifié. Mais, pour le prouver, il faut abandonner un temps le soupçon, ne serait-ce que pour reconstruire en sa nécessité son lien avec le normatif. En ne faisant que décrire les entrelacements suspects du savoir et du pouvoir, Foucault a laissé le champ libre à des pensées qui s'affrontent directement à la spécificité du normatif, mais qui n'ont pas sa subtilité. En refusant de sonder les justifications du normatif, il nous a laissé exposés au retour du désir des normes pour les normes, à l'apologie des règles et des conventions.

Ce retour aux normes prend des formes variées. F. Ewald, disciple de Foucault, se borne à admettre le statut hybride des normes. Appuyées sur des constats statistiques, elles sont l'instrument de la normalisation, de l'identification des individus à des standards socioprofessionnels diversifiés. Liées au droit social, elles sont à la fois définies par des négociations, objets de transactions, de conventions collectives, et synonymes de la contrainte sociale et du choix politique en faveur de tel ou tel groupe. Ce positivisme des normes oblige Ewald à soumettre le droit au politique, puisque le droit social est pour lui entièrement relatif à une société et à son histoire contingente. La réflexion morale de Foucault s'est donc ici perdue, et les normes ne sont même plus soupçonnées, mais seulement positives.

D'autres recherches sont plus exigeantes : philosophie transcendantale de Karl Otto Apel, analyse des obligations liées aux actes de langage d'Austin et Searle... Le point commun de toutes ces tentatives, c'est de partir de la séparation entre devoir et être, entre normes et faits. S'il existe une rationalité des normes, elle se différencie de la rationalité des faits. C'est dans le langage que cette opposition apparaît évidente. Quand on dit : « Le soleil tourne autour de la terre », cet énoncé vise à la vérité, même s'il est faux, parce qu'il prétend correspondre à un état de chose. Quand on ordonne : « Obéissez-moi ! », il est difficile de définir l'état d'obéissance, et encore plus la correspondance de cet état de choses à l'énoncé impératif. Pour penser le normatif, quatre voies sont ouvertes. La première, c'est de le déclarer irrationnel, en réservant la rationalité pour les énoncés sur les faits. La deuxième, c'est de tenter malgré tout de trouver des faits qui correspondent aux énoncés normatifs. La troisième, c'est de décrire et de répertorier les règles, les conventions du langage qui nous permettent de donner un sens à ces énoncés. La quatrième, c'est de montrer que l'acceptation de certaines normes est nécessaire à toute communication, et que ce normatif-là se fonde et se justifie donc lui-même.

La première attitude (celle de toute une école anglaise, des Ayer, Stevenson, etc.) voit dans les ordres plus des actes d'expression que des énoncés. Dans la mesure où toute norme implique un ordre, les normes renvoient à cette part de nous-mêmes qui n'est pas réductible à la rationalité démonstrative, et qui aboie les commandements, ou donne sa force à l'expression de nos désirs. Même si les normes présentent quelque cohérence entre elles, en dernière analyse le choix d'un modèle normatif est une décision qui ne repose que sur elle-même. Selon Popper, le choix de la tradition scientifique, rationnelle et critique, est lui-même un choix irrationnel, décisionniste, parce que normatif. Il est vain de vouloir lui trouver une raison, puisqu'il est le choix pour la raison.

La deuxième, c'est celle des logiciens qui ont tenté de formaliser les raisonnements normatifs. Le modèle de toute logique, c'est bien sûr une logique des énoncés sur des faits, une logique de la vérité. Quels faits trouver pour une logique des normes — ou, si l'on préfère, quelle sémantique donner à sa syntaxe ? On a pu d'abord jouer de la différence entre les ordres et les normes. Qu'un ordre soit donné, c'est un acte, un événement. Mais, qu'une norme fasse autorité, c'est un fait social ; qu'elle soit ou non reconnue socialement, cela est vrai ou faux. Mais ces solutions sont bancales ; elles ramènent les normes aux faits, mais elles ne nous disent pas clairement comment celles-ci s'en différencient. Une solution plus satisfaisante nous est proposée par la « sémantique des mondes possibles » de Kripke. Elle préserve et la connexion et la différence entre logique des faits et logique normative, tout en précisant les modifications qui permettent de passer de la première à la seconde. On part du monde réel, du monde des faits. On définit ensuite ses relations avec des mondes possibles : par exemple avec les mondes des actes qui me sont permis, et ceux des actes qui me sont défendus. Un acte permis est vrai dans un au moins des mondes possibles accessibles par la relation aux mondes permis. Un acte obligatoire sera vrai dans tous les mondes possibles permis. On a donc maintenu la notion de vérité, le rattachement avec des faits. Mais on a aussi tenu compte de la spécificité du normatif en définissant les relations entre le monde réel et les mondes possibles auxquels l'acceptation d'une norme nous permet d'accéder. Ces relations ont des propriétés originales : par exemple, elles ne sont pas réflexives. Ce qui veut dire en particulier que, en partant du monde réel, une fois introduite une dimension de normativité, on ne retrouve plus, après cette modification, le monde de départ : le monde réel n'est pas obligatoire, et un monde obligatoire n'est pas forcément réel. Donc le monde des faits n'est pas celui des normes. La différence entre normes et faits peut ainsi être maintenue sans que la liaison avec l'idée de vérité soit perdue. Mais la logique des relations entre les normes elles-mêmes, et donc du raisonnement normatif, offre encore bien des difficultés non élucidées.

La troisième voie, c'est celle de l'analyse des « actes de langage » (Austin, Searle). Donner un ordre, énoncer une norme, ce n'est pas décrire le monde, ce n'est pas non plus le modifier directement. Pour que mon ordre agisse, il faut qu'autrui comprenne mon intention de donner un ordre. Pour cela, il lui faut se référer aux règles du langage : une promesse, par exemple signifie mon engagement d'accomplir une action dans le futur. Parler, c'est donc se soumettre à ces règles, sans lesquelles nos actes de langage seraient inopérants. En ce sens, tout est normatif dans le langage. La description d'un fait est elle-même un acte de langage, et elle a ses règles. Les normes englobent les faits. Cependant, les règles du langage sont des normes que nous ne pouvons choisir, qui nous sont constitutives. Nous ne pouvons qu'appliquer ces règles, et reconnaître leur existence de fait. Nous ne pouvons ni les inventer, ni les justifier ou les critiquer normativement. Bornons-nous à les décrire et à les classer. L'empire des faits englobe le règne des normes.

Pour les philosophes de la communication comme Apel ou Habermas, au contraire, la rationalité communicationnelle est fondamentalement normative. Les règles du dialogue ne sont pas des données du langage, mais ses exigences idéales Le modèle de la communication, c'est le discours argumentatif, qui se soumet à la critique d'autrui. Il exige d'éliminer toute contrainte qui pèserait sur l'un des partenaires, et de limiter la concurrence à la recherche du meilleur argument. La communauté que forment les partenaires d'une telle communication peut prétendre s'ouvrir à tous, elle se veut universalisable. Habermas insistera sur la critique réciproque ; nous ne pouvons justifier nos prétentions à la vérité et à la rationalité qu'en nous y soumettant. Apel mettra l'accent sur le consensus. Tout partenaire d'une communication rationnelle est tenu d'accepter la validité d'au moins une norme fondamentale : celle qui définit la situation argumentative, qui exige des partenaires qu'ils se sentent membres d'une communauté idéale de communication, communauté ouverte à titre égal à tous ceux que concernent les arguments échangés, et dont les mots de passe sont la vérité, l'authenticité et la rectitude dans l'argumentation.

A mon sens, aucune de ces voies n'est satisfaisante. La première voulait reconnaître la différence entre les faits et les normes ; elle refusait de considérer le bien ou le juste comme une propriété de fait, comme aussi de nous accorder une intuition normative spécifique. Elle se borne en fait à refuser aux énoncés normatifs le statut de jugements, pour le réserver aux seuls énoncés sur des faits observables. L'analyse logique des normes, elle, présuppose le paysage normatif déjà constitué. Elle veut aussi que l'on parte toujours du monde réel, pour ensuite s'orienter vers tel ou tel monde normatif. Les mondes normatifs (permis et défendu) sont chacun moins riches que le monde réel. Mais la relation entre réel et normatif peut s'inverser (ce que la logique n'exclut pas mais dont elle ne rend pas compte). Les normes font partie de notre monde humain réel. Et leur existence induit des effets dans ce monde. Supposons que l'on interdise l'utilisation de certaines techniques génétiques. Par exemple, qu'on interdise de choisir le sexe de son enfant. On induit alors une réalité psychologique, qui est une frustration. Si nous savons que cette technique est réalisable, et que, par exception, elle est utilisée à des fins thérapeutiques pour éviter quelque maladie liée au sexe, nous sommes frustrés de devoir nous résigner à ne pas l'utiliser pleinement : nous acceptions autrefois de nous résigner à notre impuissance technique, mais nous avons bien plus de peine à nous incliner devant une norme imposée. Supposons maintenant que, avant même que cette technique soit disponible, on ait arrêté les recherches de ce domaine pour des raisons morales. Cela induit deux frustrations : celle de ne pouvoir utiliser une possibilité technique qu'on sait à notre portée (on se résignait auparavant parce qu'elle était inaccessible), donc d'avoir une possibilité de choix restreinte ; celle, plus générale, de ne pas être autorisé à enrichir le réel d'une nouvelle possibilité. Imposer une norme est donc dans ce cas, comme dans tous ceux où se mêlent normes et techniques, ou normativité et positivité scientifique, une opération quelque peu paradoxale : elle nous permet d'exercer une capacité de choix, de différenciation du permis et du défendu, mais en restreignant par là notre liberté de choisir entre des possibles. Elle nous interdit d'enrichir le réel de nouvelles possibilités techniques, mais elle le modifie pourtant, ne serait-ce que par les frustrations et les révoltes qu'elle induit. On comprend alors l'attrait de la formule de Gabor : « Tout ce qui est techniquement réalisable ou envisageable doit être fait. » C'est préférer ne tenir ses frustrations que de l'impossible, et donner le pas à la liberté de choix entre des possibilités techniques sur la volonté du choix qui impose la norme. Mais, si cette formule prend la forme d'une obligation à laquelle on ne peut échapper, et si elle transforme sa normativité pour prendre la pesanteur des faits (utiliser l'électricité, c'est utiliser le nucléaire, quand la production collective d'électricité a choisi cette nouvelle possibilité technique), elle devient, elle aussi, paradoxale. Ici, la soumission au réel (et à ses possibles) prend des allures de norme, comme, avant, la norme avait des effets réels. Si le normatif se différencie bien logiquement du réel, il peut donc aussi interférer avec lui dans nos pratiques.

Les autres traitements philosophiques du normatif (Searle, Apel et Habernas) ne rendent pas compte de ce rôle complexe des normes. Ces auteurs se donnent un normatif idéal, sans nous dire quels rapports il entretient avec notre usage quotidien des normes. En face de la bonne conscience de Searle ou de celle d'Apel, qui leur permet de tenir la règle pour la pratique effective, la norme idéale pour l'horizon des consensus factices, on se prend à regretter la philosophie soupçonneuse de Michel Foucault. Mais il s'est refusé à nous donner, pour critiquer les normes, le critère d'une rationalité normative. Bref, les rationalités normatives des logiciens, de Searle, d'Apel sont trop fortes pour être effectives, et les stratégies décrites par Foucault trop effectives pour qu'on puisse définir leur rationalité.

On trouverait une articulation plus simple entre procédures rationnelles et inventions normatives dans les analyses linguistiques. On peut à la fois admettre avec Chomsky que les opérations syntaxiques fondamentales qui nous permettent d'engendrer des phrases sont universelles, et liées au cerveau humain plus qu'à une culture particulière, et montrer que l'imposition d'exigences grammaticales consiste avant tout à imposer des normes culturelles, à utiliser les différences de langage comme des différences dans la hiérarchie sociale. Les normes apparaissent alors comme des contraintes surimposées aux opérations de la rationalité linguistique, et qui marquent l'inventivité sociale, la recherche de différenciations. Mais il n'est pas certain que les opérations de base, lorsqu'elles sont non plus syntaxiques mais sémantiques, lorsqu'elles permettent d'assigner un sens aux mots et aux phrases, ne dépendent pas du contexte de l'énonciation, contexte qui est fait de notre savoir culturel. S'il existe plusieurs manières de structurer l'expérience, si toute imposition de signification est une interprétation, nous avons beau utiliser les mêmes démarches intellectuelles, les mêmes opérations logiques de base, notre vision du monde est cependant normée par notre culture, et elle pourrait donc être autre qu'elle n'est.

Peut-être les normes ont-elles partie liée avec une rationalité limitée, consciente de l'indétermination des situations humaines. En ce cas, il ne faudrait pas seulement concevoir les normes comme des contraintes que nous nous imposons, ou que les autres nous imposent, mais comme des repères. Habermas dit fort bien que les normes permettent la coordination des actions : chacun s'attend à ce que les autres suivent la norme. Peut-être faut-il ici réintroduire le soupçon : chacun s'attend à ce que les autres aient la norme comme repère, mais pas fatalement à ce qu'ils la suivent. Les normes ne servent donc pas seulement à guider l'action, mais à faciliter le travail d'interprétation des intentions d'autrui, interprétation toujours incertaine. Les normes peuvent même émerger de ce travail d'interprétation. Ce serait le rôle, ébauché par Keynes, des « conventions » — ces règles d'action qui ne sont pas le résultat d'une décision consciente, mais des ajustements spontanés des représentations et des pratiques des acteurs sociaux.

Le concept de norme se verrait donc transporté en économie, après avoir circulé du droit à la logique, de la sociologie à la biologie, puis de la linguistique pragmatique à la philosophie transcendantale. Dans tout ce parcours conflictuel, les normes ont perdu de leur lustre, mais se rapprochent de notre herméneutique quotidienne. Ainsi, nous ne respectons pas les contrats par pur devoir kantien, mais parce que leur respect nous évite d'avoir à sonder les intentions réelles et intimes de nos partenaires, ce qui pourrait nous conduire à un délire interprétatif. Les normes qui servent de repères et de garde-fous à cette rationalité incertaine ne sont pas pour autant soustraites à l'instabilité de nos interprétations. Nous pouvons toujours soupçonner les normes, et ainsi les rendre instables. Mais nous devrons toujours nous repérer les uns sur les autres, et recréer ainsi la stabilité transitoire de ces repères collectifs que sont les normes.

RÉFÉRENCES

Apel, Karl Otto, « Das Apriori der Kommunikationsgemeinschaft », in *Transformation der Philosophie*, Francfort-sur-le-Main, Suhrkamp, 1973 ; trad. fr., Université de Lille, 1987. On peut aussi consulter le n° 464-465 de *Critique*, qui comprend un article d'Apel.

Austin, John, *How to Do Things with Words*, Oxford University Press, 1962 ; trad. fr., *Quand dire c'est faire*, Paris, Éd. du Seuil, 1970.

Canguilhem, Georges, *Le Normal et le Pathologique*, Paris, PUF, 1984.

Dumont, Louis, *Homo hierarchicus*, Paris, Gallimard, 1979.

Ewald, François, *L'État providence*, Paris, Grasset, 1986.

Foucault, Michel, *Surveiller et Punir*, Paris, Gallimard, 1975.
- *La Volonté de savoir*, Paris, Gallimard, 1976.
- *Histoire de la sexualité* 2 et 3, *L'Usage des plaisirs. Le souci de soi*, Paris, Gallimard, 1984.

Gardies, Jean-Louis, *Essai sur la logique des modalités*, Paris, PUF, 1979.
- *Le Problème de Hume,* Paris, PUF, 1987.

Habermas, Jürgen, *Theorie des kommunikativen Handelns,* Francfort-sur-le-Main, Surkhamp, 1981 ; trad. fr., *Théorie de l'agir communicationnel*, Paris, Fayard, 1987.

Hume, David, *Traité de la nature humaine*, trad. Leroy, t. II, Paris, Aubier (livre III, 1re partie, section 1, p. 575 *sq.*).

Kalinowski, Georges, *La logique des normes*, Paris, PUF, 1972.

Kelsen, Hans, *Théorie pure du droit*, Paris, Dalloz, 1962.

Kripke, Saul, *Naming and Necessity*, 1972, repris en 1980 ; trad. fr., *La Logique des noms propres*, Paris, Éd. de Minuit, 1982.

Labov, William, *Sociolinguistic Patterns*, University of Pennsylvania Press, 1972 ; trad. fr., *Sociolinguistique*, Paris, Éd. de Minuit, 1976.

Perelman, Chaïm, *Logique juridique, Nouvelle Rhétorique*, Paris, Dalloz, 1976.

Le sujet de l'objet

Sahlins, Marshall, *The Use and Abuse of Biology. An Anthropological Centre of Sociobiology* Ann Arbor, University of Michigan Press, 1976 ; trad. fr., *Critique de la sociobiologie*, Paris, Gallimard, 1980.
Searle, John, *Speech Acts*, Cambridge University Press, 1979 ; trad. fr., *Les Actes de langage*, Paris, Hermann, 1972.
  - *Expression and Meaning*, Cambridge University Press, 1979 ; trad. fr., *Sens et Expression*, Paris, Éd. de Minuit, 1982.
Wilson, E.O., *Sociobiology : the New Synthesis*, Cambridge, Mass., Harvard University Press, 1975 ; trad. fr., *La Sociobiologie*, Éd. du Rocher, 1987.

Complexité

Effet de mode ou problème ?

Isabelle Stengers.

Depuis quelques années, le thème de la complexité joue un rôle ambigu dans les discours sur la science. Il permet tout à la fois de la défendre contre l'accusation de « réductionnisme » et d'envisager la conquête par la science de ce qui jusqu'ici lui échappait. Que signifie par exemple : « Le cerveau est complexe » ? L'expression peut figurer aussi bien dans une attaque contre ceux qui entreprennent de l'expliquer par les éléments simples qui le composent, les neurones, que dans une introduction à la notion de complexité. Dans le premier cas, le mot « complexité » servira à repousser une opération de capture, dans le second, il en annoncera la possibilité.

Pourtant, « complexité » est une notion intéressante dans la mesure où elle suppose et a à expliciter sa distinction d'avec la notion de complication. La notion de complication est ici associée à celle de simplicité : pouvoir définir une situation ou un objet comme « compliqué », c'est affirmer ou sous-entendre qu'ils sont intelligibles à partir d'un modèle simple, c'est-à-dire qu'ils ne posent pas de problème de droit, mais seulement pratique. La complexité pose en ce sens le problème des jugements qui partent de modèles simples et font la différence entre ce que nous pouvons pratiquement faire ou connaître et ce que nous pourrions faire ou connaître si nos moyens n'étaient pas limités. Elle rencontre corrélativement les notions d'irréductibilité (le « tout » est-il irréductible à la somme de ses parties ?) et de « rapport de connaissance » (le fait que nous devions poser des questions et appliquer des instruments différents pour différents objets traduit-il une différence qualitative intrinsèque de ces objets ou renvoie-t-il seulement à nos limitations de calcul et d'observation ?).

Les questions abordées au cours de cet article rencontreront donc celles que posaient déjà les articles « Calcul », « Comportement » et « Loi et causalité », au sens où, dans les trois cas, est décrite et critiquée la possibilité d'une définition d'objet homogène au-delà de la diversité pratique et sémantique des modes d'interrogation. « Complexité » renvoie également à « Organisme », à « Ordre », à « Comportement » et à « Norme » en ce que la question du « sens » y intervient de manière centrale : sens créé par celui qui observe ou sens intrinsèque créé par ce qui n'est plus tout à fait alors un objet de connaissance. Enfin, « Complexité » peut être lu comme une sorte d'exercice pratique illustrant l'article « Problème » : la distinction entre complication et complexité, si elle est prise au sérieux, signifie que le « choix » du problème à poser ne peut désormais être « résolu » à la manière, justement, d'un problème, et contribue donc à renvoyer ce choix à cette « raison critique, inquiète, nomade », selon l'expression d'Andler, et non à une « science du problème », c'est-à-dire à une stratégie opérationnelle commandée par l'impératif de définition univoque de l'espace des solutions.

On entend souvent parler de la « découverte de la complexité » qui marquerait cette époque. On entend par ailleurs, dès que le terme de complexité est utilisé, des ricanements, des remarques péjoratives à propos de cette notion, qualifiée de vide et de pure création médiatique. Ce double type de réactions, qui d'ailleurs se renforcent l'une l'autre, signale dès l'abord ce qui va être notre problème.

Soulignons un premier point : la complexité, qu'elle soit dénoncée comme un dévoiement de la science ou annoncée comme sa rédemption, appartient à un discours *à propos* de la science. Certes, on a vu apparaître l'adjectif « complexe » dans un certain nombre de disciplines, mathématiques et physiques. Et ceux qui parlent de « découverte de la complexité » se réfèrent souvent à l'une ou l'autre de ces disciplines. Cependant, aucune de ces références n'est, en tant que telle, suffisante pour justifier les thèses qu'elles illustrent. Lorsque les physiciens ont construit le formalisme de la mécanique quantique, on peut dire qu'un problème s'est *imposé* à eux, qu'ils l'aient prévu, recherché ou simplement accepté. La situation est beaucoup moins claire à propos de la « complexité ». On ne peut, ici, désigner le nœud problématique qui « forcerait » ceux qui en parlent à penser, fût-ce pour en tirer des conclusions démesurées.

En d'autres termes, l'éventuelle « découverte de la complexité » désigne ici tout autre chose que le type d'épisode qui scande, dans la mémoire collective, l'histoire de certaines sciences. La scansion usuelle implique l'image du passage d'un état de non-savoir à un état de savoir, ou le surgissement d'un problème inattendu qui bouleverse les anticipations d'une science. Mais s'il faut prendre au sérieux une éventuelle « découverte » de la complexité, il faut se référer ici non à une question qui s'impose, mais à l'*éveil à un problème*, à une « prise de conscience » qui a pu être provoquée, mais non pas imposée, et qui donc peut tout aussi bien être niée par ceux qui n'y voient aucune bonne raison.

Éveil à un problème peut-être, mais dans un contexte singulièrement ambigu. En effet, la première chose qui peut frapper celui qui s'intéresse au discours sur la complexité est le regain d'une forme de scientisme assez classique. Il s'agit, apparemment, de faire jouer ensemble les thèmes d'un monde en crise, d'une mise en question des présupposés qui nous permettaient de sous-estimer cette crise, ou de la penser comme épiphénoménale, avec les thèmes d'une « nouvelle rationalité ». Scientisme éminemment classique, puisque la connaissance scientifique, critiquée dans un premier temps, n'en est pas moins annoncée, dans son renouvellement, comme promesse de *solution* à des problèmes éthico-politiques.

On peut également penser aux grandes « fresques » cosmico-sociales qui dépeignent la complexification progressive du monde, depuis le *Big Bang* jusqu'aux problèmes de nos sociétés contemporaines. Contrairement aux représentations du grand positivisme du siècle dernier, un livre comme *Patience dans l'azur* de Hubert Reeves [1] ne met plus l'accent sur le progrès, linéaire et rassurant : la complexification fait leur place à l'instabilité, à la crise, à la différenciation, voire aux catastrophes et aux impasses. Mais, comme ce fut le cas pour ces représentations, la fresque d'une complexification cosmique est néanmoins rassurante en ce qu'elle se donne comme théorie, en ce qu'elle inscrit les interrogations béantes de notre époque dans un récit qui les situe en communication avec les crises de la matière et de la vie en genèse.

Ce type d'utilisation de la notion de complexité ou de complexification pourrait, en soi-même, valoir condamnation. Car si, *a priori*, le discours sur la complexité doit avoir un sens, ce sens ne peut être homogène à la science qu'il critique. La vision d'un monde complexe ne peut, comme telle, se substituer à une autre vision scientifique du monde ; c'est la notion même de vision du monde, de point de vue à partir duquel un discours général et unificateur peut être tenu qui, d'une manière ou d'une autre, doit se retrouver au centre de l'interrogation. Sans cela, il est certes loisible de commenter l'intérêt de nouveaux types de formalisation, de nouveaux objets physiques ou mathématiques, de nouveaux modes de description qui se trouvent avoir été qualifiés de « complexes » ; il est possible aussi de prévoir que ces nouveaux modes d'interrogation auront des effets dans d'autres domaines du savoir. Mais il n'est pas possible de parler de la « découverte de la complexité », au sens où celle-ci traduirait non pas seulement un élargissement mais une transformation du champ des savoirs scientifiques.

S'intéresser à la question de la complexité, dans ces conditions, n'est pas une démarche neutre. Le moindre risque serait certainement de s'en tenir à l'attitude de dénonciation et, on l'a vu, celle-ci dispose d'arguments solides. Il est facile de soupçonner, et même de montrer, que, par-delà les bonnes intentions et les déclarations généreuses, les rapports entre les différents savoirs restent hiérarchisés, chargés d'ignorance, voire de mépris. Cependant, la facilité a toujours une dimension stérile : confirmation sempiternelle de la possibilité et de la nécessité de maintenir, face aux prétentions des scientifiques, une attitude de réserve et d'ironie. La question que nous allons poser ici est plus difficile et plus risquée. Pouvons-nous conférer à ce thème de la complexité un sens qui pourrait effectivement prétendre à une portée générale, sans pour autant autoriser des prétentions généralisatrices ? Pouvons-nous utiliser ce qui se donne aujourd'hui comme « objets complexes » pour accentuer les problèmes, généraux, qu'ils ouvrent, et non les modèles, particuliers, de solution qu'ils déterminent ?

Pertinence et risque

Si la notion de complexité doit avoir une portée générale en ce qui concerne les théories et/ou les pratiques des sciences contemporaines, il faut lui rechercher un sens qui ne soit pas d'abord dépendant de telle ou telle discipline.

Il me semble que, si le thème de la complexité peut apparaître comme *intéressant*, comme valant peut-être de survivre à des utilisations pourtant compromettantes, ce n'est pas en tant qu'il dessinerait les traits d'une « nouvelle science » que nous ne pouvions pas concevoir auparavant, mais en tant qu'il permet d'aviver, d'accentuer ce qui est sans doute l'originalité la plus vraie de ce que nous avons appelé « science moderne ». Comme le rappelait Lévy-Leblond, la fonction de la pensée scientifique tient moins à sa « vérité » qu'à ses *effets décapants*, qu'à son rôle d'*empêcheuse de penser en rond* [2]. Le thème de la complexité permet de découpler deux dimensions trop souvent associées de manière inextricable dans les discours pour ou contre les sciences : découplage entre la puissance de la démarche analytique et le pouvoir lié aux jugements péremptoires qu'elle semble autoriser, entre la « rationalité scientifique », dont ce thème est le produit direct, et l'« irrationalisme » de ceux qui prolongent sans peur en « vision scientifique du monde » une réponse dont le prix tient à l'attention concentrée sur le moindre détail, sur l'interaction à première vue insignifiante mais qui peut tout changer.

Ce découplage mène, je crois, à aiguiser le sens d'un terme qui est au cœur des pratiques scientifiques, mais qui tend à disparaître dans les discours publics sur la science, celui de *pertinence*. La pertinence a ceci de particulier qu'elle désigne un problème relationnel. On parle d'une question pertinente lorsque, justement, elle empêche de penser en rond et concentre l'attention sur la singularité d'un objet ou d'une situation. Centrale dans les pratiques effectives des sciences expérimentales, la pertinence tend à se décomposer dans leur version publique en vérité objective ou en décision arbitraire : vérité objective lorsque la question est justifiée par l'objet en lui-même, décision arbitraire lorsqu'elle se réfère à l'utilisation d'un instrument ou d'un dispositif expérimental dont le choix n'est pas autrement commenté. Dans le premier cas, la réponse apparaît comme « dictée » par le réel, dans l'autre comme imposée par les catégories toutes-puissantes dont l'instrument d'investigation est porteur. La pertinence désigne au contraire un sujet qui n'est ni absent, ni tout-puissant.

Quelles sont les « bonnes questions » ? Quel est le point de vue « pertinent » ? C'est là la question même de la science expérimentale.

Prenons l'exemple le plus classique, celui de la théorie galiléenne de la chute des corps. Celle-ci traduit un pari sur le réel au sens où elle détermine *a priori* ce qui, dans la chute observable, doit être considéré comme significatif et ce qui sera jugé comme simple perturbation insignifiante. En l'occurrence, la théorie implique la séparation conceptuelle entre la chute telle qu'elle se produirait dans le vide et ce qui est lié au frottement avec l'air. Cette séparation constitue en elle-même une décision théorique — que les aristotéliciens, il faut le souligner, jugeaient inadmissible : la chute, comme mouvement concret, impliquait l'air dans la physique d'Aristote. Cette décision théorique est également une décision pratique. Elle guide ce qui sera la démarche de préparation et d'expérimentation : le « phénomène » se trouve techniquement redéfini « en laboratoire » et purifié au maximum de tout ce qui est assimilé à du bruit. C'est alors que le pari révèle ou non sa fécondité : selon la cohérence entre les prédictions que la théorie permet de construire et l'expérimentation sur le système purifié d'après les critères théoriques.

L'expérimentation, en ce sens, est donc une démarche *risquée*. Elle suppose le pari que le phénomène isolé et retravaillé dans les conditions de laboratoire est essentiellement *le même* que celui que l'on repère dans la « nature ». La notion de « vision scientifique du monde » tend à sous-estimer ce risque, à présupposer qu'une question pertinente dans certaines conditions expérimentales gardera sa pertinence, et pourra donc servir de modèle permettant de généraliser le mode de distribution entre signifiant et insignifiant auquel elle correspond.

Dans cette perspective, la question de la complexité peut prendre un sens précis. Elle s'impose lorsque se pose la question de la pertinence d'un modèle simple, de la pertinence du prolongement que ce modèle autorise à des phénomènes qui, dès lors, seront jugés compliqués, mais non pas intrinsèquement différents. En ce sens, la question de la pertinence et celle du réductionnisme sont liées. L'opération réductionniste est, par définition, une opération de prolongement. Elle se signale par deux types d'affirmation : tel phénomène *n'est que...* — ce qui signifie que tel modèle simple permet de définir les questions pertinentes à son sujet ; si nous étions des observateurs plus précis, si nous avions plus de connaissances, plus de moyens de calcul, plus de données, nous pourrions... Ces deux affirmations sont parfois pleinement justifiées. Parfois, elles supposent un passage à la limite dont justement la question de la complexité signale le caractère critique.

Il faut souligner ici que la question de la complexité telle que je l'élabore est bel et bien due à l'esprit analytique. Analyse et réductionnisme ont trop souvent été confondus dans la même critique. Or, la démarche analytique est susceptible, on va le voir, de contredire directement le pari du réductionnisme. Loin de mener à l'idée d'un monde plus simple, l'analyse peut mener à la conclusion que nous ne savions pas de quoi un être était capable. Alors que le réductionnisme aboutit, d'une manière ou d'une autre, au « ne... que... », la démarche analytique peut amener à « ceci..., mais dans d'autres circonstances cela... et encore cela... ».

Prenons un premier exemple. On parle, à propos des attracteurs dits « étranges », « chaotiques [3] », ou « fractals », de complexité. Un attracteur est un état ou un régime stationnaire, auquel mène une évolution décrite par un système d'équations bien déterminé. Usuellement, un attracteur est stable : un ensemble de conditions initiales différentes détermine une évolution vers le même attracteur (par exemple un état d'équilibre thermodynamique, l'état d'immobilité du pendule réel, dont on n'a pas abstrait le frottement, ou un « cycle limite ») ; cet attracteur une fois atteint, le système ne s'en éloigne plus spontanément, aux fluctuations près. Or, les « attracteurs étranges » n'ont pas cette propriété de stabilité. Deux conditions initiales voisines peuvent engendrer des évolutions très différentes. La moindre perturbation peut entraîner le système d'un régime vers un autre, très différent. Le système, au lieu de se stabiliser dans un état prévisible et bien déterminé, erre donc entre les possibles, c'est-à-dire adopte, lui qui est régi par des équations déterministes, un comportement de type aléatoire.

La possibilité de représenter un phénomène observable par des équations déterministes qui articulent ses différentes déterminations de manière cohérente est usuellement assimilée à une sorte de *terminus ad quem*. Mais l'identification d'un système à attracteurs étranges par le système d'équations qui le représente ne permet pas de lever l'incertitude quant à son comportement. Inversement, il est possible à partir d'une série apparemment aléatoire d'observables de déceler si cette série pourrait être produite par un système d'équations à attracteurs étranges, ainsi que le nombre minimal de variables qu'articuleraient ces équations, mais non d'identifier les variables et leurs articulations, ni non plus de vérifier une identification hypothétique de ce système [4].

Que l'identification perde ici sa pertinence, puisqu'elle ne permet pas de prévoir les observations, et que les observations ne permettent pas de la construire, mène à s'interroger sur ce que signifie « comprendre » un système de ce genre. Ainsi, nul doute que la compréhension des phénomènes météorologiques « passe » par la loi des gaz, puisque les variations atmosphériques sont liées à des changements de pression et de température. Mais, dans la mesure où la notion d'attracteur étrange est pertinente en ce qui concerne les phénomènes météorologiques, le « passage » devient problématique pour ces phénomènes. Car la régularité du comportement des gaz en milieu expérimental ne garantit plus alors la régularité du comportement qu'ils contribuent à déterminer dans l'atmosphère. La décomposition du phénomène en phénomènes plus simples n'est donc plus, en elle-même, la garantie de questions *pertinentes*. L'identité de l'« objet météorologique » ne découle plus d'autres sciences plus « fondamentales », mais se trouve définie comme *singulière*.

C'est un premier exemple de ce qu'on peut appeler une situation *complexe* : la cartographie des savoirs et des problèmes perd son allure d'« arbre », depuis les (ou la) « lois » relativement simples, mais fondamentales, jusqu'à leurs applications dans des situations de plus en plus compliquées. L'arbre est une représentation hiérarchique : le passage du « tronc » fondamental au plus infime rameau devrait idéalement poser des questions techniques compliquées, mais non des questions fondamentales. En pratique, il évident que la connaissance des « rameaux » participe à la conception du tronc, et en tout cas du chemin qui va du tronc au rameau (ainsi, sans la connaissance préalable des propriétés des corps chimiques classifiés dans le tableau de Mendeleïev, leur « explication » par la mécanique quantique aurait été tout à fait impossible). Néanmoins, l'opération terminée laisse peu de traces ; comprendre, c'est comprendre comment le tronc engendre les rameaux, et c'est désormais ce qui est appris et transmis par les spécialistes.

Les « attracteurs étranges », ici, ne sont donc pas un modèle, mais un point d'interrogation, un signal d'alerte. Ils signalent que la difficulté d'une opération de passage peut ne pas être due à un manque de connaissance, à une formulation incomplète du problème ou à une trop grande complication du phénomène, mais à des raisons intrinsèques qu'aucun progrès prévisible ne peut lever. Ils signalent que, dans certains cas, des ordinateurs plus puissants, des mesures plus nombreuses et plus précises pourraient être inutiles. Corrélativement, ils imposent de penser la carte des problèmes comme bilan d'explorations locales, de découvertes de possibilités de passage qui ne prouvent rien au-delà d'elles-mêmes, qui n'autorisent ni généralisation ni méthode.

Donnons un second exemple, qui, cette fois, concerne la définition même d'un système selon son régime d'activité.

Les systèmes physico-chimiques impliquent des milliards de milliards de molécules en interaction. Un état macroscopique défini par une pression ou une température stable résulte en fait d'un nombre gigantesque d'événements moléculaires qui se compensent en moyenne, aux fluctuations près. Les relations entre pression, température, composition chimique, etc., représentent non seulement ce que nous pouvons savoir du système, mais aussi tout ce qui, à l'équilibre, est pertinent à son sujet : elles permettent de prévoir comment un état se transformera si l'on modifie la valeur d'un de ces paramètres. Or, ce jugement qui distribue ce qui est pertinent et ce qui est insignifiant ne peut être prolongé sans précautions : il dépend de la stabilité ou de l'instabilité de l'état macroscopique par rapport aux fluctuations.

Loin de l'équilibre, les fluctuations peuvent cesser d'être bruit pour devenir acteurs, et jouer un rôle dans le changement de régime macroscopique d'un système. Mais, en outre, les systèmes physico-chimiques loin de l'équilibre que Prigogine a baptisés « structures dissipatives » présentent une autre propriété nouvelle. Non seulement le « bruit moléculaire », les fluctuations, peuvent « prendre sens », mais également certains détails des « variables de contrôle » qui traduisent la définition expérimentale du système étudié (pression, volume, température, flux de réactifs...). Ainsi, alors que la gravitation n'a aucun effet observable sur les systèmes chimiques à l'équilibre ou proche de l'équilibre, l'effet de celle-ci peut être amplifié et avoir des conséquences macroscopiques loin de l'équilibre. Le système est devenu *sensible* à la gravitation. De même, on a pu montrer qu'une structure dissipative nourrie de flux chimiques qui ne sont pas parfaitement constants dans le temps mais légèrement irréguliers a accès à de nouveaux types de structuration. En d'autres termes, c'est *à partir du régime collectif d'activité et non* a priori *et une fois pour toutes* que se décident ce qui est bruit insignifiant et ce qui doit être pris en compte. Nous ne savons pas *a priori* de quoi une population chimique est capable et nous ne pouvons pas non plus *a priori* faire la différence entre ce que nous devons prendre en compte et ce que nous pouvons négliger [5]. Remarquons-le, c'est aussi la leçon de la théorie mathématique des catastrophes : c'est seulement si l'on connaît *toutes* les catastrophes dont un système est susceptible que l'on peut définir l'être mathématique qui le représente. Nous pouvons, en nous fiant aux ressemblances, en oubliant le risque pour la méthode, nous tromper complètement dans la définition même du système auquel nous avons affaire.

Compliqué et complexe

Reprenons la mise en contraste entre complexité et complication. Les références aux dieux et aux démons qui peuplent les écrits sur la physique signalent un jugement en termes de *complication*. Le démon de Laplace permet de *juger* les phénomènes qui requièrent apparemment un traitement probabiliste. Si nous étions ce démon, nous pourrions comprendre un phénomène compliqué et apparemment aléatoire en termes de lois déterministes, comme nous-mêmes sommes capables de le faire dans le cas du système solaire. De la même manière, le démon de Maxwell permet de juger les phénomènes irréversibles. Si nous étions capables de manipuler les molécules individuelles, nous pourrions « dépasser » l'irréversibilité, imposer une évolution qui éloigne un système de son attracteur final et recrée les différences « irréversiblement » nivelées. Probabilité et irréversibilité renvoient dès lors au réel *compliqué* auquel nous avons affaire, aux approximations auxquelles nous sommes contraints mais que nous pouvons identifier par référence aux capacités de notre *alter ego* démoniaque. Ainsi dira-t-on que l'irréversibilité n'appartient pas à la vérité « objective » d'un phénomène, mais est seulement relative à nous. Définie en ce sens, la référence à la « complication » implique le dualisme plus ou moins implicite qui mène à rejeter ce qui ne se laisse pas réduire au canon du modèle « simple » dans le domaine du « non-scientifique » ou du « seulement subjectif ».

Le thème de la complexité surgit lorsque le rapport de similarité que représente l'opération de prolongement entre nous et cet *alter ego* se met à poser problème. C'est le cas des « attracteurs étranges », de par leur sensibilité aux conditions initiales : la moindre perturbation y a des conséquences démesurées. Certes, un démon qui saurait et contrôlerait avec une précision positivement infinie un système caractérisé par un tel attracteur pourrait le traiter comme un autre système. Pour lui, le système serait déterministe comme les équations qui le décrivent. Cependant, cette référence est-elle encore pertinente ? Dans ce cas, en, effet, nous sommes séparés du démon non par un manque quantitatif (nous observons et manipulons *moins bien*), mais par une différence qualitative : tant que nos observations et manipulations n'auront pas une précision *strictement* infinie, nous aurons affaire à un système au comportement non déterministe.

La situation est similaire pour les systèmes instables étudiés aujourd'hui par la mécanique. La trajectoire déterministe et réversible que nous pouvons calculer pour les systèmes *simples* (deux corps en interaction) désigne, pour les systèmes instables, un mode de connaissance qui n'aurait de sens que pour Celui qui connaîtrait les positions et les vitesses des entités en interaction avec une précision infinie (un nombre infini de décimales) [6]. Est-il pertinent de prolonger à propos des systèmes dynamiques instables l'idéal de connaissance que représente la trajectoire déterministe réversible ? De juger le traitement probabiliste que nous *devons* appliquer aux systèmes dynamiques instables comme simple approximation, c'est-à-dire de le juger au nom d'une position de savoir que, pour des raisons intrinsèques et non contingentes, nous n'aurons jamais ?

Dans *le Cristal et la Fumée* [7], Henri Atlan lie lui aussi complexité et manque d'information. Pour lui, un système compliqué est un système dont on comprend la structure et les principes de fonctionnement : rien n'empêche en principe qu'avec du temps et de l'argent on finisse par en avoir une connaissance intégrale. Par contre, le système complexe serait celui dont on a une perception globale, en termes de laquelle on peut le nommer et le qualifier, tout en sachant qu'on ne le comprend pas dans ses détails. Ainsi, dans la mesure où un individu vivant est perçu d'emblée comme organisé, nous devons parler à son sujet de complexité, et corrélativement, de *manque d'information*, alors que face au « tas de molécules provenant du cadavre en décomposition » nous ne percevrons aucune complexité à moins que, « pour quelque raison, nous voulions reproduire ce tas désordonné ».

Toute la question est ici de savoir si la perception globale dont parle Atlan, et qui introduit la situation réelle de l'observateur, est ou non prise comme arbitraire, *si l'idée de nous intéresser à un corps vivant,* plutôt qu'à un tas de molécules, procède ou non d'une décision unilatérale, qui ne trouve aucun corrélat dans la notion de complexité. Si nous nous intéressions au cadavre, retrouverions-nous la même tension entre ce qui nous intéresse et ce que nous ignorons ? La notion de complexité est-elle seulement une notion négative, au sens où elle ne nous apprend rien, où elle suppose un intérêt humain *imposé* à un réel qui n'a rien à voir dans cette affaire.

Le manque d'information par lequel Atlan entend définir la complexité n'échappe donc à une lecture purement subjectiviste que s'il se réfère à notre situation *relationnelle* : les informations que nous possédons à propos des interactions physico-chimiques et qui, par prolongement, permettent de définir le « tas désordonné » comme « seulement compliqué » n'ont de sens qu'en *relation* avec les questions que nous adressons aux systèmes conçus comme relevant d'un mode d'intelligibilité purement physico-chimique. Il n'y a « manque » dans le cas du vivant que parce que là ces informations, et donc ce mode de relation, ont, au moins partiellement, perdu leur pertinence : ils ne nous permettent pas de donner sens aux questions qui explicitent notre perception globale du « corps vivant ».

Reprenons la question des systèmes dynamiques instables et de la description probabiliste à laquelle ils nous contraignent, nous qui ne sommes pas le démon de Laplace. Cette description probabiliste permet de donner sens à un comportement irréversible, qui, lui, est observable, c'est-à-dire correspond à des questions expérimentalement pertinentes. Que la notion de complexité ait un sens positif suppose que ces nouvelles questions sont, désormais, les « bonnes » questions. En conséquence, le modèle simple, qui autorisait un jugement général en termes de comportement déterministe réversible, perdrait ici son statut de modèle général, représentatif des systèmes dynamiques en général (et renvoyant à Celui pour qui ils se ressemblent tous) pour devenir un modèle singulier, convenant seulement aux systèmes stables pour qui la différence entre une information finie et une information strictement infinie est sans conséquence qualitative [8]. De même, l'existence des attracteurs étranges fait apparaître rétrospectivement la classe des attracteurs normaux et des jugements qu'ils autorisent comme singuliers. De même encore, la possibilité d'identifier une fois pour toutes, ce que sont les variables de contrôle pertinentes pour un système physico-chimique traduit rétrospectivement la singularité des situations d'équilibre et proches [1] de l'équilibre.

En ce sens, la notion de complexité est proche de celle d'*émergence*. Dangereusement proche d'ailleurs si, comme c'est souvent le cas, on entend « émergence » comme surgissement d'une totalité inanalysable, d'une entité nouvelle qui rend impertinente l'intelligibilité de ce à partir de quoi elle s'est produite. Les catégories « objectives » liées au modèle simple ne font-elles pas, dans les deux cas, place à des questions *qualitativement nouvelles,* à des catégories d'intelligibilité qui supposent des propriétés intrinsèques sans contrepartie dans le modèle simple ? Nous sommes tout proches de la notion d'émergence, mais également au plus loin. En effet, dans les deux cas, on « part » d'une situation simple, et l'on décrit une transformation qualitative qui correspond au caractère désormais problématique de l'opération de prolongement. Mais la notion d'émergence suppose une genèse *physique* du nouveau, alors que la notion de complexité correspondrait à une genèse *conceptuelle* : nous sommes conceptuellement enracinés dans une tradition qui nous a donné accès à un modèle simple, et qui a défini des instruments qui conviennent à ces systèmes. Les questions qualitatives nouvelles qui deviennent éventuellement possibles n'émergent pas par complexification, elles traduisent le caractère trop pauvre des instruments conceptuels qui convenaient aux cas singulièrement simples mais ne peuvent plus être prolongés avec pertinence.

Une notion comme celle d'émergence, ou de complexité, n'est rien indépendamment de l'intention de ceux qui l'utilisent. La notion d'émergence a trop souvent été porteuse d'interdits : que le tout ne soit pas équivalent à la somme de ses parties implique par exemple que l'étude des parties ne peut rien nous apprendre sur le tout et que, corrélativement, les spécialistes de ce tout ont le droit et la liberté d'ignorer toute méthode et toute approche de leur objet qui ne respecteraient pas son caractère de totalité autosignifiante. La notion de complexité est, quant à elle, porteuse de *problème* — nous ne savons pas *a priori* ce que signifie « *somme* des parties » — et ce problème implique que nous ne pouvons pas traiter, sous le prétexte qu'elles ont les mêmes « parties », toutes les « sommes » selon le même modèle général.

La complexité du vivant

J'ai insisté jusqu'ici sur la « découverte de la complexité », et donc sur le cas où c'est la démarche scientifique qui a joué un rôle moteur : c'est le scientifique qui pose les questions, et la complexité surgit lorsqu'il a à accepter que les catégories d'intelligibilité qui guidaient son exploration sont mises en question, lorsque la manière dont il pose ses questions devient en elle-même problématique. Mais la question de la complexité mène également à cette catégorie singulière d'objets qu'il faut dire *historiques,* qu'il s'agisse des vivants ou de leurs sociétés. Dans ce cas, le problème soulevé par la démarche scientifique usuelle, qui va du simple au compliqué, est bien connu : on peut éclairer rétrospectivement l'histoire d'une ville par des facteurs généraux, mais non déduire cette histoire de ces facteurs. Dans ce cas, les « objets complexes », structures dissipatives, objets catastrophiques, attracteurs étranges, ont soulevé l'espoir de « meilleures modélisations ». Mais le succès local éventuel de tels modèles signifierait seulement l'identification d'aspects *simples* de ces objets historiques. Ici encore, la complexité n'est pas une théorie, un modèle général exportable. La leçon « complexe » des structures dissipatives n'est pas l'apparition de comportements collectifs cohérents, mais ce facteur gravitationnel qui, selon les circonstances, est insignifiant ou peut « tout changer ».

A propos des objets historiques, on ne peut parler de « découverte de la complexité ». La question est celle de la respectabilité des problèmes suscités par cette complexité. Alors même que la notion de complexité est quasiment constitutive de l'« objet vivant », comment le problème de la complexité est-il intégré à la démarche du biologiste ?

Il n'est pas question de nier que certaines questions expérimentales à propos du vivant ne soient pas « simples » — c'est le cas, par exemple, lorsqu'il s'agit de mettre au jour une relation physiologique dont la logique joue un rôle essentiel dans la stabilité d'un comportement vivant. En ce cas, significativement, la question expérimentale traduit une finalité intrinsèque de la relation en question. Étant donné la fonction du muscle, comment cette fonction se réalise-t-elle ? Étant donné la fonction de transmission du neurone, comment et dans quelles circonstances transmet-il ? Etc. La question de l'expérimentateur est ici stabilisée par le *rôle* même qu'il attribue à son objet dans l'organisme. Le biologiste, dès lors qu'il a compris quel problème résout tel fonctionnement, peut se demander *comment* le problème est effectivement résolu. Mais, même lorsque ces questions « simples » sont traitées, elles renvoient à un autre type de problème : la question posée par le vivant n'est pas seulement la question de savoir *comment* il réalise les différentes fonctions nécessaires à la survie de l'organisme, mais aussi la question de savoir comment comprendre, tant au niveau phylogénétique qu'au niveau ontogénétique, la production de ces fonctions, la production de *sens* auquel l'expérimentateur souscrit lorsqu'il pose la question du comment.

A ce double niveau, phylogénétique et ontogénétique, nous rencontrons un modèle dominant, fondé sur le couple « simplicité/complication ». Tant l'histoire de la vie (mutations, sélection des mieux « adaptés ») que le développement de l'individu vivant auraient des principes *simples,* et constitueraient des histoires effroyablement compliquées. C'est ce qu'implique ce mot de Jacques Monod : ce qui est vrai pour la bactérie est vrai pour l'éléphant, et son corrélat implicite, dont *le Hasard et la Nécessité*[9] donne la justification théorique : la bactérie est le modèle simple à partir duquel peut prendre sens l'ensemble des instruments qui nous permettra de comprendre l'éléphant (ou l'homme).

Le problème, à nouveau, est de représentativité. L'objet « bactérie » est-il un cas limite singulier, ou bien est-il représentatif des vivants ? Et, en particulier, le fait que la bactérie ne se développe pas (avec une double conséquence qui la constitue en objet expérimental privilégié : son étude *in vitro* ne pose pas de problème, puisque la seule question est de savoir si le milieu contient ou non les produits nutritifs nécessaires à sa multiplication ; les rapports entre les instructions génétiques et la performance métabolique y sont ouverts à l'exploration généticobiochimique directe) fait-il ou non obstacle à sa définition de voie royale d'intelligibilité pour les organismes qui, eux, connaissent un développement embryonnaire ?

Le Hasard et la Nécessité est un grand livre en ce qu'il lie de manière explicite la thèse de la biologie moléculaire à propos du vivant à ce problème de représentativité. Tant la conception de l'ontogenèse que celle de la phylogenèse s'y fondent en effet sur une affirmation cruciale : *comme la bactérie,* tout être vivant peut être assimilé à un processus, certes abominablement compliqué, mais transparent dans son principe, de *révélation* du programme génétique. Dès lors, l'explication en biologie se scinde en deux démarches essentiellement autonomes : la description, compliquée, des processus physico-chimiques qui actualisent le contenu informatif du génome et permettent la construction et le fonctionnement du vivant ; la référence à l'histoire compliquée au cours de laquelle la sélection naturelle a créé et modelé ce contenu.

Cette distribution de l'explication a la particularité de concentrer la singularité du vivant sur une instance unique : la sélection naturelle. Elle est la seule responsable du fait que les processus biochimiques aboutissent à la constitution d'un être organisé qui, apparemment, est régi par une finalité : survivre et se reproduire. Et, réciproquement, la téléonomie, l'apparente finalité du vivant, n'est certes qu'une apparence, mais elle traduit, au niveau de l'individu vivant, la seule « raison d'être » de ce que la biochimie, la physiologie ou l'embryologie décrivent : le vivant serait, dans cette hypothèse, intégralement façonné par la contrainte sélective à partir du matériel arbitraire produit par les mutations des génomes. En ce sens, la « téléonomie », le fait que le vivant *apparaisse* comme « fait pour se reproduire », se trouve dans la même position dominante du point de vue de l'explication que les causes finales invoquées par la biologie aristotélicienne : la sélection donne au vivant son seul sens concevable.

Mais, si la bactérie n'est pas le modèle représentatif, la sélection naturelle perd ce statut de « cause » en dernière instance. La sélection joue sur des organismes, et elle se traduit par un changement de la composition génétique de la population. Si le rapport entre information génétique et organisme n'est pas la « révélation » dont la bactérie donne le modèle opérationnel, la question se pose de savoir « comment » la sélection peut faire évoluer des structures génétiquement contraintes mais non pas génétiquement déterminées.

C'est ce qu'avait bien vu Waddington lorsqu'il avait introduit la notion de « canalisation [10] ». Waddington part de l'idée que, en règle générale, le développement du vivant ne doit pas être conçu comme une révélation, mais comme une construction qui intègre les contraintes génétiques et les interactions avec le milieu. La pression sélective peut, par une accumulation de contraintes génétiques, canaliser progressivement le chemin de développement de certains traits. Le développement, *en ce qui concerne ces chemins,* aura désormais l'allure effective d'une « révélation » des conséquences « normales » de l'« information génétique ».

Ici encore, la mise en question du modèle simple implique un certain renversement de perspective. Usuellement, on assimile le vivant stéréotypé, informationnellement clos, à une sorte de notion fondamentale du vivant. Il faudrait alors que, devenant plus complexes, certaines formes vivantes acquièrent vaille que vaille certaines possibilités, apparentes ou effectives, d'apprentissage et de comportement ouvert. Dans la perspective de Waddington, le spectre devient horizontal et non plus hiérarchique. Les vivants, telle la bactérie, que l'on peut considérer en première approximation comme clos sur eux-mêmes du point de vue informationnel en forment un extrême, et, sur terre, les hommes l'autre. Certes, le spectre ne peut être actualisé que progressivement au cours de l'histoire évolutive, mais le problème dont il constitue un ensemble de solutions est posé en même temps que le problème de la vie. La stéréotypie doit être expliquée au même titre que l'ouverture.

La pression sélective stabilisant le développement de certains caractères, accumulant les contraintes qui en favorisent l'actualisation, soumet un tel développement à une norme stéréotypée, et engendre donc une *temporalité de type répétitif* : le vivant répète l'« espèce ». Le risque est pris, dans cette invention sélective de chemins de développement prévisibles et reproductibles, de priver le processus ontogénétique de sa sensibilité aux circonstances et donc de la possibilité d'une réponse innovante et éventuellement intéressante à une modification du milieu. Il faut donc concevoir que le degré de canalisation ou au contraire d'ouverture aux circonstances et aux variations du milieu constitue, pour chaque trait phénotypique, un *pari* à propos des circonstances écologiques qui marqueront l'avenir de la population.

Ce pari, stéréotypie ou ouverture, implique en lui-même la prise en considération de ce qu'est un individu au sein d'une population, c'est-à-dire de ce que les écologistes appellent la stratégie d'une population. On peut par exemple considérer que certaines espèces parasites ont fait le pari de la stéréotypie : un parasite vit son cycle de vie

347

une fois pour toutes, et, ce faisant, il répète, s'il réussit à se reproduire, un comportement *spécifique*. Il n'y a pas beaucoup de sens à penser qu'un parasite apprenne ou s'adapte. Et on peut dire que, du point de vue de la stratégie de sa population, l'individu est à la fois « tout » et « rien » : la notion du parasite comme individu est coextensive à celle du parasite comme espèce ; à chaque génération, une infime proportion des parasites survivra, mais leur taux de reproduction est suffisant pour assurer la survie, voire la prolifération de la population. La sélection, ici féroce, apparaît comme libre de peaufiner l'automate reproductif que constitue chaque individu. Par contre, un oiseau, un chimpanzé ou un homme *apprennent*. Le comportement de l'individu ne répète pas l'espèce puisque chacun constitue une construction singulière qui intègre les contraintes génétiques et les circonstances d'une vie. Et, corrélativement, la pression sélective ne porte pas sur l'individu, mais sur l'individu *dans son groupe*. Cela au sens fort : il ne s'agit pas de savoir comment un individu va « tirer parti » de son groupe (thèse de la sociobiologie). Le groupe est devenu la condition de possibilité de l'individu, dont le développement implique protection, apprentissage, relations [11]. L'individu apparaît dès lors comme une gerbe de temporalités articulées, il ne peut être compris seulement en fonction de la « mémoire de l'espèce », que traduisent ses contraintes génétiques, mais aussi comme mémoire de ses propres expériences, voire, à la limite, pour les hommes, mémoire indéfiniment multiple de tous les passés dont nous sommes héritiers, auxquels nous sommes sensibles. Les contraintes génétiques, comme la notion d'espèce, prennent ici un sens tout abstrait par rapport à la notion de l'individu concret.

Le risque de la complexité

Nous retrouvons ici le problème de la pertinence du point de vue. Les limites éventuelles de la pertinence de la description en termes de déterminations génétiques, ou, plus généralement, selon les méthodes d'isolation qui sont celles du laboratoire, ne sont pas d'abord liées à des choix idéologiques, ou humanistes, ni au problème de la complication de l'objet vivant. Elles s'imposent irréductiblement en ce qu'elles renvoient à la temporalité propre de ce qui est étudié. Le privilège de la bactérie, la possibilité de l'isoler et de l'étudier *in vitro,* traduit le rôle singulier, déterminant, que jouent dans son cas les contraintes génétiques. Dans d'autres cas, l'isolation est un jeu dangereux, et celui qui croit purifier son objet intervient en fait activement dans la signification de ce qu'il observe. De manière générale, on peut dire que les précautions quasi paranoïaques qui assurent, en psychologie expérimentale par exemple, le caractère reproductible des expérimentations traduisent en creux ce que, par souci méthodologique de purification, ces observations entendent négliger : le fait, justement, que les comportements des êtres étudiés ne sont pas purifiables de leur contexte. Le fait, en dernière analyse, que, dès lors que l'expérimentation s'adresse non à un état de fait mais à un *être produit par l'histoire et capable d'histoire,* elle s'adresse à quelque chose qui n'est certes pas un sujet au sens humain du terme, mais qui n'est plus non plus un pur objet. Il n'appartient à aucune « méthodologie » de pouvoir décider, au nom des « contraintes de la scientificité », de nier, par la manière même dont elle définit son interrogation, le fait que, à des degrés divers, le sens de son interrogation peut aussi poser problème à ce qui est interrogé.

La complexité intrinsèque des vivants — le fait qu'ils sont le produit d'histoires multiples par rapport auxquelles prennent sens toutes contraintes, génétiques, expérimentales ou autres — impose, non une limite dramatique à toute possibilité d'expérimentation, mais la nécessité d'une expérimentation intelligente, qui prenne la responsabilité risquée de questions pertinentes. Chaque question est un pari à propos de ce à quoi l'objet interrogé est sensible et aucune méthode n'est neutre par rapport à ce problème. Le problème de la pertinence n'ouvre pas à l'irrationalisme, mais au risque toujours présent de « faire taire » cela même que l'on interroge.

Parler de « découverte de la complexité » à cet égard peut sembler paradoxal. Le problème que je viens de décrire n'est pas neuf. Il a été souligné par des penseurs du XVIIIe siècle, tels Diderot ou Lichtenberg. S'il y a ici « événement », cet événement renvoie non à une histoire générale des connaissances, mais à l'histoire concrète des sciences, à la notion de discipline scientifique telle que l'ont inventée les institutions académiques du XIXe siècle.

J'ai parlé du risque lié à la double séparation, conceptuelle et technique, qui permet l'expérimentation. Mais le XIXᵉ siècle a inventé et mis en place une troisième séparation, qui donne ses traits à la science d'aujourd'hui : la séparation sociale entre ceux qui « savent reconnaître les faits » et ceux qui, incompétents, sont dans l'opinion. A la discipline, prise, non dans le simple sens de recherche spécialisée, mais au sens où cette spécialisation traduit une position d'autorité quant à la définition du « fait scientifique », correspond le couple « simple/compliqué », la notion d'une démarche qui autogarantit sa scientificité et définit les savoirs auxquels ses modèles ne semblent pouvoir donner sens comme terrains en friche, en attente du prolongement qui assoira ce sens.

Je renverrai ici au beau livre de Judith Schlanger, *Penser la bouche pleine* [12], qui pose le problème de la fascination qu'exerce, sur celui qui découpe et met en scène, l'évidence de sa propre découpe. Elle remarque que cette fascination n'est pas totale. L'égyptologue découpe son objet, l'Égypte « égyptologisable », mais, jusque dans le langage qu'il emploie, coexistent, *nourrissant son intérêt pour cette Égypte,* beaucoup d'autres Égyptes, dont il sait qu'elles ont aussi fasciné : celle des Grecs, celle des mythes, celle des romans et des films. Et, dit-elle, c'est cette « mémoire culturelle », ce savoir que, à propos de notre objet, d'autres évidences ont existé et existent encore, qui *réintroduit le monde entre nous et nous,* nous empêche d'adhérer pleinement à une évidence théorique. C'est cette mémoire culturelle, véhiculée par les mots ou par la coexistence effective des savoirs, qui maintient le souvenir du risque, donne un sens et une mesure à la pertinence, et favorise le cas échéant l'innovation théorique. Or, la notion de discipline au sens que lui ont donné les institutions modernes de recherche coïncide avec l'invention d'une forme d'éducation du scientifique qui rend cette « mémoire culturelle » aussi vide et triviale que possible : c'est ce que montre Thomas Kuhn lorsqu'il décrit comment les paradigmes disciplinaires sont inculqués aux apprentis spécialistes [13].

Bien évidemment, si le couple « simple/compliqué » a pu être stabilisé par les institutions modernes de recherche, la complexité n'est pas en elle-même synonyme de retrouvailles avec une pratique ouverte de la science. Aucune « découverte de la complexité » n'est en tant que telle susceptible de remettre en question la clôture académique, et le monologue expérimental qu'elle stabilise. La réponse à la question de la complexité n'est pas d'ordre théorique, mais pratique : elle passe par ce que J.-M. Lévy-Leblond a appelé « mise en culture de la science ». Garder l'intrépidité qui fait la beauté et l'intérêt de la question expérimentale, en dépassant l'inconscience revendiquée si souvent aujourd'hui comme condition de cette intrépidité. Prendre, accepter, et être capable de mesurer, le risque.

NOTES

1. Paris, Éd. du Seuil, 1981.
2. J.-M. Lévy-Leblond, *L'Esprit de sel*, Paris, Fayard, 1981.
3. A. Berge, Y. Pomeau et C. Vidal, *L'Ordre dans le chaos,* Paris, Hermann, 1984.
4. P. Grassberger et I. Procaccia, *Physica*, 9 D, 1983, p. 189-208.
5. Voir à ce sujet I. Prigogine et I. Stengers, *La Nouvelle Alliance*, Paris, Gallimard, 1979 ; coll. « Folio Essais », 1986.
6. Voir. I. Ekeland, *Le Calcul. L'Imprévu*, Paris, Éd. du Seuil, 1984.
7. H. Atlan, *Entre le cristal et la fumée*, Paris, Éd. du Seuil, 1979.
8. C'est la position défendue dans *La Nouvelle Alliance, op. cit.*
9. Paris, Éd. du Seuil, 1970.
10. C. Waddington, *The Strategy of the Genes*, Londres, Allen & Unwin, 1957.
11. Voir notamment S. J. Gould, *Ontogeny and Phylogeny*, Cambridge, Mass., The Belknap Press of Harvard University Press, 1977.
12. J. Schlanger, *Penser la bouche pleine*, Paris, Fayard, 2ᵉ éd. revue, 1983.
13. T. S. Kuhn, *The Structure of Scientific Revolutions*, The University of Chicago Press, 2ᵉ éd., 1970 ; trad. fr., *La Structure des révolutions scientifiques*, Paris, Flammarion, 1973.

Transfert

Passage à la limite

Françoise Davoine, Jean-Max Gaudillière.

Ce livre a tenté de dresser une carte épidémiologique des concepts qui se propagent au mépris des cloisonnements convenus entre les diverses disciplines. Le voilà qui se boucle sur une présentation de la question posée au transfert, et à son maniement, dans l'abord psychanalytique de la folie. Quelle boucle trouve donc là un point privilégié, repérable jusque dans les dialogues qui ont pu se nouer, à l'occasion de la réalisation du livre, entre représentants de techniques et de théories aussi hétérogènes que les plus dures des sciences dures et les plus suspectes des sciences conjecturales, comme les qualifiait Jacques Lacan ?

Au début était l'écriture ; à notre point de rencontre, c'est le même enjeu qui interroge.

Dans la hiérarchie d'exactitude, les mathématiques se présentent comme un langage où l'écriture paraît pouvoir jouer seule, sans que le dehors puisse la contaminer d'approximations et de scories résistantes. L'idéal de transparence parfaite tend à passer radiologiquement au travers du sujet, sujet de la science en tant que ni son corps ni son âme ne viennent interférer avec la pure dynamique des symboles.

Ce langage paraît pouvoir devenir l'outil des sciences exactes d'observation de l'inerte, garantie que le sujet va pouvoir se réduire au seul enregistrement des faits sur ses organes de réception sensorielle, éventuellement prolongés par des appareils adéquats.

Les incertitudes commencent à poser problème dès que l'on passe au champ de l'observation du vivant : sciences qui se veulent exactes encore en tentant de réduire le vivant observable et interprétable à une complexité d'inertes décomposables, tandis que les sciences dites humaines sautent définitivement le pas, où la présence du sujet devient si opaque que l'observable est indissociable des protocoles d'observation mis en place par le chercheur, et des interrogations, notamment idéologiques, qu'on peut toujours lui opposer.

La psychanalyse comme doctrine décroche le pompon dans cette entreprise singulière qui se donne comme champ l'intersubjectif en tant que tel, et qui, nonobstant les consignes de « neutralité bienveillante » données pour viatique à l'apprenti analyste, travaille dans et sur le transfert : hors de cette dimension spécifique, on reste dans le domaine d'une psychologie générale, fût-elle des profondeurs, où la césure freudienne est ravalée dans une expérience comportementale qui lui est étrangère.

On s'accorde cependant, à l'intérieur de l'espace que la médecine notamment a peu à peu concédé à la pratique de la psychanalyse, pour y reconnaître l'exercice de techniques spécifiques, à même de débusquer, de rendre lisibles des inscriptions correspondant à un savoir déjà là, même s'il est rendu temporairement inaccessible par le refoulement, et les déplacements du symptôme.

Lorsque alors il est question de folie, aux limites de l'espace transférentiel, la question ne peut plus se poser dans les mêmes termes. En effet, il serait vain d'interroger le grimoire pour déchiffrer l'inscription, puisque précisément, d'inscription, il n'y en a pas à cet endroit-là. Le réel se donne des allures de chaos, tandis que la fonction humaine — dirions-nous : sociale ? — de ce réel produit l'enjeu suivant : est-il, oui ou non, possible de représenter, puis d'écrire, ce qui se présente comme récurrences de catastrophes, imprévisibles, non programmables ? Le défi est porté tout autant à l'objectivité qui sait décrire les symptômes psychiatriques qu'à l'intersubjectivité maniée dans le transfert.

Des convergences, de vocabulaire au moins, sont apparues entre les mots qui nous servent pour décrire les moments d'une telle expérience et ceux que des physiciens, par exemple, se trouvent amenés à produire lorsque leur objet aborde des zones chaotiques, justement.

Au commencement était l'écriture. L'outil permet un temps l'engrammation des inscriptions et leur déchiffrage. Mais un moment vient où le commencement lui-même demande à pouvoir s'écrire.

On s'étonnera peut-être de trouver, au côté de concepts estampillés par les sciences exactes, un mot qui fait référence à la psychanalyse. « Le transfert est classiquement reconnu comme le terrain où se joue la problématique d'une cure psychanalytique, son installation, ses modalités, son interprétation et la résolution caractérisant celle-ci. » J. Laplanche et J.-B. Pontalis ajoutent immédiatement, dans leur *Vocabulaire de la psychanalyse* [1], que ce terme français n'appartient pas en propre au vocabulaire psychanalytique, mais, par exemple, à celui de la psychologie expérimentale, où l'on parle de transfert d'apprentissage. Dans son acception plus générale, évoquant le transport, le déplacement, on pourrait l'évoquer à propos des voyages de concepts dont il est question dans ce livre.

Que ces voyages fassent ici sauter le pas, ou le gouffre, qui selon Popper [2] sépare la connaissance objective de la pseudo-science qu'est d'après lui la psychanalyse, a en effet de quoi susciter l'étonnement. La problématique d'une cure psychanalytique et son interprétation sont avant tout celles d'un sujet du désir inconscient, produit dans et par le transfert, sujet à qui Popper refusait justement tout accès à son « troisième monde » des contenus de pensée objectifs : « le monde des pensées scientifiques, poétiques, et des œuvres d'art ». Mais là ne se bornent pas les raisons de cet ostracisme par lequel il envoie les analystes se balader du côté des primitifs, des mages et autres irrationalistes.

« Les théories psychanalytiques sont purement et simplement impossibles à tester comme à réfuter. Il n'existe aucun comportement humain qui puisse les contredire. » Elles n'ont donc aucune chance de passer la ligne de démarcation que Popper assigne aux véritables sciences : celle de leur possible réfutabilité. La capacité sans limite que l'on prête au discours analytique d'avoir réponse à tout et à n'importe quoi le prive à tout jamais de se voir reconnu par la communauté scientifique. Comme si c'était le privilège des enfants, des névrosés, des fous, des primitifs, qu'on puisse leur faire dire n'importe quoi. Comme si les uns et les autres étaient exclus de la critique, et ne s'ingéniaient jamais à faire échouer les théories éducatives, thérapeutiques, voire politiques, lorsque celles-ci manquent de pertinence au regard de ce qu'ils ont à dire. On aimerait suggérer à Popper de s'asseoir quelque temps dans le fauteuil de l'analyste, pour faire l'épreuve qu'il recherche entre toutes, de la résistance à ses théories. Autrement dit, de se soumettre à l'épreuve du transfert.

Il faut cependant souligner l'ambiguïté de l'anecdote qu'il raconte à partir d'une conversation avec Adler : « Je lui rapportai, en 1919, un cas qui ne me semblait pas particulièrement adlérien, mais il n'eut aucune difficulté à l'analyser à l'aide de sa théorie des sentiments d'infériorité, sans même avoir vu l'enfant. Quelque peu choqué, je lui demandai comment il pouvait être aussi affirmatif. » L'ambiguïté réside dans ce dont se prive Adler, à raisonner ainsi « sans avoir vu l'enfant ». Car l'instrument qui fait ici défaut, sans égards pour les idéaux de Popper, n'est pas une observation de type expérimental, mais bien les actions de parole que permet le transfert, et dont l'analyse des enfants nous a appris qu'elles ne sauraient se passer de la dimension du jeu.

Du concept de transfert, nous ne tenterons pas ici de faire le tour. Situé au cœur de la pratique, il suscite à juste titre les commentaires les plus divers chez les analystes, offrant ainsi un reflet assez fidèle du style et de la théorie de chacun. Nous retiendrons ici deux aspects de sa manifestation à l'origine même de la psychanalyse. Il constitue en effet un centre organisateur à la fois de la dynamique de la cure et de sa description théorique.

Expérience de la relation thérapeutique tout d'abord, il se manifeste spontanément dans l'étrangeté qu'il y a pour l'analyste à s'apercevoir qu'on le prend pour un autre. C'est l'histoire de Breuer prenant la fuite devant la passion de sa patiente Anna O., et la trouvaille de Freud d'avoir fait de cette passion, pétrie d'amour, de haine, mais aussi d'indifférence, l'outil de l'accès à un savoir insu du patient, et néanmoins présent dans la répétition de ses symptômes.

D'autre part, le transfert est aussi ce qui permet l'organisation de la production théorique. C'est l'histoire des discussions et de la correspondance entre Fliess et Freud [3], et de l'appui que ce dernier prit sur les théories délirantes de son ami pour élaborer son *Esquisse d'une psychologie scientifique* [4], où il propose sa première version de l'appareil psychique.

Le champ du concept apparaît donc complexe, puisqu'il garde la même désignation pour des effets qui semblent caractériser une problématique du sujet, mais aussi la dynamique d'une scène qui permet à une théorie de se formuler : nous avons ici à suivre ces deux directions inséparables dans l'histoire de la psychanalyse, poursuivie dans chaque expérience nouvelle, et à rendre compte de cette jonction paradoxale.

Mais ces effets du transfert sur les patients et les disciples de Freud sont sans doute ce qui suscite le prodigieux agacement dont témoignèrent certains contemporains. Nous avons cité Popper. D'autres Viennois, comme Kraus [5] ou Wittgenstein [6], ne manquèrent pas de persifler les accents de tant de prosélytes zélés : « Il se passera de longues années, disait ce dernier, avant que nous perdions notre servilité à l'égard de la psychanalyse. Pour apprendre quelque chose de Freud, il faut que vous ayez une attitude critique, et, en général, la psychanalyse vous en détourne. » Nous allons souligner deux de ces critiques, portant précisément sur le maniement du transfert, en tant qu'elles bouleversent les limites de son champ d'application, à partir de certaines impasses de la pratique.

La première impasse, repérée dans ce qu'il est convenu d'appeler l'analyse des névroses, est celle d'une conception mécaniste du transfert, doublée d'une conception explicative de l'interprétation. Une sortie possible est indiquée par des auteurs comme Wittgenstein et Lacan [7].

La seconde impasse est celle qu'oppose à l'analyse dite classique le champ des psychoses, réputées justement inaccessibles au transfert : nous choisirons d'explorer des chemins frayés par des auteurs comme Winnicott [8] et H. S. Sullivan [9], qui rendent compte de cette difficulté, et des techniques mises en jeu pour en sortir.

Beaucoup de notions ont été importées, plus ou moins métaphoriquement, du domaine des autres sciences par la psychanalyse. Nous suivons plutôt ici l'itinéraire et les étapes d'un concept, le transfert, à l'intérieur de la discipline elle-même, dans la mesure où ces déplacements ont pu y opérer des remaniements décisifs.

SENS dessus dessous [10]

L'expérience du transfert fait partie de la vie quotidienne. Rien ne semble de prime abord y privilégier la psychanalyse, puisqu'elle partage cette aventure avec tout un chacun dès lors qu'il se trouve, comme médecin, enseignant, ou ami simplement, débordé par la passion de l'autre, jusqu'à se demander pour qui on le prend. C'est aussi le vecteur qui permet de faire passer remèdes, leçons, conseils et suggestions.

S'il y a une particularité de la démarche analytique, elle n'est pas dans la nature du lien ainsi instauré, mais seulement dans son maniement : justement en suspendant ce type de réponse. Elle part en effet d'un constat d'échec face à certaines demandes de guérir ou de s'en sortir : le symptôme, dûment guéri ou rééduqué, réapparaît sans cesse, identique ou sous une autre forme. Dès lors, la prise en compte du transfert permet une opération sémantique nouvelle. En découvrant l'autre dont il occupe la place, l'analyste constitue, en ce lieu, l'adresse de ce que dit le symptôme sans le savoir. Suivant le fil de l'association libre, la parole surprendra son locuteur de s'entendre répercutée en écho, au lieu de l'analyste, et débusquant des zones d'oubli qu'on croyait ne pas exister. Dans ce contexte, on parlera autrement de ce qui dérange, ou fait souffrir. Il ne s'agira plus d'un déficit à corriger, d'une maladie à guérir ou d'un handicap à maîtriser, mais d'une parole censurée, refoulée au lieu de l'inconscient, qui a trouvé pour s'exprimer la voie du symptôme, mais aussi du rêve, du lapsus, du mot d'esprit, de l'acte manqué. Alors, au désir de guérir, se mêle de plus en plus le désir de savoir.

Pour permettre cette expérience, l'analyste devra s'abstenir des manœuvres d'influence, de persuasion, de maîtrise, où le sollicite le transfert, pour y substituer l'interprétation renvoyant au sujet sa parole interdite. C'est à ce point précis que s'imputent les remarques de Popper et de Wittgenstein, sur les facilités qu'il y aurait à faire avaler audit patient n'importe quoi, et en particulier des explications du type : ce n'est pas un hasard si ceci ou cela, parce que, dans votre enfance, votre père — que représenterait l'analyste — était comme ceci, et votre mère — *idem* — comme cela. Toute la famille y passe. Ce familialisme doublé de la clef à tout faire du refoulement sexuel, qui voit des phallus dans la moindre protubérance et les dents de la mer à tous les virages, peut à l'occasion faire figurer l'interprétation dans la litanie des « ceci veut dire cela ». Et les premiers à s'en apercevoir, n'en déplaise à Popper, sont généralement les patients. Tout à coup, rien ne marche plus. Le mécanisme du transfert s'enraye. Parler de résistance de transfert, au sens où on dirait du patient récalcitrant qu'il résiste, ne trompe personne.

Voilà ce qui arrive, lorsque le processus du transfert est impliqué dans un modèle mécaniste. On s'embourbe dans les méandres épistémologiques de la recherche des preuves. La preuve de l'exactitude de l'interprétation serait dans le matériel qu'elle fait émerger de la parole du patient. Et quelle preuve avons-nous que tout ce matériel n'est pas offert à l'analyste, pour justifier sa théorie ? Où la conception d'ensemble de l'histoire du patient deviendrait cause finale de la présence du symptôme, au sein d'une théorie prête à l'arraisonner. Mais les aléas du transfert, plus malin que ce schéma causaliste où l'on tente de l'utiliser, nous enseignent que, dans son champ d'application, les sujets de l'expérience ont leur mot à dire sur la façon dont elle est menée.

« La mécanique est le paradigme des sciences. Les gens qui imaginent une psychologie ont pour idéal une mécanique de l'âme. » Il faut se reporter aux *Leçons et Conversations*, où Wittgenstein brocarde les parodies d'interprétation « scientifique » qu'on peut trouver dans l'*Interprétation des rêves* [11]. Mais, à la différence de Popper, il ne demeure pas campé sur sa ligne de démarcation, à proférer des anathèmes. Les démons qui nous animent de nuit ou de jour l'intéressent suffisamment pour qu'il propose une issue. « Supposez que vous considériez le rêve comme un type de langage (...) supposez que nous nous mettions à considérer le rêve comme une sorte de jeu joué par le rêveur (et notons en passant qu'il n'y a pas une cause ou une raison unique pour laquelle, constamment, les enfants jouent). » En écho, quelques années plus tard, Lacan lancera : « L'inconscient est structuré comme un langage. » Il énoncera que la résistance est toujours celle de l'analyste, lorsqu'il n'a pas su calculer la place d'où il renvoyait la parole d'interprétation, et que cette dernière ne saurait consister en explications, mais en jeux du signifiant.

Cette métaphore du calcul — ratio — tend à faire résonner une conception du transfert qu'on pourrait dire plus « rationnelle », puisqu'on y recherche la « raison » des phénomènes qu'il suscite, tandis que leur cause est renvoyée au mythe des origines. Ça n'est pas une raison pour balancer l'expérience tout entière dans cet espace mythique, car supprimer la question des pourquoi entraîne une prétention à parler autrement du sujet de l'inconscient, sujet du désir.

A partir de là, l'idée d'une cause sous-jacente, que l'interprétation dans le transfert ramènerait à la surface, devient périmée dans le champ de la psychanalyse, malgré tout le charme d'une imagerie que Wittgenstein décrit en ces termes : « l'idée d'un monde souterrain, un caveau secret, quelque chose de caché, d'inquiétant », ajoutant qu'« il y a une masse de choses qu'on est prêt à croire parce qu'elles sont mystérieuses ». Image d'une intériorité du sujet, où il emmagasinerait dans la profondeur de soi les objets du refoulement.

Dans les *Notes sur l'expérience privée* [12], et, plus tard, dans les *Remarques philosophiques* [13], le même Wittgenstein ne semble toutefois pas résister particulièrement à affronter une autre dimension du sujet :

Si l'expression de savoir subjectif a l'air de menacer les fondements mêmes de la connaissance et de l'expérience, *(poursuit-il)*, c'est que notre langage est encore une fois en train de nous induire en erreur (...) Il faut se débarrasser de l'objet privé, ne pas se demander comment ça marche pour moi, mais qu'est-ce que je sais au sujet de quelqu'un d'autre.

On ne peut mieux indiquer ce lieu de l'Autre, « d'où vous revient votre message sous la forme inversée », et dont Lacan définit le transfert, y indiquant la place de l'analyste comme celle d'un « sujet supposé savoir », d'où peut être renvoyée la parole que le patient ne s'entend pas prononcer.

Car elle est pourtant bien là à la surface du dire, et non en dessous, dans on ne sait quel ineffable.

Dire que je n'ai pas rêvé cette nuit, c'est dire votre soupçon d'avoir rêvé. Dire : je ne souffre pas, indique une ombre de souffrance (...) Si quelqu'un d'autre parle quand personne n'est présent, est-ce à dire qu'il se parle à lui-même ? (..) Comment savoir exactement ce que j'allais dire si je ne le dis pas ? (...) Dire : j'ai mal, n'est pas indiquer la possession d'une souffrance, mais faire signe à quelqu'un d'autre.

Ces remarques ne sont pas tirées de la *Psychopathologie de la vie quotidienne* [14] de Freud, mais des *Investigations philosophiques* de Wittgenstein.

En effet, il n'y a pas de méta-langage, et le moindre voyage conceptuel, à présupposer le contraire, risque de verser dans l'ornière des idées reçues, telles que celles qui croient toujours bien assurées les frontières de l'intérieur et de l'extérieur, du sujet et de l'objet, du privé et du public. Pour donner une image du sujet qui subvertisse cette opposition, Lacan avait eu recours au tracé de la bande de Möbius, où intérieur et extérieur se retrouvent sur une même surface, que l'on peut toucher du doigt.

Ainsi le concept du transfert accomplit-il sa première boucle, dans un voyage où justement il indique que cette figure a des propriétés particulières, et qu'une continuité de l'ordre signifiant, de l'instance de l'Autre, est la consistance même du sujet.

SANS dessus dessous

Mais il peut arriver que par accident cette continuité soit rompue. Il arrive que l'outil des mots se casse — fait remarquer Wittgenstein, toujours curieux d'explorer les limites du langage —, et l'on reste là dépité, à regarder les morceaux. Je prends la nuit pour le jour, je vois tout en noir là où les autres voient du rouge. Ce qu'on pourrait résumer par une phrase située à la fin des *Notes sur l'expérience privée et les sense data* : « Situations dans lesquelles nous sommes tentés de dire : je dois être devenu fou. » Ces situations ne sont pas sans préoccuper aussi Popper qui exige, au début de *la Connaissance objective*, de pouvoir « choisir entre une (bonne) théorie scientifique et l'obsession (mauvaise) d'un fou ».

Mais, si l'outil des mots est cassé, alors aussi celui du transfert. D'un point de vue purement pragmatique, ça ne marche plus. Une constatation de cet ordre a été faite dès les débuts de la psychanalyse, séparant les névroses dites de transfert, accessibles à l'analyse, des névroses narcissiques — c'est-à-dire des psychoses, inanalysables parce que excluant, de structure, le transfert. On s'étonne que Popper n'ait pas sauté sur l'occasion pour y épingler enfin la théorie qui défiait la psychanalyse. Selon toute probabilité, il en était empêché par la piètre opinion dans laquelle il tenait les (mauvaises) théories des fous.

Plus curieux de cette énigme, mais certainement moins assuré sur les bases de sa propre normalité, le psychiatre et analyste américain Harry Stack Sullivan se saisit de cette impasse de la théorie psychanalytique pour explorer la prétendue impossibilité du transfert dans la psychose. Il n'est certes pas le seul, ni le premier, mais son itinéraire nous intéresse, car il en parle pour y avoir été confronté, côté patient, à son adolescence. Ses premières conférences, datant des années vingt, réunies sous le titre *Schizophrenia as a Human Process* [15], ne racontent certes pas cette première aventure ; elles s'appuient sur une expérience clinique de dix ans, dans son service organisé concrètement pour que puisse être mis en œuvre avec de jeunes schizophrènes l'outil indispensable du transfert. Là où, dit-il, les techniques de l'analyse classique —

association libre, anamnèse, interprétation du matériel refoulé — lui font défaut.

Or, les analystes de patients psychotiques maintiennent là, comme H. S. Sullivan, le même concept de transfert. Ce maintien peut naturellement se figer dans un enjeu polémique : on n'a pas fini de s'affronter sur cette question de l'inaccessibilité des psychoses à l'analyse. Il y aurait même lieu de s'interroger sur la place de cet enjeu dans les scissions et les éclatements qui rythment l'histoire du mouvement psychanalytique. Mais un voyage de ce concept vers les rivages réputés inabordables de la folie implique, plus positivement, un type nouveau d'opérations, et une redéfinition de son champ d'application. Et il est possible de rendre compte, sans d'infinis préalables, du travail technique et théorique de ces praticiens.

Pour Sullivan, l'enjeu de la folie consiste dans les rapports sociaux. Là où d'ordinaire on parle par exemple de retrait, d'apathie, de structure irréversible, il énonce un processus dynamique : « Toutes les productions schizophréniques ont pour objet les relations sociales. » Le lien social est évoqué dans son mouvement, à ses points de rupture, de désastre, lorsqu'une catastrophe en menace les fondements. En ces points, définis par l'irruption d'un chaos impossible à nommer, voire à représenter, les techniques schizophréniques tentent l'inscription de cette chose-là dans l'histoire : « Il n'y a pas d'individu malade, mais des gens attrapés dans le cours de certains événements. » Il n'hésite pas à qualifier ces gens de « sujets des sciences sociales », au rebours du statut d'objet, qui leur est le plus souvent concédé — objets de curiosité, de répulsion, d'observation, voire d'expérimentation.

Ayant pour objet les relations sociales, les productions schizophréniques travaillent sans cesse le rapport à l'autre, et suscitent un transfert de type particulier. En effet, il n'y a pas d'autre pour répondre de ces aires de catastrophe, décrites par leurs témoins comme une imminence de fin du monde, ou la certitude d'être entouré de caricatures malfaisantes. Le délire, par exemple, signe le passage d'un seuil, et l'entrée dans une autre façon de voir le monde, sous un angle qui privilégie un doute radical sur les lois du cosmos et celles des sociétés humaines. Devant cette défaillance de l'Autre, garant des lois naturelles et de la bonne foi, on entend parler d'absence d'autre dans la psychose : dès lors, pas de transfert possible.

Alors, quand le jeu avec le langage normal est ainsi cassé, il faut, conseille Wittgenstein, l'abroger, et en trouver un autre. L'étonnant, c'est qu'il se mette à découvrir une technique mise en usage par Winnicott pour les moments où le transfert psychotique est à l'ordre du jour. Il n'est pas besoin d'être fou pour avoir approché la psychose. Elle n'est la propriété de personne, mais plutôt la caractéristique de certaines situations.

> Si l'outil avec le nom N. est cassé *(poursuit Wittgenstein)*, A. montre N. à B. Que va faire B. ? Il va se tenir tout perdu et montrer les morceaux. N. est devenu sans signification et n'a plus de sens dans le jeu de langage. On peut alors imaginer une convention par laquelle B. secouera la tête en réponse, si A. lui évoque l'outil cassé.

Quand il n'y a pas de mot pour dire la catastrophe, Winnicott pose la nécessité d'un espace potentiel entre A. et B., où puissent être trouvés des objets transitionnels, qui fonctionneront dans la convention au lieu et place du signifiant impossible. Tout le temps qu'il faudra. Ils pourront être empruntés à n'importe quel domaine, pourvu qu'ils puissent servir dans un nouveau jeu de langage avec l'autre, sur ce fond d'outils inutilisables.

Ne nous étonnons pas de voir ici le voyage des concepts prendre un tour insolite, où l'on trouve un certain nombre de ces concepts voyageurs qualifiés de « théories délirantes », et rejetés dans les ténèbres extérieures à la science. Mais comment distinguer une théorie délirante d'une qui ne l'est pas ? Comment définir le pas qui sépare la linguistique délirante de Saussure, délivrée au public par Starobinski [16], de la linguistique scientifique qui s'ensuivit, une fois la première enfermée dans le secret d'une boîte ?

Nous allons chercher à aborder ces voisinages de la science avec la déraison par le biais d'une histoire qui rend compte d'un premier temps du transfert, où une formulation est amenée à jouer le rôle transitionnel en question.

Travail aux limites

A l'exemple de Raymond Queneau se constituant une bibliothèque d'écrivains fous, nous pourrions faire la recension des savants guettés par le délire, ou la liste des fous qui se prennent pour des savants. Tous les cas de figures étant possibles, une telle étude ne manquerait ni de piquant ni de sensationnel, mais, pour la faire, nous manquons d'érudition et de talent. Une autre voie s'offre à nous, plus familière, d'interroger ces voisinages à partir de l'expérience de la folie telle que nous la rencontrons dans notre travail d'analystes. En effet, que signifierait l'élaboration théorique du concept de transfert séparée de son maniement — la contemplation d'une structure de rapport —, séparée de sa productivité ? L'interruption du voyage, l'arraisonnement des diverses instances mises en jeu signent toujours un arrêt du processus lui-même. Comme dans le cas décrit par l'un de nous.

A peine arrivée dans l'hôpital psychiatrique où je commençais à travailler, je fis la connaissance, à une présentation de malade devant l'équipe soignante, d'une patiente enfermée là depuis des années. Elle était physicienne, et disait n'être pas malade. Pourtant, lui répliquait le psychiatre, nous avons essayé de vous faire sortir à plusieurs reprises, et vous êtes à chaque fois revenue. C'est que, disait-elle, elle avait perdu son travail et ses publications. Elle ne savait plus où aller. Devant l'air dubitatif et narquois de l'auditoire à cet argument, apparemment connu de tous, portant sur des publications disparues comme par enchantement, elle se tut et refusa d'en dire davantage. J'allai la trouver par la suite, intriguée par cette histoire de fou, classique, de celui qu'on accuse de folie précisément parce qu'il s'en défend. La preuve de son délire est justement dans les cris qu'il pousse pour vous en dissuader. Je n'eus pas plus de succès. « Ça vous regarde ? » fut sa seule réponse.
Un an passa. Un jour, elle m'interpella dans la salle commune où elle passait, sans rien faire, le plus clair de son temps, me demandant si j'avais passé le bac, et lequel. Il se trouvait que ce bac avait été scientifique. Sur

quoi, elle répondit qu'elle aurait quelque chose à me dire. Du temps passa encore, quand elle m'appela de sa chambre. Cette histoire de publication est vraie, m'assura-t-elle. Elle ne sortirait pas d'ici tant qu'elle n'aurait pas retrouvé sa place dans son laboratoire. Elle avait dû le quitter pour se reposer, ayant, à l'époque, totalement perdu le sommeil. Sa famille avait eu, aux générations précédentes, un penchant prononcé pour l'interne-ment de ses membres : elle se retrouva donc à l'hôpital. Je n'eus pas le courage de lui faire remarquer que tout cela datait d'une bonne vingtaine d'années. Une telle remarque semblait déplacée. Aussi poursuivit-elle en abordant le point critique sur lequel elle m'avait envoyée me faire voir, un an auparavant. Elle parla longuement du sujet de sa thèse, perdue en route, alors qu'elle était en cours de publication. Vrai ou faux ? Là encore, la question était hors de propos.

Mes questions portèrent sur sa recherche, tandis qu'elle décrivait les expériences qui, aujourd'hui encore, éveillaient une passion insoupçon-née sous sa prostration habituelle. Délire ou vérité ? L'état embryonnaire de mes connaissances en physique ne me permit pas d'en juger ; tout au plus justifiait-il une curiosité certaine pour ces recherches scientifiques vers lesquelles j'avais failli m'orienter.

Je ne prenais aucune note à la suite de ces entretiens. Ils me paraissaient tout à fait banals, de ceux qu'on a couramment « dehors ». Encore que certaines formulations, propres à son champ de recherche, avaient de quoi faire rêver. Elle travaillait sur des passages à la limite ; il y était question d'abaissement d'une zone interdite, de franchissement d'un seuil critique.

Je rêvais en effet à la singulière cascade qui l'avait fait basculer de la physique des particules dans cet autre champ qu'explore la folie, et tentai avec elle un autre jeu de langage : quelle zone interdite s'était donc ouverte pour elle, sur quel franchissement de limites, au point d'en perdre le sommeil et de se réfugier derrière les murs d'un asile pour continuer sa recherche, toujours en instance de publication ? Tout se passait comme si quelque chose cherchait à s'écrire, que n'avait pu contenir l'écriture d'une thèse restée dès lors en suspens. Loin de me répondre, elle mit un terme à nos entretiens, me laissant le bec dans l'eau de ma théorie, pour m'ignorer ostensiblement pendant les mois qui suivirent.

Je renonçai à ces entretiens en me racontant que leur répétition hebdomadaire ne laissait pas entrevoir de changement ni d'issue au statut de malade chronique où elle semblait s'être installée. Je m'en voulus seulement de cette illusion dans laquelle m'avaient entraînée mon inexpérience et mon goût immodéré pour des métaphores intempestives. Le temps passa, ce temps asilaire justement qui fabrique les chroniques.

Au bout d'une autre année, elle frappa un jour à la porte de la petite pièce qui me sert de bureau à l'hôpital. Elle avait autre chose à me dire. Cette fois-ci, le déplacement des concepts s'opérait clairement sur le champ historique. Elle était en train de raconter la succession de passages à la limite, territoriale cette fois, qu'avaient subis les frontières de son Alsace natale au fur et à mesure des trois dernières guerres. Les conséquences désastreuses de ces fluctuations dans l'histoire de sa famille, avec l'incertitude pour elle de reconnaître les amis des ennemis. Dernier effet de cette incertitude, dont elle fut directement le témoin, l'assassinat de sa tante par des résistants, en zone libre où ils étaient réfugiés, sous le prétexte que celle-ci, qu'elle aimait tout particulièrement, parlait français avec l'accent allemand. Le seuil critique était une fois de plus franchi, pour pénétrer dans une zone d'indétermination où il était devenu impossible de reconnaître les amis des ennemis. Nos entretiens se poursuivirent longtemps, à raison d'une fois par semaine.

Un beau jour, sans crier gare, elle quitta l'hôpital, mit fin à son placement et regagna ses pénates pour une sortie définitive, décidée à mon insu et contre toute attente. En effet, il n'avait jamais été question entre nous du grand délire qui la ramenait périodiquement en ces lieux, dont l'existence était attestée et dûment consignée dans l'épais dossier à son nom. Certes, je m'attendais à ce qu'elle m'en parle, mais sûrement pas à ce qu'elle s'en aille. Encore une fois, elle déjoua mes théories sur la psychose et me prit totalement au dépourvu. Encore une fois, elle restait maître du jeu.

Si je me suis étendue aussi longuement sur cette histoire, c'est parce qu'elle met en scène un certain nombre de migrations de concepts dont la folie est le champ. Mais le seul fait d'avoir entériné la dérive interdisciplinaire d'un concept venu de la physique pour rendre compte d'une aporie dans le champ historique va-t-il à lui tout seul rendre compte du cas présent, et confirmer la merveilleuse théorie de l'analyste, des rapports entre la folie et le lien social ? Qu'il l'appelle sa théorie, ou que d'autres y décèlent ses tics, ses obsessions, qu'il passe dans ses élucubrations pour plus fou que son patient, on serait tenté de crier au scandale, à l'apprenti sorcier. L'affaire est moins grave qu'il n'y paraît à première vue, elle constitue même un passage obligé, car cette théorie première a pour destin d'être détruite. Tel est le second temps du transfert, que l'histoire précédente ne raconte pas, et que nous allons tenter de décrire.

Un espace entre-deux

> L'erreur méthodologique la plus grave de la tradition psychiatrique (*insiste Sullivan*) est d'avoir évacué le facteur de l'interaction personnelle, comme si le contact avec le patient n'avait aucun sens pour lui. L'erreur la plus imbécile des sciences non naturelles est de croire que l'observateur pourrait regarder comme d'un pinacle de détachement scientifique des sujets qui ne le verraient pas.

Or, c'est un fait, lesdits sujets de l'observation voient sans nul doute venir leur thérapeute avec les gros sabots des concepts plus ou moins voyageurs auxquels il se réfère. Le plus souvent, d'ailleurs, ils le précèdent dans son entreprise, exercés qu'ils sont de longue date à percer à jour les manœuvres les plus inconscientes de leur entourage. D'abord, ils lui font la politesse, qu'autorise le premier temps du transfert, de confirmer la théorie qu'il se fait de leur cas. Parfois, ils se coulent tellement bien dans le moule de l'autre qu'ils lui en révèlent des contours insoupçonnés. C'est le moment pour le thérapeute de crier au miracle, ou au génie de sa méthode, et de croire qu'il est quelqu'un. C'est le moment rêvé pour faire des articles, et il faut faire vite. La roche Tarpéienne n'est pas loin.

Toujours sur le même thème du transfert comme résistance de l'analyste, jamais autant à l'ordre du jour qu'en cette occasion, Sullivan constate : « Comme nous sommes curieusement opaques sur le chapitre de nos propres scotomes ! Il y va plus que d'une résistance aux théories qui nous dérangent. C'est le principal facteur de production de nos théories (...). D'ailleurs, le patient offre à l'analyste de quoi nourrir sa théorie. » Et il faut ajouter, au point où nous en sommes : une fois qu'il l'a bien engraissée, il va se mettre en devoir de la sacrifier. L'imbécillité de l'observateur en l'occasion, sa soumission à des idéaux théoriques, voire scientifiques, complètement hétérogènes à la situation, signe moins une faiblesse de caractère que la stratégie, pas forcément concertée, qui toujours lia le fou à son roi, mettant à nu son infatuation, et le tournant en dérision. Alors, les hôtes des asiles seraient-ils les fous de nos théories ?

Le moment où les sujets de l'observation passent à l'action sur les visées de leur observateur est très repérable. Martin Cooperman [17], analyste à Austen Riggs Center (États-Unis), l'a judicieusement nommé du terme de *defeating process*. On entend parler soudain d'impossibilité, d'échec de l'analyse, on se retranche derrière la neutralité dont, croit-on, on n'aurait jamais dû se départir, on est tout près de dire : ce n'est pas ma faute, c'est l'autre, il est fou, qu'est-ce qu'il me veut ?

Mais, nulle part plus qu'en cette difficulté, la neutralité n'apparaît davantage comme le dernier des faux-fuyants. Autant se rendre à l'évidence, c'est la guerre, éclatant parfois comme un coup de tonnerre dans un ciel clair, au moment où le patient semblait tiré d'affaire, et l'analyste pas loin de se croire arrivé. Guerre dont la théorie précédemment ajustée dans un apparent duo devient l'enjeu. Comme si le transfert n'avait donné son lieu à cette théorie que pour en organiser le boycott, la dérision. En termes d'observation, c'est la rechute : celle-ci contient les instruments nécessaires à cette destruction. Et, parvenu au point extrême de tension et de déséquilibre où l'analyste atteint les limites des recours théoriques qu'il pourrait évoquer, il est sommé d'articuler quelque chose sur ce qui est en train de se passer.

Ce moment est le seul où s'analyse véritablement le transfert psychotique, après une succession parfois très longue d'accalmies et de défis. Il met du temps à apparaître, le temps qu'il faut à l'analyste pour faire voyager ses concepts entre différentes façons de décrire l'ordre à l'œuvre dans le désordre qu'on lui présente. Jusqu'à ce que, arrivé aux limites du pensable, pris en défaut, il révèle la part qu'il prend aux processus qu'il est censé analyser. Ce moment arrive toujours quand il s'y attend le moins. Il prend d'ordinaire prétexte d'un minuscule grain de sable : gaffe minime de l'analyste, échappée d'un lapsus, d'un acte manqué. Il n'en faut pas plus pour occasionner un désastre sans pareil ;

tous les progrès sont comme perdus à jamais, et avec eux l'espoir de comptabiliser quoi que ce soit de tant d'années gaspillées en pure perte.

Alors, la folie rentre véritablement en scène, mais, cette fois, à votre adresse. Une seule chose est sûre et certaine, dans cette confusion de hasards et d'histoires où vous vous trouvez soudainement mêlé : cette fois, c'est vous, l'analyste, qui l'avez provoquée. A quoi ressemble-t-elle ? A l'irruption d'un autre temps. Tout à coup, il n'y a plus de passé ni d'avenir. Le temps ne coule plus ; il s'écoule aussi avec une régularité de métronome qu'aucune coupure ne vient scander. Cependant qu'entre en scène, au présent, une action d'un autre âge, où les places indécises d'auteur et d'acteur voyagent entre les protagonistes de ce moment-là.

En ces aires où rien ne s'est inscrit, il serait vain de chercher des signifiants refoulés, ou même de se demander si le drame qui va se jouer là est attesté dans l'histoire. La suspension du temps historique, dans ces zones que Lacan appelle d'«entre-deux-morts», rend absurde tout recours à l'anamnèse : on voit mal comment on pourrait se souvenir de quelque chose qui ne s'est pas inscrit comme passé, mais qui existe néanmoins et continue de hanter dans un éternel présent.

Temps de paradoxe où la mort n'a pas prise, ni le vieillissement, et qui pourtant leur ressemble. On pourrait se servir, pour figurer ce temps-là, de ces «chroniques», assis toujours à la même place, toujours faisant les mêmes choses à la même heure. Dès lors, le risque est-il si grand qu'à seulement les effleurer ils ne tombent en poussière ? C'est qu'on les croit seuls habitants de ces sphères pour lesquelles ils semblent nous avoir quittés.

Quel déplacement nouveau faut-il ici accomplir pour reconnaître en cette extrême apathie une extrême vigilance à tout ce que l'autre révèle comme faille et comme question ? Dans la pratique de quel combat faut-il entrer pour éprouver qu'on peut se rendre insensible à force de concentration sur un seul point de mire ? En l'occasion, c'est là le mode de ce transfert qui semble tant ne pas en être un.

Maintenant, les deux pôles du rapport de folie s'inversent constamment. A chacun son tour de devenir la marionnette de l'autre sur la scène d'un théâtre que personne n'a jamais vu, et où la catastrophe, tôt ou tard, se matérialisera. A vouloir décrire et immobiliser le jeu, l'observateur se trouve projeté du côté de l'objet qu'il prétendait décrire. D'observateur, il devient observé. Cependant, la violence à l'œuvre dans ce mode de connaissance que constitue la folie détourne souvent les analystes de suivre le conseil laconique donné par Winnicott à qui s'engage dans ce type de transfert. Il tient en un mot : survivre. Non qu'il faille s'attendre à trépasser à la moindre incartade du patient. Winnicott voulait dire : survivre dans ce transfert, plutôt que de tout laisser tomber, sous les plus fallacieux prétextes, en arguant par exemple que la folie est inanalysable.

« Savoir ce qu'est un jeu, c'est savoir y jouer * »

Winnicott n'est pas le seul à dire le contraire. Il est en effet de par le monde, et pas seulement en Occident, bien d'autres analystes pour qui la possibilité du traitement analytique de la psychose ne fait aucun doute. Leur particularité semble être de faire peu de cas de l'opinion de qui ne s'est jamais risqué à cet exercice, et d'avoir rarement fait école, au sens institutionnel de ce terme. Avec des styles dont la diversité pourrait faire penser à un écart extrême entre leurs théories, et pousser au jeu de les dresser les uns contre les autres. Un autre trait cependant les réunit : d'avoir restreint le champ de l'interprétation du transfert au présent de la séance, tel que notre description a tenté de l'approcher, et de négliger délibérément tout ce dont cet instrument n'est pas capable de rendre compte.

Ces domaines négligés sont nombreux, en particulier tous ceux qu'explore la recherche médicale. Gare à la polémique, qui peut alimenter des débats sans fin. Konrad Lorenz [18] nous met en garde contre ce type de dichotomie. « Entre phénomènes physiologiques et phénomènes subjectifs, il est impossible de dire si l'un est la cause de l'autre. C'est la même réalité vue sous des côtés différents. Nous approchons d'eux par des processus cognitifs indépendants et sans commune mesure entre eux. »

Cet incommensurable ne veut pas dire qu'une approche non physio-

* L. Wittgenstein, *Investigations philosophiques*.

logique justifie tout et n'importe quoi au nom du « subjectif », par définition insaisissable avec des instruments de mesure. Psychose ou pas, les thérapies du subjectif semblent jouir aujourd'hui, comme par le passé d'ailleurs, d'une prolifération sans limite. Il suffit que, entiché de n'importe quelle explication du mal à vivre, on emprunte à divers champs de la science, mais aussi à diverses conceptions du monde, pour faire équivaloir le trouble incriminé à une perturbation physique ou métaphysique, et pour que le symptôme ainsi localisé suscite autant de dispositifs tendant à en corriger le déficit. Comme nous l'avons noté plus haut, tout est susceptible de marcher, et rien n'est plus facile que d'administrer la « preuve » qu'on a raison. « Trente pour cent de réussites, trente pour cent d'échecs, trente pour cent de résultats indéterminés » : sous cette autre loi, statistique et ironique, le psychiatre Georges Daumézon regroupait laconiquement les résultats de n'importe quelle forme de traitement.

Déjà auparavant, dans les années trente, Harry Stack Sullivan faisait la même constatation, quoiqu'en des termes plus virulents, mal supportés d'ailleurs par ses collègues. Ceux-ci l'entourent aujourd'hui encore d'une aura de scandale. Pour sa part, il mentionnait discrètement la chance qu'il avait eue, à l'adolescence, de ne pas tomber sous la coupe d'une de ces techniques, qui devaient trouver leurs applications de masse seulement par la suite : sans quoi, disait-il, il serait à coup sûr en train de moisir encore, comme un légume, dans le fond d'un asile [19].

Dans une conférence prononcée à l'adresse des psychiatres en formation de la Washington School of Psychiatry, il posait l'exigence d'une attitude critique, qui impose de se demander à tout moment : « Est-ce que je sais ce que je veux dire par cette élaboration, ou bien n'est-ce qu'un aspect des doctrines auxquelles j'ai été formé ? » Un anthropologue, chercheur à la London School of Economics, spécialiste d'un « terrain » dans la péninsule malaise, avait appliqué à de jeunes délinquants new-yorkais une thérapie traditionnelle de cette communauté orientale, qui semblait ne connaître ni viol ni crime. Il faisait part à Sullivan de son enthousiasme, et de ses succès. Ce dernier lui répondit que les hasards de la vie l'avaient mis, lui, l'expérimentateur importateur, en présence du seul psychiatre au monde qui fût le moins porté à encourager son système psychothérapeutique, même s'il lui avait fourni des résultats plus étonnants les uns que les autres.

A partir de là, il posa les conditions sous lesquelles doit être analysée toute tentative de ce genre, qu'elle tire son inspiration d'une autre culture ou d'un autre champ de la connaissance : une formulation critique des concepts employés, telle « qu'elle puisse faire sens pour un habitant de contrées complètement étrangères ». On pourrait presque dire : d'une autre planète. Sans quoi, la démarche thérapeutique ne se distingue pas d'une autre croyance, ce qu'il énonce en ces termes :

En vieillissant dans l'expérience de ce petit jeu, vous découvrirez que tout système poursuivi par l'un de nos camarades peut accomplir des résultats étonnants. Certains sont trop absurdes pour être pris au sérieux, ils sont néanmoins pleins de succès pour ceux à qui ils réussissent. Ces gens sont encore plus zélés que la plupart des gens religieux, et ils vont de par le monde distribuant le bien (...). Tout ce que vous avez en tête en matière de thérapie est dans le royaume du possible, car l'homme est une créature terriblement douée, et aussi de la plus profonde imbécillité (...). Nous avons aujourd'hui, à certains endroits des États-Unis, et ailleurs, ce que certains appelleraient des cultes religieux bizarres et d'autres des écoles de psychiatrie, dans lesquelles les prémisses les plus incroyablement irrationnelles ont été tissées à des techniques qui marchent aussi longtemps que la communauté est isolée.

Au terme actuel de ce voyage, les techniques et le concept même du transfert définissent de nouveaux champs de pertinence, exclus des élaborations qui leur ont donné droit de cité dans les premières descriptions de l'expérience psychanalytique. Autrement dit, les formations transférentielles spécifiques du travail mis en œuvre avec des patients psychotiques apparaissent comme un fait, dont la théorie ne s'avance qu'à l'épreuve de leurs effets. Un praticien aussi rigoureux que Gaetano Benedetti [20] n'hésite pas à reprendre les formulations freudiennes relatives à l'inconscient schizophrénique pour les confronter à l'expérience transférentielle de la communication avec des patients psychotiques dans le cadre d'une relation psychothérapeutique : « Si la conclusion [des textes invoqués] est qu'il ne peut exister de transfert, et donc de communication, avec un patient schizophrène privé des images inconscientes qu'il devrait pouvoir projeter sur son thérapeute pour communiquer avec lui, alors la thèse de Freud se trouve réfutée par moi. » Il précise aussi qu'une autre lecture de la théorie freudienne est possible, au regard de cette expérience particulière.

Prendre en compte la dimension du transfert dans son rapport avec la recherche menée par ces patients implique de la situer dans une dynamique. Dans ces situations particulières qui sont la folie même, l'affichage en termes de structure de ce qui est observé réduit à néant la possibilité même de ce mouvement : on peut même avancer qu'une telle position constitue une assurance tous risques anti-transfert. Ce qui n'est évidemment pas suffisant pour en évacuer les enjeux. Il faut simplement retenir qu'il est impossible d'aborder en même temps ces phénomènes en termes de structure et en termes de mouvement.

Ces enjeux, on l'a vu, imposent l'exercice de nouveaux critères logiques ; c'est à travers eux que le paradoxe du transfert dans le travail de la folie trouve sa raison. Au point où la production du symptôme se trouve aliéner l'énergie au maximum, jusqu'à l'apathie la plus complète, c'est bien d'énergie qu'il est question, et non de déficit. Au point où la folie s'enlève au plus loin de la production de la société, c'est bien le lien social qui constitue l'axe de la recherche en cours. Et, comme l'écrit Frieda Fromm-Reichmann [21], il faut poser que, dans la psychopathologie schizophrénique où achoppe en apparence la question du transfert, « tout en fait est transfert ».

Tout cela ne va pas sans quelques éclairages nouveaux dispensés sur l'ensemble des conceptions relatives à la folie. Celle-ci a toujours constitué un enjeu socioculturel fondamental. Diverses étapes marquent, sur l'itinéraire du concept de transfert, par-delà les époques et les différences culturelles, la prise en compte délibérée de cet enjeu. Mais cette mobilité à travers les terrains anciens et nouveaux de la psychanalyse ne va pas non plus sans une redéfinition de ces terrains eux-mêmes, et des positions respectives qu'ils occupent. A partir du moment où la question du transfert se trouve liée aux élaborations techniques de la psychose, c'est peut-être tout l'édifice dont il soutient l'existence qui s'en trouve réarticulé. Mais l'important reste de souligner, à travers ce défi permanent, que l'analyse du transfert psychotique, si elle donne une voie d'accès à la souffrance psychotique, est aussi à même de lui ouvrir une issue.

NOTES

1. J. Laplanche et J.-B. Pontalis, *Vocabulaire de la psychanalyse*, Paris, PUF, 1967 ; 2ᵉ éd., 1973.
2. K. Popper, *Objective Knowledge. An Evolutionary Approach*, Oxford, Clarendon Press, 1972 ; trad. fr., *la Connaissance objective*, Bruxelles, Complexe, 1985. Id., *Conjectures and Refutations*, Londres, Routledge and Kegan Paul, 1963 ; trad. fr., *Conjectures et réfutations*, Paris, Payot, 1985.
3. S. Freud, *Correspondance avec W. Fliess*, Paris, PUF, 1969 (années 1887-1902).
4. S. Freud, *Entwurf einer Psychologie* (1985), première publication, Londres, Imago Publishing, 1950 ; trad. fr., *Esquisse pour une psychologie scientifique*, Paris, PUF, 1969.
5. K. Kraus, *in* T. Szasz, Londres et Henley, Routledge and Kegan Paul, 1977 ; trad. fr., *Karl Kraus et les Docteurs de l'âme*, Paris, Hachette, 1985.
6. L. Wittgenstein, *Lectures and Conversations*, Basil Blackwell, 1966 ; trad. fr., *Leçons et Conversations*, Paris, Gallimard, 1971.
7. J. Lacan, *Écrits*, Paris, Éd. du Seuil, 1966.
8. D. W. Winnicott, *Playing and Reality*, 1971 ; trad. fr., *Jeu et Réalité*, Paris, Gallimard, 1975.
9. H. S. Sullivan, *The Fusion of Psychiatry and Social Science*, New York et Londres, Norton, 1977.
10. R. Devos, *Sens dessus dessous*, Paris, Stock, 1976.
11. S. Freud, *Die Traumdeutung*, 1899 ; trad. fr., *l'Interprétation des rêves*, Paris, PUF, 1967.
12. L. Wittgenstein, *Notes sur l'expérience privée et les sense data*, Trans Europ Express, 1982 (notes des cours des années 1934, 1935, 1936).
13. L. Wittgenstein, *Investigations philosophiques*, Paris, Gallimard, 1975.
14. S. Freud, *Zur Psychologie des Alltagslebens*, 1901 ; trad. fr., *Psychopathologie de la vie quotidienne*, Paris, Payot, 1967.
15. H. S. Sullivan, *Schizophrenia as a Human Process*, New York et Londres, Norton, 1974.
16. J. Starobinski, *Les Mots sous les mots. Les anagrammes de F. de Saussure*, Paris, Gallimard, 1971.
17. M. Cooperman, « Observations à propos de la psychothérapie psychanalytique des psychoses dans un cadre hospitalier », *Psychiatrie française*, nº 4, juillet-août 1984, traduction F. Davoine et J.-M. Gaudillière.
18. K. Lorenz, *Des Abbau des Menschlichen*, Munich, 1983 ; trad. fr., *l'Homme en péril*, Paris, Flammarion, 1985.
19. H. Swick Perry, *Psychiatrist of America*, Harvard univ. Press, 1982.
20. G. Benedetti, *Alienazione e Personazione nella psicoterapia della malatia mentale*, Einaudi, 1980.
21. F. Fromm-Reichmann, *Principles of Intensive Psychotherapy*, The University of Chicago Press, 1950 ; *Psychoanalysis and Psychotherapy*, The University of Chicago Press, 1959.

Bibliographie indicative

Cette bibliographie a pour fonction d'introduire le lecteur à la diversité des modes d'approche de la science. Sauf exception (reflétant le désir particulier de l'un ou l'autre d'entre nous), nous nous sommes limités aux ouvrages publiés ou traduits en français et disponibles aujourd'hui. Enfin, les subdivisions visent davantage à aider au repérage qu'à classer rigoureusement les titres.

Science et culture

Atlan, Henri, *A tort et à raison,* Paris, Éd. du Seuil, 1986.
Collectif, *Sens et Place des connaissances dans la société,* Paris, Éd. du CNRS, 1986.
Feyerabend, Paul, *Against Method,* Londres, New Left Books, 1975 ; trad. fr., *Contre la méthode. Esquisse d'une théorie anarchiste de la connaissance,* Paris, Éd. du Seuil, 1979.
Gould, Stephen J., *The Mismeasure of Man,* New York, Norton, 1981 ; trad. fr., *La Mal-mesure de l'homme,* Paris, Livre de Poche, 1986.
Lévy-Leblond, Jean-Marc, *L'Esprit de sel,* Paris, Fayard, 1981.
Prigogine, Ilya, et Stengers, Isabelle, *La Nouvelle Alliance,* Paris, Gallimard, 1979 ; coll. « Folio Essais », 1986.
Popper, Karl, *Unended Quest. An Intellectual Autobiography,* La Salle, Ill., Open Court Pub. Corp, 1976 ; trad. fr., *La Quête inachevée, autobiographie intellectuelle,* Paris, Calmann-Lévy, 1981.
Serres, Michel, *Le Passage du nord-ouest,* Paris, Éd. de Minuit, 1980.

Bibliographie indicative

Innovation conceptuelle

Cohen, Bernard I., *Revolution in Science*, Cambridge, Mass., Harvard University Press, 1985.

Holton, Gerald, *Theoric Origins of Scientific Thought : Kepler to Einstein*, Cambridge, Mass., Harvard University Press, 1973.

Holton, Gerald, *The Scientific Imagination : Case Studies*, Cambridge University Press, 1978 ; trad. fr., *l'Imagination scientifique*, Paris, Gallimard, 1981.

Schlanger, Judith, *L'Invention théorique*, Paris, Fayard, 1984 et *Penser la bouche pleine*, Paris, Fayard, 2ᵉ éd., 1983.

Types de rationalité scientifique

Bateson, Gregory, *La Nature et la Pensée*, Paris, Éd. du Seuil, 1984.

Bhaskar, R., *A Realist Theory of Science*, Leeds Books, 1975.

Bhaskar R., *The Possibility of Naturalism*, Brighton, Sussex, The Harvest Press, 1979.

Canguilhem, Georges, *Le Normal et le Pathologique*, Paris, PUF, 1984.

Castoriadis, Cornelius, *Les Carrefours du labyrinthe*, Paris, Éd. du Seuil, 1978.

Goldstein, Kurt, *La Structure de l'organisme*, Paris, Gallimard, 1983.

Horkheimer, Max, et Adorno, Theodor W., *La Dialectique de la raison*, Paris, Gallimard, 1974.

Putnam, Hilary, *Raison, Vérité, Histoire*, Paris, Éd. de Minuit, 1984.

Weber, Max, *Essai sur la théorie de la science*, Paris, Plon, 1965.

Weiss, Paul A., *L'Archipel scientifique*, Paris, Maloine, 1974.

Origine du mode d'objectivation des sciences modernes

Easlea, Brian, *Witch Hunting, Magic and the New Philosophy*, Londres, Harvester Press, 1980 ; trad. fr., *Science et Philosophie. Une révolution, 1450-1750*, Paris, Ramsay, 1986.

378

Habermas, Jürgen, *La Technique et la Science comme « idéologie »*, Paris, Gallimard, 1973.
Koyré, Alexandre, *Études galiléennes*, Paris, Hermann, 1980.
Needham, Joseph, *The Great Titration*, New York, Allen & Unwin, 1969 ; trad. fr., *La Science chinoise et l'Occident*, Paris, Éd. du Seuil, 1973.
Pirsig, Robert M., *Zen and the Art of Motocycle Maintenance*, New York, William Morrow, 1974 ; trad. fr., *Traité du Zen et de l'entretien des motocyclettes*, Paris, Éd. du Seuil, 1978.

Le fonctionnement des communautés scientifiques

Collectif, *La Science telle qu'elle se fait*, Paris, Pandore, 1982.
Collectif, *Les Scientifiques et leurs Alliés*, textes choisis par M. Callon et B. Latour, Paris, Pandore, 1985.
Kuhn, Thomas S., *The Structure of Scientific Revolutions*, The University of Chicago Press, 2ᵉ éd., 1970 ; trad. fr., *la Structure des révolutions scientifiques*, Paris, Flammarion, 1973.
Latour, B., et Woolgar, S., *Laboratory Life*, Londres, Sage Publications, 1979.

La question de l'épistémologie normative

Althusser, Louis, *Philosophie et Philosophie spontanée des savants*, Paris, Maspero, 1974.
Bloor, Daniel, *Knowledge and Social Imagery*, Routledge and Kegan Paul, 1976 ; trad. fr., *Sociologie de la logique*, Paris, Pandore, 1982.
Lakatos, Imre, et Musgrave, Alan, *Criticism and the Growth of Knowledge*, Cambridge University Press, 1970.
Popper, Karl, *Objective Knowledge. An Evolutionary Approach*, Oxford, Clarendon Press, 1972 ; trad. fr., *La Connaissance objective*, Bruxelles, Complexe, 1978.
Tort, Patrick, *La Pensée hiérarchique et l'Évolution*, Paris, Aubier-Montaigne, 1983.

Bibliographie indicative

Propagation d'un concept

Collectif, *L'Auto-organisation, de la physique au politique*, Colloque de Cerisy, Paris, Éd. du Seuil, 1983.
Latour, Bruno, *Les Microbes. Guerre et paix* (suivie de : *Irréductions*), Paris, A.-M. Métailié, 1984.
Schlanger, Judith, *Les Métaphores de l'organisme*, Paris, Vrin, 1971.

Mathématisation

Ekeland, Ivan, *Le Calcul, L'Imprévu, Les Figures du temps de Kepler à Thom*, Paris, Éd. du Seuil, 1984.
Mandelbrot, B., *Les Objets fractals*, Paris, Flammarion, 2e éd., 1985.
Thom, René, Giorella Giulo, Morini Simona, *Paraboles et Catastrophes*, Paris, Flammarion, 1983.

Épistémologie générale

Bachelard, Gaston, *La Formation de l'esprit scientifique*, Paris, Vrin, 1re éd., 1938.
Le Rationalisme appliqué, Paris, PUF, 1949.
L'Activité rationnelle de la physique contemporaine, Paris, PUF, 1951.
Bernard, Claude, *Introduction à l'étude de la médecine expérimentale* (1865), Paris, Garnier-Flammarion, 1966.
Collectif, sous la direction de Jean Hamburger, *La Philosophie des sciences aujourd'hui*, Paris, Gauthier-Villars, 1986.
Collectif, *L'Explication dans les sciences*, Paris, Flammarion, 1973.
Duhem, *La Théorie physique, son Objet, sa Structure*, Paris, Vrin, 2e éd., 1914 ; rééd., 1981.
Foucault, Michel, *Les Mots et les Choses*, Paris, Gallimard, 1966.
Granger, Gilles Gaston, *Langages et Épistémologie*, Paris, Klincksieck, 1979.
Jacob, Pierre *L'Empirisme logique*, Paris, Éd. de Minuit, 1980.
Kolakowski, Leszek, *La Philosophie positiviste*, Paris, Denoël-Gonthier, 1976.
Piaget, Jean, *Logique et Connaissance scientifique*, Paris, Gallimard, coll. « Encyclopédie La Pléiade », 1967.

Poincaré, Henri, *La Science et l'Hypothèse,* Paris, Flammarion, 1re éd., 1902.

Vuillemin, Jules, *La Logique et le Monde sensible,* Paris, Flammarion, 1971.

Wittgenstein, Ludwig, *Tractatus logico-philosophicus,* Paris, Gallimard, 1961.

Index

Cet index a pour fonction d'aider au repérage de thèmes communs entre les différents articles et de suggérer des parcours transversaux possibles. C'est pourquoi les termes et les noms propres repris sont avant tout ceux qui apparaissent dans plusieurs articles différents. Les termes figurant ici sous leur forme de substantif peuvent, dans les textes, renvoyer à des verbes ou à des adjectifs.

Table

IMPRIMERIE HÉRISSEY A ÉVREUX
DÉPÔT LÉGAL : OCTOBRE 1987. Nº 9801 (43211).